Telecom.

D0539924

DU MANAGEMENT
À L'ÉCOGESTION

Louise Courteau, éditrice inc.
C.P. 636
Verdun, Qc
H4G 3G6
(514) 761-7849

Design de la couverture : J.W. Stewart

Photos : Guy Turcot

Dépôt légal, 2e trimestre 1988
Bibliothèque nationale du Québec
Bibliothèque nationale du Canada
Bibliothèque nationale de Paris
Library of Congress, Washington, D.C.

ISBN : 2-89239-070-2

DU MANAGEMENT À L'ÉCOGESTION

Gilles Charest

Louise Courteau
éditrice
Montréal Qc Canada

Remerciements

Je veux remercier tous ceux qui par leur exemple, leur encouragement et leur enseignement ont cultivé en moi l'espérance, le courage et la confiance dans la vie. La liste de ces personnes est trop longue pour que je vous la présente ici : ce sont mes parents, ma famille, mes professeurs, mes amis, mes collègues de travail, mes associés en affaires, mes clients et tous ceux qui dans l'invisible ont contribué et contribuent encore à mon évolution. Ils m'ont permis de prendre pied sur cette planète et me soutiennent quotidiennement dans ma recherche pour donner un sens à ma vie et à mon travail. Lorsque je prends conscience de tant d'amour et de sollicitude, je n'ai qu'un désir : celui d'en être digne en contribuant à l'avancement de l'humanité.

Je veux toutefois remercier tout particulièrement Ghislaine Cimon, ma compagne de vie qui, par sa joie de vivre, sa fidélité et son engagement sur le chemin du bonheur, avive chaque jour la flamme de mon idéal.

Table des matières

Introduction

La science moderne nous a conditionnés à ne voir dans la réalité que son enveloppe extérieure la plus grossière. Graduellement, nous avons perdu cette capacité de reconnaître les forces internes qui régissent l'évolution des êtres et des événements.

Cette myopie du cœur nous a peu à peu fait perdre contact avec le réel, ne nous laissant pour comprendre la vie que le plan mal défini d'une grosse machine sophistiquée et froide.

Les conséquences de notre handicap sur la conduite des affaires humaines sont évidentes tant dans le domaine de la vie politique, économique que sociale. Logiquement, le management de nos organisations n'échappe pas non plus à cette atrophie de l'âme.

Si une vision tronquée de l'homme a entraîné des interventions irresponsables tant dans l'écologie sociale de nos organisations que dans celle de l'environnement physique, seule une approche qui intègre les dimensions physique, psychologique et spirituelle de l'être humain saura nous fournir les moyens de réparer nos erreurs.

Nous avons un urgent besoin de *leaders* capables de redonner à nos entreprises leurs dimensions véritablement humaines. Quel est le sens de l'évolution de l'homme et des entreprises qu'il dirige ? Quelles en sont les lois ? Comment pouvons-nous favoriser leur croissance harmonieuse ? Voilà des questions auxquelles la rationalité seule ne saurait trouver de réponse. Ici, l'intuition doit guider la raison ; les qualités du cœur doivent avoir préséance sur celles de la tête et de la main.

Du management à l'écogestion se veut une modeste contribution à l'effort d'un nombre croissant de penseurs et de praticiens du management pour réhabiliter l'intuition comme outil de gestion et, ce faisant, permettre à d'autres de redécouvrir l'entreprise avec les yeux du cœur.

Ce livre est construit autour de trois idées maîtresses. **La première** affirme qu'on ne peut diriger efficacement sans une vision élargie du but de la vie et une compréhension intériorisée des lois naturelles qui régissent l'univers et, du même coup, le développement de nos organisations humaines. Cette idée fait l'objet de la première partie du livre sous le titre de « L'art de diriger ».

La deuxième idée maîtresse proposée dans la deuxième partie du livre sous le titre « Pour diriger, apprendre à obéir » veut que le développement et la maturité professionnelle d'un manager s'accompagnent d'une croissance sur le plan personnel. On ne saurait être un chef accompli, responsable de biens et de personnes, sans être d'abord une personne pleinement épanouie, responsable de sa propre vie.

La troisième partie de cet ouvrage, intitulée « L'organisation qui apprend », présente **la troisième** idée maîtresse. Elle s'inspire de la vision socratique, celle du « Connais-toi toi-même et tu connaîtras l'univers et les dieux ». C'est pourquoi les organisations en santé peuvent être considérées comme la projection, à un autre niveau, de l'être humain lui-même. En effet, une entreprise est un organisme vivant, d'un genre particulier, qui obéit aux lois de l'évolution de tous les organismes vivants. Son âme est constituée des formes-pensées qui l'animent et son corps n'est rien d'autre que le système sociotechnique que ces pensées ont matérialisé.

On doit donc aider une organisation à se développer de la même manière qu'on intervient dans le développement d'un individu. C'est avant tout un travail d'éducation. Il s'agit de cultiver les forces qui cherchent à s'exprimer dans tout groupe d'êtres humains dès que ces derniers s'unissent pour une cause commune.

La quatrième partie du livre, intitulée « Réflexions », se veut une forme d'approfondissement des idées ébauchées dans les trois premières parties. J'aborderai quelques thèmes de réflexion sur lesquels mon métier me force à méditer régulièrement : la participation des employés à la vie de l'entreprise, le phénomène de la qualité comme outil de gestion, la gestion des changements et, pour terminer, ma profession, celle de conseiller en gestion.

J'ai demandé à Claire Noël de mener des entrevues auprès de onze personnes qui vivent actuellement, à leur façon, dans leur organisation, les idées mises de l'avant dans ce livre. Ces entrevues ont été insérées entre les chapitres en tenant compte, lorsqu'il était possible de le faire, des thèmes qui y étaient abordés. Je veux ainsi proposer aux lecteurs des modèles accessibles et stimuler, à l'aide de ces exemples, leur engagement à vivre pleinement leur vie d'entreprise.

Vous trouverez, en deuxième partie de cette introduction, un mot de Claire Noël qui présente son travail.

Je suis convaincu que les espoirs des générations à venir reposent sur la générosité de ceux qui, aujourd'hui, influencent nos organisations. Le monde nouveau, que secrètement nous souhaitons tous, passera, il est évident, par le renouveau des personnes, même si pour cela nous avons à peiner individuellement et collectivement. La contribution de chacun d'entre nous à ce vaste projet doit devenir, le plus vite possible, notre unique préoccupation. À cette fin, nous avons besoin de chefs qui accepteront de nous donner l'exemple.

Gilles Charest

Au-delà de...

Au-delà de « la première vue », des mots, des expressions, des photos, bref, des textes eux-mêmes, vivent onze êtres humains.

Comment refléter fidèlement la spécificité de chacun d'eux ? Cela est difficile, je l'avoue. Pourtant, comme eux, j'ai plongé et je les ai laissés simplement se raconter.

Sans exhibitionnisme, ces femmes et ces hommes ont accepté de raconter leurs expériences professionnelles et personnelles et de dégager les points marquants de leur vie.

Les entrevues, d'une heure chacune, se sont déroulées dans le même décor ; ce sont les seuls éléments uniformes de cet exercice.

Puis, témoin visuel des rencontres, le photographe Guy Turcot démontre ici son habileté et sa sensibilité à capter quelques facettes de chacune des personnes. Chaque fois, se vit une complicité non verbale inestimable.

Puissent les lecteurs retirer de ces brèves entrevues autant de plaisir et d'enrichissement que j'en ai reçu tout au long de ces heures. Toute ressemblance avec des personnes rencontrées les 26 et 28 mai, 2 et 4 juin 1987 ne sera donc pas pure coïncidence.

Claire Noël

Première partie

L'art de diriger

Chapitre 1

Le but au-delà du but

*Si vous ne parvenez pas à
trouver la vérité en vous-même,
où donc espérez-vous la trouver ?*
Alan W. Watts
San Francisco, 1954

L'art de gérer

L'essentiel du management comme de tout art ne s'enseigne
pas. On peut, de-ci de-là, placer sur la route à suivre des
jalons mais, de toute évidence, on ne peut pas marcher à la
place de celui qui désire progresser sur cette voie.

Si, pour devenir un bon manager, l'étude de diverses
techniques et la compréhension de différents systèmes de
gestion sont nécessaires, il ne faut jamais perdre de vue que
seule l'expérience personnelle confère la maturité requise
pour la maîtrise de cet art. J'exhorte donc le lecteur à ne
croire ce qu'il lira dans ce livre que si cela correspond à son
expérience personnelle. L'expérience des autres, si elle
peut stimuler notre recherche, ne peut toutefois jamais la
remplacer.

Tout d'abord, en gestion, comme dans les arts en
général, la maîtrise d'une technique exige toujours, pour être
vraiment utile, la connaissance et la maîtrise de soi. Un vrai

maître sait cela et tout son enseignement ne vise, en définitive, que ce but. Grâce à la maîtrise de soi, on apprend à voir, derrière les événements et les situations, l'esprit dont ils émanent et qui les anime, ce qui confère un avantage évident dans la conduite des affaires. La maîtrise de soi permet de développer une vision qui intègre toutes choses et permet de rester sensible aux forces apparemment contradictoires qui agissent en toutes circonstances et qui n'attendent que la maîtrise consciente de l'homme pour s'harmoniser. C'est ainsi que, derrière un échec, celui qui a appris à se maîtriser pourra entrevoir la victoire prochaine, tandis qu'un autre n'y verra qu'amertume et désillusion.

Le sens des choses nous apparaît clairement lorsqu'on reconnaît dans les événements les lois qui régissent l'univers et que l'on ne fait plus obstacle à leur libre expression. Pour cela, il faut d'abord apprendre à se maîtriser, à s'effacer. La simplicité, la spontanéité et l'efficacité soutenues d'un gestionnaire révéleront toujours sa capacité à mettre de côté ses désirs personnels pour répondre intuitivement aux besoins qu'exprime la situation du moment. Laisser parler les événements, les interroger, reconnaître les besoins qu'ils expriment, obéir à ce que nous ressentons, c'est comme marcher : nous l'apprenons en le faisant. Cependant, nous avons peut-être oublié que, pour apprendre à marcher, nous n'avons pas fait de longues études. Nous nous sommes levés tout simplement. Seule l'expérience personnelle motivée par une intuition pure procure ce savoir capable de faire du management un art véritable.

Vu sous cet angle, le management devient une voie de réalisation personnelle où le succès professionnel va de pair avec la maturité personnelle. Cette conception des choses propose donc la loi du plus sage comme fondement de l'organisation sociale. En effet, selon cette vision du management, on devrait trouver à la tête de nos entreprises des gens sages. Hélas, depuis fort longtemps, une autre conception du leadership fondée sur la loi du plus fort pollue nos entreprises. On confond encore facilement de nos jours la sagacité intellectuelle avec la sagesse. C'est pourquoi nos organisations sont truffées d'incompétents bien articulés, comme l'affirme Roy Rowan dans son livre *The Intuitive Manager*. Encore que nous ayons là, comme ailleurs, ce qu'en définitive nous méritons, car nos managers ne seront toujours que le reflet de ce que nous sommes.

On peut reconnaître les incompétents bien articulés à certains traits distinctifs. En effet, ces gens se sentent plus à l'aise derrière un rétroprojecteur à faire danser les chiffres que dans l'action à inspirer et à mobiliser le personnel autour d'objectifs qui peuvent assurer la prospérité à long terme de l'entreprise. Toutefois, lorsque enfin ils se préoccupent réellement du long terme, c'est habituellement pour planifier leur propre cheminement de carrière. Ils s'activent, sont présents à toutes les réunions, plus soucieux de préparer le coup d'éclat qui va les faire remarquer rapidement qu'à méditer sur le devenir de leur entreprise pour en saisir le fil conducteur afin de mieux en guider le développement.

Il ne faut cependant pas désespérer : l'incompétence articulée est une maladie dont on guérit pour peu qu'on le veuille vraiment. Encore faut-il se faire aider. Parfois, ce sont les revers et les joies de la vie qui s'en chargent. Si le virus de cette maladie s'attrape généralement à l'université, quatre à cinq ans dans une entreprise en bonne santé constituent généralement une cure efficace pour les moins atteints. Les autres sont rejetés et vont contaminer les entreprises moins vigilantes.

Je me rappelle une anecdote à ce sujet. Une entreprise prospère dans le domaine de l'alimentation ne réussissait pas à se doter d'un service de marketing efficace. Après plusieurs années de conflit entre le marketing et les autres services, le nouveau directeur du personnel à qui on confiait, dès son entrée en fonction, le mandat de recruter un nouveau directeur du marketing, entreprit de tirer au clair les raisons pour lesquelles on ne pouvait pas garder de personne compétente à la direction. Il découvrit finalement que le management voulait se doter d'un service de marketing dans le but de bien paraître auprès de ses concurrents. Bien pris qui croyait prendre. On n'embaucha que des incompétents bien articulés. Des personnes qui en mettaient plein la vue, certes, mais qui avaient peu de sensibilité pour l'entreprise.

Encouragés par ces motivations inconscientes du management, tous commettaient l'erreur de se lancer à grands frais dans des programmes de marketing élaborés sans se soucier d'établir d'abord la crédibilité de leur service auprès des autres directorats. Leurs études étaient automatiquement contestées et la moindre erreur dégénérait en crise. Une fois le diagnostic de la situation posé, le management reconnut son erreur. Il décida d'embaucher un candidat, non plus pour le prestige ronflant de sa carrière bien amorcée, mais parce qu'il accepterait volontiers de comprendre la culture de l'entreprise et de démontrer, avec humilité, aux autres membres de l'équipe de direction, par de petites actions sans éclat, le bien-fondé d'un service de marketing. Cette équipe de gestion dut dépasser son désir de bien paraître pour reconnaître les besoins réels de son entreprise en acceptant d'obéir à la voix du bon sens.

Devenir manager, c'est en quelque sorte dépasser la recherche du but à court terme pour mieux l'atteindre encore. C'est, en effet, en ne recherchant pas le profit à tout prix qu'on assure la rentabilité de l'entreprise. Ne pas viser le but pour mieux l'atteindre, cela peut paraître paradoxal mais, en fait, il s'agit d'un simple point de vue sur la réalité. Qu'est-ce qui est plus réel : la fleur qui ravit l'œil et embaume l'atmosphère de la pièce ou l'ensemble des forces en équilibre qui se manifestent derrière celle-ci ? Notre avidité à obtenir des fleurs peut très bien nous amener, pour accélérer leur croissance, à ne plus respecter les lois de l'écologie, ce qui en bout de ligne réduira leur croissance.

Qu'on pense, à titre d'exemple, au gouvernement brésilien qui, désireux de mettre l'accent sur le développement économique, considère l'Amazonie comme une source illimitée de matières naturelles à exploiter dans les plus brefs délais. Quand on sait que la forêt amazonienne perfectionne son système depuis 100 millions d'années, qu'on y trouve plus de 60 espèces d'arbres à l'acre et qu'en comparaison, dans nos forêts tempérées qui ne sont vieilles que de 10 000 ans, ne croissent que 3 ou 4 espèces d'arbres à l'acre, on peut comprendre le cri d'alarme des écologistes qui voient dans cette exploitation abusive une menace grandissante pour cet écosystème le plus fragile de la planète. La forêt amazonienne produit d'importantes quantités d'oxygène. Certains chercheurs soutiennent l'hypothèse que le déboisement accru de cette zone pourrait perturber le climat de la planète. Il va sans dire que les décisions concernant ce coin du monde entraîneront des conséquences importantes à long terme, non seulement sur les décideurs eux-mêmes, mais sur tous les habitants de la terre.

Devenir manager, c'est développer sa sensibilité à cette réalité de deuxième niveau, celle qui se cache derrière le résultat à court terme et qui le conditionne. À l'échelle de nos entreprises, la moindre de nos décisions produit également un impact sur l'équilibre à long terme de ces dernières. Par conséquent, il faut apprendre à voir plus loin que le bout de son nez pour devenir responsable de la gestion de biens et de personnes.

Cette sensibilité au réel de deuxième niveau est admirablement illustrée dans les arts martiaux japonais, notamment dans la pratique du tir à l'arc, le Kyudo. À ce sujet, Eugen Herrigel raconte une histoire amusante dans son livre *Le Zen et l'Art chevaleresque du tir à l'arc* (Dervy-Livres, 1970). Professeur de philosophie allemande, l'auteur décida tandis qu'il enseignait la philosophie à Tokyo de s'initier au zen. On lui demanda d'aller voir le grand maître du tir à l'arc Awa. L'entraînement dura cinq ans et, pour tout dire, ce n'est qu'au bout de trois ans que Herrigel eut enfin l'autorisation de se servir de l'arc pour tirer à la cible. Un jour que Herrigel se plaignait de ne pas être en mesure d'atteindre la cible aussi souvent qu'il l'aurait souhaité, le maître lui tint à peu près ce discours : « Toucher la cible n'est pas le but, et même si vous y parveniez à chaque coup, cette virtuosité serait analogue à celle d'un artiste de cirque. La grande doctrine voit dans le souci premier d'efficacité une chose purement diabolique. Aucun moyen technique ne permet d'atteindre le but. Sans quoi, la cible ne serait qu'un bout de papier et le but ne serait pas Bouddha. Le tir au but sans le but repose sur l'éveil au rythme intérieur des choses et des êtres. L'archer atteint sa cible sans avoir extérieurement visé. » Puis le maître en fit la démonstration, le soir même, en tirant deux flèches dans la cible bien que celle-ci fût dans l'obscurité.

L'art du management, lui aussi, exige un long apprentissage car il nécessite également la compréhension du but au-delà du but, au-delà des résultats à court terme. Ce but ultime, c'est le développement de l'intuition capable de reconnaître le sens des événements et le destin des êtres. C'est la connaissance des lois de l'univers et la coopération avec elles. C'est capter le travail dans sa vraie perspective, c'est-à-dire comme un moyen de se réaliser. C'est alors seulement que le travail donne ses plus beaux fruits dont l'efficacité et la rentabilité ne sont pas les moindres.

Cela peut sembler, pour certains, une suite de mots dépourvus de sens mais c'est pourtant cet art du management que mettent en pratique avec succès les entreprises qui font aujourd'hui de la qualité leur but premier. **Rechercher d'abord la qualité dans tout ce que l'on fait, c'est viser le but au-delà du but.**

À la recherche d'un sens

Cette conception du management s'est imposée à moi, petit à petit, au fur et à mesure de mon évolution professionnelle. Quatre facteurs se sont conjugués pour m'aider à développer cette vision : mes insatisfactions personnelles et professionnelles, ma quête de la vérité, les « feedbacks » de mes clients et de mes collègues de travail ainsi que mon expérience comme gestionnaire.

C'est durant ma dernière année à l'université que je décidai de faire carrière comme conseiller en management. Cette décision fut, je le réalise aujourd'hui, un pas important dans le sens de la concrétisation d'un rêve que je porte vivant en moi depuis l'âge de 14 ans.

Je crois profondément aux rêves de jeunesse. Ils portent en germe la mission fondamentale de notre vie. L'adolescence en particulier est une étape déterminante dans la vie d'une personne parce que c'est le moment où, grâce à la force sexuelle qui s'éveille, l'esprit prend possession de tout l'être. C'est pourquoi il faut prêter attention à nos rêves d'adolescence. Souvent, ils véhiculent des images d'une profonde intuition.

À quatorze ans, je me voyais déjà enseigner. C'était clair pour moi que je ferais connaître des principes d'organisation qui tiennent compte des lois de la nature. J'apprendrais des méthodes à des gens très motivés pour qui il serait impératif de savoir, des gens qui auraient, par la suite, un effet d'entraînement sur la société.

À ma sortie de l'université, je me suis associé à une firme de conseillers en gestion et en développement des ressources humaines. J'arrivais dans les organisations avec les dernières techniques en matière de management, avec mes rêves d'une société meilleure et, au fond du cœur, l'espoir secret qu'on élèverait bientôt un temple pour célébrer mon génie et mon dévouement.

Je n'avais pas encore compris, à l'époque, que **le savoir véritable procède de l'expérience personnelle**. J'ai donc commencé par raconter à mes clients ce que mes professeurs m'avaient enseigné pendant cinq ans à l'université, sans grands résultats, je l'avoue. Mes trois premières années dans le métier m'auront servi, tout compte fait, à oublier ce que j'avais appris. Graduellement j'ai pris de la distance par rapport aux théories pour me rapprocher davantage de mes clients et, surtout, j'ai commencé à faire un peu plus confiance à mes intuitions.

Progressivement, durant ces trois années, j'ai été saturé : je me voyais répéter à différentes personnes appartenant à différents milieux les mêmes histoires ; je me sentais obligé d'entretenir, en toute complicité avec mes clients, l'illusion que nous aboutirions ensemble quelque part. À l'époque, je découvrais avec horreur que peu de gens veulent réellement changer. Comme vous avez pu vous-même vous en rendre compte, la plupart de nos concitoyens savent très bien ce qui serait bon pour eux, mais très peu d'entre eux mettent en pratique ce qu'ils savent. Prenons, à titre d'exemple, les fumeurs. Très peu ignorent les méfaits du tabac. Pourtant, ils continuent de fumer. Lorsqu'il s'agit de se marier, de divorcer, de changer d'emploi, de congédier quelqu'un, de s'engager dans une direction pour les choses essentielles, les gens savent habituellement ce qu'ils doivent faire. C'est donc dire que la connaissance seule ne change pas le comportement. Il faut y mettre de la volonté. Une volonté qui prend sa force non pas dans la tête, mais dans le cœur. Vous pouvez sans peine reconnaître la différence. La première consiste à essayer de vous changer à partir d'un modèle extérieur, la seconde consiste à accepter tout simplement d'obéir à votre voix intérieure. Pour cela, il faut prendre le temps de l'écouter. Ce que moi-même j'avais cessé de faire depuis mon entrée à l'université.

Beaucoup, en effet, cherchent uniquement des trucs pour éviter les inconvénients que leur apporte leur façon de vivre et de fonctionner. Au fond, ils ne sont pas prêts à payer le prix de leur bonheur. Dès qu'on leur propose de se mettre un tant soit peu en mouvement pour changer vraiment quelque chose à leur situation, ils s'évertuent à vous prouver que c'est impossible, qu'ils n'ont pas le pouvoir d'amorcer de telles transformations, que leur patron ne sera pas d'accord, que de toute façon c'est ça la vie dans les organisations, qu'il faut s'y faire ou en sortir, et qu'en définitive on n'y peut rien.

J'étais durement confronté à l'impuissance et à l'irresponsabilité de mes clients. Je me suis mis à ressentir de plus en plus d'insatisfactions et de frustrations dans mon travail. J'éprouvais cette impression désagréable d'être un amuseur public. On ne me demandait pas d'être efficace mais d'être intéressant. Je me sentais de plus en plus inutile et je commençais à entretenir des doutes de plus en plus tenaces sur ma propre valeur. Où étaient les résultats, les changements significatifs, les prises en charge spectaculaires, les transformations fulgurantes que mes modèles miracles devaient générer ?

Constatant ma propre impuissance, j'allais découvrir, à travers la souffrance, que tout effort pour changer le comportement d'une personne ou d'une organisation à partir d'un modèle de ce qu'elle devrait être s'avère tout à fait inutile, voire nuisible. L'être humain, comme les organisations, est foncièrement libre et les véritables changements, chez l'un comme chez l'autre, ne peuvent être amorcés que par une volonté intérieure en harmonie avec les lois qui régissent la vie même. Tout agent de changement, qu'il soit conseiller, gestionnaire ou politicien, doit constamment se rappeler ce vieil adage oriental : « On peut amener une vache à l'abreuvoir mais on ne peut pas boire à sa place. »

Mes insatisfactions ont donc, pour une large part, du moins à mes débuts, servi d'aiguillon à ma quête de la vérité. Quel sens donner à la vie ? Sommes-nous victimes d'une vaste bouffonnerie ? Sommes-nous les personnages improvisés d'une pièce sans auteur ? Voilà autant de questions que je me suis évertué à tirer au clair d'abord au moyen de mes lectures, puis avec l'aide de confrères.

Pour mieux comprendre mon métier de conseiller, j'ai dû d'abord accepter d'être aidé. Ce fut l'un des apprentissages les plus déterminants pour moi. C'est en me confrontant avec mes propres peurs que j'ai compris comment nos motivations affectent notre perception, par conséquent notre expérience tout entière. En définitive, tout ce qui nous arrive survient parce que nous le voulons, à un certain niveau. Il devenait donc clair pour moi que si je voulais aider mes clients, leur permettre de reconnaître ce qu'au fond ils veulent vraiment, je devais m'intéresser à leur vision des choses, à leur expérience plutôt qu'aux théories qu'on m'avait enseignées. Cette simple découverte peut apparaître élémentaire, mais je crois qu'on ne comprend pas vraiment cela si on ne l'a soi-même vécu. Aussi longtemps qu'on n'a pas appris à faire confiance à sa propre expérience, on peut difficilement l'enseigner à d'autres.

Ma recherche dans cette voie m'a conduit à une découverte capitale. J'ai compris, je crois, l'adage qui dit : « La peur est le commencement de la sagesse. » Cela ne signifie nullement qu'on doive céder à ses peurs, au contraire, elles nous indiquent la direction de notre recherche. Les craintes que l'on fuit nous gardent attachés à des façons d'agir et d'être désuètes. En outre, nos peurs sont la principale source de nos insatisfactions. Combien de subordonnés, par exemple, se font de leur patron des idées qui les paralysent ? Faire face à ses peurs, prendre conscience des besoins que l'on réprime ainsi, en assumer la responsabilité, voilà le moyen d'apprendre de sa propre expérience. Dans ce processus, au-delà de nos appréhensions, nous découvrons bientôt un centre de sécurité, de paix et de lucidité extraordinaire auquel nous pouvons nous fier pour mener notre vie et nos affaires. Encore faut-il nous éveiller à cette réalité et cela se passe rarement, dans l'état actuel des choses, sans quelques souffrances.

Je poursuis ma recherche depuis ce temps, et cela dans le but d'élucider cette découverte et d'en exploiter tout le potentiel, pour moi-même et pour les autres.

Je garde de cette époque la conviction qu'on ne peut, pour l'essentiel, être vraiment utile à quelqu'un que si l'on a maîtrisé soi-même un tant soit peu ce qu'on veut lui transmettre. En d'autres mots, on n'enseigne bien que ce qu'on a maîtrisé soi-même.

On peut se demander ce que la solution des grandes questions existentielles vient faire en management. On comprendra davantage lorsqu'on pourra visualiser concrètement le lien naturel qui existe entre l'épanouissement de la personne et son développement professionnel comme gestionnaire. Le prochain chapitre traitera davantage de cette question et tentera de démontrer qu'on gère efficacement les biens et les personnes dans la mesure où l'on a appris à se gérer soi-même.

Ma quête personnelle et mes insatisfactions, de même que mes clients et l'expérience de l'expansion de notre propre entreprise m'ont inéluctablement conduit à revoir ma conception de la gestion.

Lorsque je travaille avec un client, que ce soit une personne, une équipe ou une entreprise, je suis toujours étonné de voir qu'en fin de compte ce client progresse dans la direction qui lui est le plus utile. En effet, c'est comme si cette direction était déjà inscrite dans le système et attendait seulement d'être libérée. En suivant les intuitions du client, les événements se précipitent et nous aboutissons généralement à des conclusions utiles pour tout le monde, y compris pour le conseiller.

Mon entraînement aux techniques gestaltistes m'avait fourni mes premiers outils pour suivre l'évolution d'un client et ainsi l'aider à résoudre ses difficultés. Dès le début, j'ai été fort intrigué par le cours que prenaient les choses quand je me laissais guider par l'expérience sans la diriger vraiment. Il y a quelque chose qui indique la voie à suivre chaque fois qu'on reste à l'écoute des petits signaux qui se manifestent subtilement dans l'attitude, la posture, l'intonation de la voix, le rythme d'interaction et mille autres gestes qui sont propres aux personnes comme aux entreprises. Qu'est-ce que c'est ? Voilà la question que je me posais. Mon désir de comprendre cette chose que certains appellent l'énergie vitale — la force organismique — et de démontrer son apport indispensable en gestion est devenu pour moi l'objet central de mes recherches. Mes clients me fournissent constamment des sujets de recherche exceptionnels. Que ce soit celle d'une personne, d'un groupe ou d'une entreprise, l'énergie qui guide la croissance des être vivants est toujours intérieure. Identifier cette énergie, être à son écoute relève davantage du souci du beau et de l'harmonie que de l'étude exhaustive de tous les facteurs dits objectifs qui influencent l'évolution des êtres et des choses. Les stratégies de changement qui procèdent de cette façon de voir ne s'appuient pas sur un programme d'action très élaboré mais se contentent plutôt d'une structure d'accompagnement légère qui vise à canaliser l'énergie de l'organisation elle-même.

À titre d'exemple, voici les grandes lignes de l'évolution d'une intervention que je mène depuis trois ans auprès d'une organisation de 2 000 employés très conservatrice dans le domaine des services publics. Celle-ci doit faire face à d'importants changements occasionnés tant par l'évolution de la mentalité de ses travailleurs que par celle du marché.

Lorsque je suis arrivé dans l'entreprise, l'équipe de direction s'apprêtait à effectuer d'importants changements de structure. Ma première intervention consista à mettre en évidence le passage que l'organisation devait franchir. En outre, il me fallut le justifier à la lumière des signaux que chaque membre de l'équipe de direction était à même de percevoir clairement dans son environnement : démobilisation des employés, déresponsabilisation des niveaux inférieurs et intermédiaires de gestion, omniprésence des fonctionnels, super-spécialisation du travail, centration sur l'équipement technique plutôt que sur le client, diminution des ventes, diminution de la rentabilité, etc. La résistance de certains membres de l'équipe a dû également être explorée afin qu'ils découvrent par eux-mêmes le rythme de développement que l'évolution de l'entreprise exigeait d'eux. Tant qu'on ne voit pas un avantage personnel dans le changement en cours, il est très difficile d'y contribuer avec joie.

La restructuration de l'entreprise amena les membres de l'équipe de direction à changer dans une proportion de plus de 50 pour cent. Quant aux autres équipes de travail, elles furent toutes remaniées.

Ponctuant le déroulement naturel des événements, mes interventions avaient pour but non pas de planifier le changement mais de le concrétiser. Voici les grandes étapes qui ont été franchies depuis ce temps :

1º Identification du changement à effectuer et travail sur les résistances naturelles de l'équipe de direction face à ces changements ;

2º Consolidation de l'équipe de direction et de toutes les autres équipes de travail de l'organisation ;

3º Précision de l'orientation de l'entreprise à long terme et formulation par l'équipe de direction d'un avant-projet d'entreprise expliquant ses ambitions, ses valeurs ainsi que ses principales règles de fonctionnement ;

4º Formation des responsables d'équipe pour qu'ils motivent leur personnel à améliorer la qualité de leur service et de leur vie de travail.

Jusqu'ici, nous n'avons jamais eu à planifier plus d'une étape à la fois. La suivante s'imposait d'elle-même lorsque la précédente donnait ses fruits. Nous avons tout simplement fait le nécessaire pour accorder, d'abord à l'équipe de direction et, par la suite, à toutes les équipes de travail qui le désiraient, le temps de réflexion et les outils nécessaires pour analyser leur fonctionnement et améliorer les éléments sur lesquels ils voulaient spontanément miser leurs efforts. Petit à petit, sans tambour ni trompette, l'organisation s'est lancée d'elle-même dans un vaste chantier d'amélioration de la qualité du service à la clientèle ainsi que de la qualité de vie. La direction devra maintenant gérer les suggestions qui surgiront de la base de même que les résistances qui ne manqueront pas de se manifester dans le futur.

Lorsqu'on est engagé dans son propre développement, et nécessairement dans celui de son milieu, comme me le faisait remarquer un de mes amis récemment, « les choses ne se présentent pas toujours comme on les a planifiées mais, tout compte fait, c'est toujours mieux ainsi. On découvre, petit à petit, qu'on n'est qu'un instrument au service de la vie et que, par conséquent, notre bonheur dépend de notre habileté à servir. »

J'ai eu également l'occasion de polir cette conception du management non seulement en observant cette force transformatrice d'organisations clientes mais également lors de l'édification de notre propre entreprise. J'ai participé au cours des quinze dernières années au développement d'un bureau conseil en management et j'ai assisté aux événements, petits et grands, qui ont marqué son évolution. Partager le poids des responsabilités financières, collaborer à l'établissement d'une approche professionnelle qui nous caractérise, recevoir les feedbacks soutenus des collègues de travail, mettre en place et gérer d'autres professionnels, tout cela compte lorsqu'on veut aider des dirigeants à mieux faire leur travail.

L'une des expériences marquantes pour moi fut celle de participer à la fondation et au développement de deux communautés d'apprentissage vieilles aujourd'hui de dix ans, construites autour de deux programmes d'entraînement de longue durée, l'un en management et l'autre en consultation. J'ai pu assister à la croissance de ces « organisations d'apprentissage ». J'ai vu ces programmes se structurer selon les lois qui régissent le développement de tous les systèmes humains. J'ai été à même de sentir à chaque étape la force de la vie qui s'intensifiait d'elle-même, à mesure que les programmes avançaient. Oui, chaque être et chaque entreprise sont dirigés de l'intérieur et notre rôle, comme gestionnaire ou conseiller, consiste à libérer la sagesse et la créativité qui sommeillent en nous et dans nos entreprises.

Si cette nouvelle façon de gérer doit s'imposer partout dans nos entreprises, il faudrait peut-être lui donner un nom. Je l'appellerai : l'*écogestion*. *Éco* vient du grec *oïkos* « maison », et par association « famille », et *gestion*, du latin *gerere* « administrer ». *Écogestion* signifie donc l'art d'administrer l'entreprise en tenant compte de l'impact de ses décisions sur l'entreprise et son milieu.

Gerry Kelly :

le gestionnaire baladeur

Gerry Kelly
Directeur général
Cégep de Shawinigan
Shawinigan

- directeur général depuis 1983, remplit actuellement son second mandat ;
- possède, entre autres, une formation de psycho-éducateur — « Le cégep de Shawinigan, avoue-t-il, a engagé un éducateur au poste de directeur général » ;
- se perçoit davantage comme un animateur ;
- se tient loin du modèle « centralisateur » ;
- s'appuie beaucoup sur les cadres de la régie interne ;
- est convaincu que le manager devra un jour adopter une approche holistique dans sa gestion des ressources humaines.

Tout est en couleur chez cet homme : le teint, le costume, les gestes, l'accent, les expressions tant verbales que corporelles. Bref, l'ensemble forme un arc-en-ciel en mouvement d'une étonnante vitalité.

Cet homme me semble même être un peu à l'étroit dans sa vie qui jaillit de partout, sans éclaboussures. Ses éclats de rires m'atteignent autant que ses repliements pendant lesquels il traverse des moments intenses de remise en question, de recherche, de solitude, de souffrance.

Croiser Gerry Kelly, ne serait-ce qu'une fois, laisse des marques. Impossible de demeurer froid, indifférent, à moins d'être mort, et encore ! Je le soupçonne de s'entretenir avec ceux qui sont partis et qu'il a aimés. Il avoue.

* * *

Sa vie débute à Port Credit, un peu en retrait de Toronto. Irlandais catholique, il est fasciné très jeune par François d'Assise. Marcher les orteils nus dans des sandales pique déjà son côté non conformiste.

Franciscain à 17 ans, il exercera pendant vingt ans son ministère dans différents coins du pays à titre de préfet de discipline, de missionnaire, de curé, d'aumônier dans l'aviation, dont il deviendra d'ailleurs un grand mordu.

En 1965, chaque province doit procéder à l'élection du supérieur provincial des Franciscains. À sa grande surprise, son nom est retenu. Il demande 24 heures de réflexion, passe la nuit au cimetière, se recueillant sur la tombe d'un ami, et, au matin, il annonce que d'abord il refuse l'honneur que lui font ses confrères ; puis il les informe qu'il quitte la communauté. « L'Église était trop structurée, je ne me sentais pas à ma place et j'étais pas mal marginal », raconte-t-il.

Ce fut la première rupture importante dans sa vie.

Les sandales permettent de se déplacer rapidement

Muni d'un baluchon assez mince, il atterrit à Waterville près de Sherbrooke. Son expérience et ses aptitudes à travailler avec les jeunes l'amènent à s'intégrer à l'équipe d'un centre pour jeunes mésadaptés sociaux.

En 1966, il s'inscrit à l'Université de Sherbrooke d'où, quatre ans plus tard, il obtient sa maîtrise en psycho-éducation. Il enseigne, de 1970 à 1973, au cégep de Sherbrooke en éducation spécialisée. Les six années suivantes, il remplit la fonction de directeur général du Centre Val Estrie qui s'occupe de jeunes mésadaptés sociaux. Soucieux de son perfectionnement, il s'inscrit à des cours d'administration, échelonnés sur quatre ans. De cette époque date sa rencontre avec Gilles Charest qui déclenche chez lui des changements majeurs. Sa vision de l'administration se modifie. Il y intègre dorénavant les forces et les valeurs personnelles et spirituelles des personnes.

« Je me rendais compte qu'il y avait une certaine spiritualité dans ma vie, mais j'en avais peur. J'avais de la difficulté à faire la distinction entre spiritualité et religion », avoue-t-il maintenant.

Anglophone vivant au Québec, il se définit comme un être hybride, riche de deux cultures et très à l'aise dans un environnement francophone.

De preux chevaliers

Expérience marquante en 1972 : la naissance de son fils Peter atteint d'une maladie qui ne pardonne pas, la cystinose. Selon les pronostics médicaux, ces enfants ne vivent que de six à sept ans. Le jour de l'entrevue, Peter fête son quinzième anniversaire de naissance. Après la révolte et la colère, Gerry Kelly reconnaît : « Nous en sommes venus à utiliser cette réalité — vivre quotidiennement face à la mort — comme un événement très riche et très fort dans notre vie. »

Se sentant redevable à la société et à la vie, le couple Kelly veut remettre une part à celles-ci. L'occasion rêvée se présente en 1981. Elly Jenson, fondatrice du Richmond Fellowship en Angleterre, cherche un psycho-éducateur pour son centre. Gerry Kelly raconte : « Nous avons décidé de partir travailler en Angleterre. Nous avons tout vendu et nous sommes partis avec l'intention de mourir là-bas. »

Au cours de la première année, ils fondent une clinique pour jeunes toxicomanes. Une dizaine d'enfants vivent avec eux. L'année suivante, ils travaillent avec des alcooliques en voie de désintoxication. La réalité s'avère très difficile et surtout différente de celle qu'on leur avait fait miroiter avant leur départ. Les « chevaliers », partis pour sauver le monde, se butent à une vie professionnelle très pénible.

« Nous avons tout perdu, sauf que... »

Démission du Richmond Fellowship, perte totale de leurs biens, néanmoins compensée par la découverte d'une petite localité dans le nord de l'Écosse : Findhorn, une communauté spirituelle internationale. « C'est à ce moment que commence vraiment ma démarche spirituelle. Alors, tout ce qui touche à la spiritualité et aux différents styles de gestion abordés au Québec commence à dégeler dans mon esprit et dans toute ma personne », affirme Gerry Kelly.

C'est alors qu'il entrevoit la possibilité de conjuguer valeurs spirituelles et gestion. Du même souffle, il entreprend des recherches intenses orientées vers la karma, les énergies cosmiques, les échanges et les contacts entre les personnes.

Un directeur général loin du pouvoir

Alors qu'il était encore en Angleterre, il reçoit un coup de fil : Est-il intéressé à poser sa candidature au poste de directeur général du cégep de Shawinigan ? Il postule, est convoqué, se présente en entrevue, retourne en Angleterre et reçoit la réponse... positive.

Il chausse à nouveau ses sandales et débarque, avec huit dollars en poche, prêt à assumer son nouveau rôle de directeur général. Davantage préoccupé par les relations interpersonnelles que par les structures administratives, Gerry Kelly ne tire pas les ficelles du fond de son bureau. Au contraire, il se balade, veut connaître tout son monde — du moins les visages — dans le cégep et même dans la ville de Shawinigan. Il considère que cette démarche fait partie de sa tâche et qu'il lui appartient aussi d'aller chercher « les forces chez les personnes et de les convaincre qu'elles possèdent déjà toute cette richesse et ces énergies de l'univers ».

Il constate que la gestion s'effectue cependant en fonction du pouvoir. Le pouvoir ? Il sait ce que c'est, mais il n'en a pas besoin. Sa principale préoccupation : « Que tout le personnel fonctionne et s'épanouisse pour le bien des jeunes, nous sommes là pour cela. »

Il accepte que la convention collective s'occupe de l'avoir, « ...nécessaire, dit-il, pour laisser partir un peu notre âme et lui permettre de méditer ; pour cela, il ne faut pas devoir lutter continuellement pour survivre ». Quant à toutes les recherches axées vers l'excellence, il prétend qu'elles ne vont pas assez loin. « Moi, ajoute-t-il, je veux travailler avec l'être des personnes. » C'est ainsi qu'avant chaque réunion de la régie interne, il y a une période de méditation, de transfert de l'énergie. Coïncidence, réponse à un besoin ? Toujours est-il que « les gens commencent à trouver que cela a de l'allure ».

Etre un instrument, un réflecteur

Autre signe révélateur, la levée de boucliers des étudiants et du personnel du cégep contre le vote de non-renouvellement de son mandat. Murs noyés d'affiches, t-shirts imprimés de « Rendez-nous Gerry » le touchent beaucoup. Toutefois, il se reprend aussitôt et s'interroge : « Pourquoi ? Qu'est-ce que j'ai pu faire en trois ans ? » et répond : « Énerve-toi pas, ce n'est pas toi, Gerry Kelly, tu n'as fait que refléter et c'est cela la vie d'un gestionnaire. »

Convaincu que son rôle consiste à n'être qu'un instrument, qu'un miroir qui reflète les énergies, il accepte d'agir dans ce sens. De ce fait, « je me réalise comme personne humaine, je suis heureux, valorisé, et j'ai une grande paix intérieure en autant que je demeure dans ce rôle ».

Durant son séjour en Angleterre et à Findhorn, il obtient un diplôme international en réflexologie, perfectionne ses méthodes de relaxation, suit des cours de massage, de taï chaï, « parce que, dit-il, il est extrêmement important pour un gestionnaire d'entrer en contact avec lui-même. J'inclurais dans tous les cours de MBA une période de méditation quotidienne. On va nous obliger à être libres », lance-t-il, à travers un grand éclat de rire.

Si nous n'aimons pas nos employés...

Aller vers l'être, s'assurer que ses gens se réalisent, s'épanouissent, tels sont les objectifs que vise le gestionnaire Gerry Kelly. Il confie : « Si j'atteins ce but, j'aurai réussi à jouer mon rôle d'administrateur. » Sa pensée chemine et aboutit à d'autres constatations : « Si nous autres, les gestionnaires, n'aimons pas nos employés, comment veux-tu que ça marche ? Et je prétends que les gestionnaires seront de plus en plus appelés à aimer leur monde. Ceux qui réussiront seront les femmes et les hommes qui aimeront leurs employés à tel point que ceux-ci pourront dire : « Quand je travaille pour monsieur Untel ou madame Unetelle, je me réalise beaucoup plus comme personne humaine. »

Le prérequis à ce style de gestion : « L'administrateur doit s'aimer, se rendre compte qu'il a de la valeur, de l'importance, qu'il fait partie de l'univers et qu'il a le droit de vivre. Si je ne m'aime pas, comment veux-tu que j'aime les autres ? C'est impossible parce que je projette sur les autres l'amour que j'ai de moi-même, et si j'en ai pas !... »

Bref, à son avis, « le manager, le directeur général devront éventuellement adopter l'approche holistique à la gestion de la personne humaine ».

Puis, il constate que sa vie a complètement changé. « Je réalise aujourd'hui comme j'étais béni, combien le monde m'a aidé, comme on m'a fait un cadeau en me faisant tout quitter pour aller en Angleterre. J'avais besoin de tout cela pour comprendre. »

Il admet aussi avoir trouvé un peu de paix et d'amour dans sa vie et trouve de plus en plus facile d'en parler. Pour Gerry Kelly, l'amour a plusieurs visages : la politesse, le respect, l'amitié, la considération. Il croit devenir un meilleur administrateur parce qu'il « essaie de refléter de plus en plus ».

« Où est-ce que tout cela va me mener ? Je ne sais pas du tout. Je sais cependant que j'ai beaucoup reçu et que j'ai besoin énormément d'appui, d'amour, d'amitié parce que je suis très fragile. Mais, aussi longtemps que j'accepte de refléter, je deviens fort. »

Claire Noël

Chapitre 2

Les lois naturelles
et la gestion

L'éveil d'une conscience planétaire

Le mouvement écologiste prend, à la fin de ce siècle, une ampleur sans précédent. En effet, nous sommes de plus en plus sensibles à l'impact de nos gestes individuels et collectifs sur l'environnement. La qualité de vie est devenue un thème majeur, pour ne pas dire, le thème majeur de nos préoccupations.

Nous constatons petit à petit que nous faisons partie d'un système vivant dont nous sommes totalement dépendants. Nous ne pouvons pas nous comporter comme bon nous semble sans nous soucier de l'impact de nos gestes parce qu'en bout de ligne tout ce que nous infligeons à notre environnement, c'est à nous-mêmes que nous l'infligeons.

Notre arrogance millénaire envers la nature fait face, aujourd'hui, à une limite. Pour plusieurs hommes de science, nous sommes même allés beaucoup trop loin et il serait pratiquement impossible à l'heure actuelle de revenir en arrière. Nous courons donc le risque d'assister à une catastrophe écologique d'ici 50 ans, nous prédisent officiellement les écologistes. Siegfried Hagl, écologiste allemand, me confiait, pour sa part, qu'on parle de 50 ans de rémission pour éviter d'affoler les populations. Selon lui, la réalité est plus dramatique que cela. Il m'expliquait que la terre est actuellement très malade et, comme chez les personnes atteintes de cancer, tous les mécanismes de défense s'écroulent en même temps. C'est ce qui risque d'arriver à notre planète. On ne se rend pas compte encore qu'elle a atteint un niveau d'intoxication grave. Qu'il nous suffise pour nous en convaincre de nous rappeler certains éléments qui ont fait les manchettes ces dernières années :

Surpopulation mondiale

Il y aura environ 6 350 millions d'êtres humains sur la terre en l'an 2000. Il sera alors extrêmement difficile de nourrir toutes ces personnes et de leur offrir un niveau de vie décent. Il semble que nous ayons perdu le contrôle de la démographie depuis 1974 et, à moins d'un cataclysme mondial, la population de la terre va continuer de croître.

Destruction de la nature

L'extension des villes, le déboisement et la mort des forêts, l'empoisonnement des eaux, l'exploitation extrêmement intense des surfaces cultivables et la destruction par l'homme des derniers espaces vitaux intacts rendent notre globe plus hostile à la vie, de jour en jour.

Modification du climat

Les surfaces boisées diminueront probablement de 40 pour cent d'ici l'an 2000 tandis que l'utilisation de matières produisant du gaz carbonique continuera d'augmenter. Ces deux mouvements combinés risquent de provoquer un état qui amènera des transformations de climat que des contre-mesures humaines ne pourront plus arrêter.

L'eau potable devient rare

On observe déjà dans de vastes parties de l'Afrique et de l'Amérique du Sud une pénurie d'eau douce nécessaire tant pour répondre aux besoins humains que pour irriguer les sols. D'ici l'an 2000, quelques pays auront épuisé leurs réserves d'eau douce ; le problème continue de s'aggraver de jour en jour, en raison du déboisement rapide des forêts.

Les déchets nucléaires s'accumulent

Pour être inoffensive, une matière radioactive doit avoir été stockée pendant un temps équivalant à dix fois sa période de vie. Voici une liste de certains produits fissibles importants, fabriqués dans les réacteurs nucléaires, et la durée représentant une période :

strontium 90	28 années
césium 137	30 années
américanum 243	7951 années
plutonium 239	24 000 années
neptunium 237	2 100 000 années
plutonium 244	82 000 000 années

Il devient de plus en plus gênant d'accumuler ces produits extrêmement dangereux sur la planète. Les effets de Tchernobyl sont encore trop récents dans la mémoire des gens pour qu'on ait longtemps à épiloguer sur le sujet.

Ce n'est que placés devant le pronostic d'un avenir apocalyptique que nous nous réveillons quelque peu ; pourtant, nous savons depuis fort longtemps combien nous dépendons de la nature pour vivre.

Les propos que tenait le chef indien Seatle en 1894 lorsqu'un représentant des États-Unis voulait « lui acheter une portion de terre » en échange d'une réserve, reflètent bien cette connaissance enfouie dans la conscience de l'humanité. Ce texte a été cité par Janine Fontaine dans son livre *La Médecine du corps énergétique* (Éditions Robert Laffont, 1983, p. 68 et suiv.). L'écho de ces paroles résonne encore aujourd'hui aux oreilles de ceux qui sont devenus sensibles à la qualité de la vie sur notre planète.

> « Comment peut-on acheter ou vendre le ciel, la chaleur de la terre ? L'idée nous semble étrange.
>
> Si la fraîcheur de l'air et le murmure de l'eau ne nous appartiennent pas, comment peut-on les vendre ? Pour mon peuple, il n'y a pas un coin de cette terre qui ne soit sacré. Une aiguille de pin qui scintille, un rivage sablonneux, une brume légère au milieu des bois

sombres, tout est saint aux yeux et dans la mémoire de ceux de mon peuple.

La sève qui monte dans l'arbre porte en elle la mémoire des Peaux-Rouges, chaque clairière et chaque insecte bourdonnant est sacré dans la mémoire et la conscience de mon peuple.

Les morts des Blancs oublient leur pays natal quand ils s'en vont dans les étoiles. Nos morts n'oublient jamais cette terre si belle, puisque c'est la mère des Peaux-Rouges. Nous faisons partie de la terre et elle fait partie de nous. Les fleurs qui sentent si bon sont nos sœurs, les cerfs, les chevaux, les grands aigles sont nos frères ; les crêtes rocailleuses, l'humidité des prairies, la chaleur du corps des poneys et l'homme appartiennent à la même famille.

Cette terre est sacrée pour nous. Cette eau scintillante qui descend dans les ruisseaux et les rivières, ce n'est pas seulement de l'eau, c'est le sang de nos ancêtres.

Si nous vendons notre terre, vous ne devez jamais oublier qu'elle est sacrée. Vous devez apprendre à vos enfants qu'elle est sacrée, que chaque image qui se reflète dans l'eau claire des lacs est comme un fantôme qui raconte des événements, des souvenirs de la vie de ceux de mon peuple. Le murmure de l'eau est la voix du père de mon père.

Les rivières sont nos sœurs, elles étanchent notre soif ; ces rivières portent nos canoës et nourrissent nos enfants. Si nous vous vendons notre terre, vous devez vous rappeler tout cela et apprendre à vos enfants que les rivières sont nos sœurs et les vôtres et que, par conséquent, vous devez les traiter avec le même amour que celui donné à vos frères.

Nous savons que l'homme blanc ne comprend pas notre façon de voir. Un coin de terre pour lui en vaut un autre, puisqu'il est un étranger qui arrive dans la nuit et tire de la terre ce dont il a besoin. La terre n'est pas sa sœur mais son ennemie ; après tout cela, il s'en va. Il laisse la tombe de son père derrière lui. En quelque sorte il prive ses enfants de la terre et cela lui est égal. La tombe de son père et les droits de ses enfants sont oubliés. Il traite sa mère la terre et son père le ciel comme des choses qu'on peut acheter, piller et vendre comme des moutons ou des perles colorées. Son appétit va dévorer la terre et ne laisser qu'un désert.

Je ne sais rien, nos façons d'être sont différentes des vôtres.

La vue des villes fait mal aux yeux des Peaux-Rouges.

Peut-être parce que le Peau-Rouge est un sauvage et qu'il ne comprend pas.

Il n'y a pas de coin paisible dans les villes de l'homme blanc. Nulle part on n'entend la poussée des feuilles au printemps ou le frottement de l'aile des insectes.

Mais peut-être est-ce parce que je suis un sauvage que je ne comprends pas.

Dans les villes, le tintamarre semble seulement insulter les oreilles. Que reste-t-il de la vie si on ne peut entendre le cri de l'engoulevent et le coassement des grenouilles autour de l'étang pendant la nuit ?

Mais peut-être est-ce parce que je suis un sauvage que je ne comprends pas.

L'Indien préfère le son si doux du vent qui frôle la surface de l'étang et l'odeur du vent, lui-même purifié par la pluie du milieu du jour ou parfumé par les pins.

L'air est précieux à l'homme rouge car tous partagent le même souffle. La bête, l'arbre, l'homme, tous respirent de la même manière. L'homme blanc ne semble pas percevoir l'air qu'il respire. Comme un mourant, il ne reconnaît plus les odeurs. Mais si nous vous vendons notre terre, vous devez vous rappeler que l'air est infiniment précieux et que l'esprit de l'air est le même dans toute chose qui vit. Le vent qui a donné à notre ancêtre son premier souffle reçoit aussi son dernier regard. Et si nous vous vendons notre terre, vous devez la garder intacte et sacrée comme un lieu où même l'homme peut aller percevoir le goût du vent et la douceur d'une prairie en fleurs.

Je suis un sauvage et je ne comprends pas une autre façon de vivre.

J'ai vu des milliers de bisons qui pourrissaient dans la prairie, laissés là par l'homme blanc qui les avait tués d'un train qui passait.

Je suis un sauvage et je ne comprends pas comment ce cheval de fer qui fume peut être plus important que le bison que nous ne tuons que pour les besoins de la vie, de notre vie.

Qu'est-ce que l'homme sans les bêtes ? Si toutes les bêtes avaient disparu, l'homme mourrait complètement solitaire car ce qui arrive aux bêtes bientôt arrive à l'homme.

Toutes les choses sont reliées entre elles.

Vous devez apprendre à vos enfants que la terre, sous leurs pieds, n'est autre que la cendre de nos ancêtres. Ainsi, ils respecteront la terre. Dites-leur aussi que la terre est riche de la vie de nos proches. Apprenez à vos enfants ce que nous avons appris aux nôtres : que la terre est notre mère et que tout ce qui arrive à la terre nous arrive et arrive aux enfants de la terre. Si l'homme crache sur la terre, c'est qu'il crache sur lui-même.

Ceci nous le savons : la terre n'appartient pas à l'homme, c'est l'homme qui appartient à la terre.

Ceci nous le savons : toutes les choses sont reliées entre elles comme le sang est le lien entre les membres d'une même famille.

Toutes les choses sont reliées entre elles : tout ce qui arrive à la terre arrive aux enfants de la terre. L'homme n'a pas tissé la toile de la terre : il en est simplement le fil. Tout ce qu'il fait à la toile de la terre, c'est à lui qu'il le fait. L'homme blanc lui-même, qui a un Dieu qui parle et qui marche avec lui comme un ami avec un ami, ne peut être exempté de cette destinée commune.

Quand le dernier homme aura disparu de la terre et que sa mémoire ne sera plus que l'ombre d'une image traversant la prairie, les rivages et les forêts garderont les esprits de mes frères car ils aiment cette terre comme le nouveau-né aime les battements de cœur de sa mère. Si nous vous vendons notre terre, aimez-la comme nous l'avons aimée, prenez-en soin comme nous l'avons fait et traitez les bêtes de ce pays comme vos sœurs. Car si tout disparaissait, l'homme mourrait d'une grande solitude spirituelle.

Après tout, nous sommes peut-être frères et sœurs, nous aussi. Il n'y a qu'une chose que nous savons bien et que l'homme blanc découvrira peut-être un jour, c'est que notre Dieu est le même Dieu. Vous semblez croire qu'il vous appartient comme vous voudriez que notre terre vous appartienne. C'est impossible. Il est le Dieu de l'homme et il a la même compassion pour tous les hommes, blancs ou rouges.

La terre lui est précieuse, et maltraiter la terre, c'est mépriser son créateur. Les Blancs aussi passeront, peut-être plus rapidement que toutes les autres tribus.

Celui qui souille son lit périt un jour étouffé sous ses propres odeurs. Mais pendant que nous périssons, vous allez briller, illuminés par la force de Dieu qui vous a conduits sur cette terre et qui, dans un but spécial, vous a permis de dominer les Peaux-Rouges.

Cette destinée est mystérieuse pour nous. Nous ne comprenons pas pourquoi les bisons sont tous massacrés, pourquoi les chevaux sauvages sont domestiqués ni pourquoi les lieux les plus secrets des forêts sont lourds de l'odeur des hommes, ni pourquoi encore la vue des belles collines est gardée par les fils qui parlent.

Que sont devenus les fourrés profonds ? Ils ont disparu.

Qu'est devenu le grand aigle ? Il a disparu aussi.

C'est la fin de la vie et le commencement de la survivance. »

De l'écologie naturelle à l'écogestion

Pour peu que l'on soit ouvert intérieurement, on ressent dans les propos de ce chef indien une sagesse profonde. D'où vient que l'on reconnaisse cette sagesse ? Serait-ce qu'elle est en chacun de nous et que ces paroles ne font que la réveiller ?

Les lois qui régissent l'univers n'ont pas changé depuis le commencement des temps. Elles continuent leur œuvre d'une façon imperturbable et cela durera aussi longtemps qu'existera le monde. Ces lois, intimement liées à la nature, le sont également à l'homme. Tout être humain peut donc y avoir accès. Il n'est absolument pas nécessaire pour les connaître de faire de longues études. Plusieurs, toutefois, semblent au contraire s'être éloignés de ces lois.

Si ces lois s'appliquent à la nature, elles s'appliquent également au fonctionnement des sociétés et des organisations humaines qui font aussi partie de la nature. Tout ce qui existe doit obligatoirement, pour subsister, obéir à ces lois.

Plusieurs auteurs ont parlé des lois naturelles ; cependant, pour ma part, je n'ai pas trouvé d'explications plus simples et plus claires que celles qu'a exposées Abd-Ru-Shin dans son œuvre *Dans la Lumière de la Vérité, Message du Graal.* C'est pourquoi je m'inspirerai donc pour en parler de la description qu'il en donne. Il y a trois lois auxquelles nous pouvons en ajouter deux autres qui sont, à toutes fins pratiques, des corollaires de ces trois grandes lois fondamentales. Ce sont :

1º la loi de la pesanteur ;

2º la loi de l'attraction des affinités ;

3º la loi de la réciprocité des effets
(ou loi des semailles et des moissons) ;

4º la loi du mouvement ;

5º la loi de la juste compensation
(ou loi du donner et du recevoir).

Ces lois régissent la création tout entière. Elles régissent donc non seulement les différents aspects de la vie matérielle tels que nous les percevons avec nos sens ou ses prolongements scientifiques, mais également tous les plans de la création, incluant ce que l'on appelle l'au-delà.

Les sciences acceptent aujourd'hui de mesurer des phénomènes qui étaient considérés, il n'y a pas si longtemps encore, comme de la sorcellerie et du charlatanisme. Prenons, à titre d'exemple, la médecine. On y mesure aujourd'hui les rayonnements du corps humain, ce qui apparaissait comme de la fumisterie au début du siècle. Les rayonnements infrarouges sont utilisés en thermographie. Quant au rayonnement électrique, il est mesuré, aujourd'hui, par des instruments comme l'électrocardiogramme, l'électro-encéphalogramme et l'électromyogramme.

Depuis quelques années, on fait état de d'autres rayonnements plus subtils : ceux que l'on peut photographier grâce à la technique de l'effet Kirlian, par exemple, ou encore ceux que l'on appelle l'aura ou plus exactement la couronne radiante. Cette couronne radiante a de nombreux voyants comme étant un nuage vibratoire qui entoure la personne et qui laisse voir non seulement son état de santé, mais également ses pensées les plus intimes. Ici, impossible de tricher, notre aura nous décrit toujours tels que nous sommes.

Les travaux de plusieurs chercheurs et, plus récemment, ceux du docteur Janine Fontaine, médecin français, nous ont rendu plus familiers les phénomènes reliés à nos autres corps énergétiques. Si le sujet vous intéresse, vous pouvez lire son premier livre intitulé *Médecin des trois corps.* Ce livre est une introduction passionnante à toute cette réalité qui dépasse nos moyens usuels de perception.

Pour revenir aux lois naturelles qui régissent la création entière, seule la connaissance intuitive acquise courageusement par l'expérience vécue peut nous permettre, grâce à l'universalité d'application de ces lois, de faire reculer les frontières de nos connaissances scientifiques du monde matériel comme de la vie en société. Ces lois mieux comprises devraient nous aider à générer des organisations qui, respectant la vie, seraient soutenues par la vie.

La loi de la pesanteur

La loi de la pesanteur nous apprend que toutes les formes créées ont un poids. C'est un phénomène universellement reconnu que celui de la pesanteur relative des objets matériels. Dans le monde des formes observables par les sens, la pesanteur d'un objet est directement proportionnelle à sa densité. Plus un corps est dense, plus il est lourd.

Ce qui est vrai pour le monde visible l'est également pour le monde invisible. Ainsi, les formes que nous créons par nos pensées, nos paroles et nos actes ont-elles aussi un poids. Qu'il soit mesurable ou non par nos instruments scientifiques ne change rien à la loi immuable de la pesanteur de tout ce qui prend forme.

Richard Boulanger, directeur général du centre de services sociaux du Bas du Fleuve, illustre très bien les applications de cette loi dans l'entreprise lorsqu'il écrit dans l'une de ses conférences : « Comme ce qui est plus lourd cherche à s'enfoncer alors que ce qui est plus léger tend à s'élever, la noblesse ou la lourdeur relatives non seulement des actes mais aussi des volontés, des décisions et même des pensées des dirigeants et du personnel d'une entreprise contribueront, selon leur nature, ou bien à accentuer l'élan ascendant de cette entreprise ou bien à entretenir ses difficultés et même à provoquer sa chute. »

Les valeurs qui président aux décisions de nos organisations doivent donc être examinées avec autant de sérieux que les bilans de fin d'exercice financier. Une vision axée sur la recherche égoïste du profit personnel à court terme ne peut conduire qu'à la situation que nous connaissons actuellement dans nos sociétés. Pour profiter des effets positifs de la loi de la pesanteur, il faut donc nous donner des motifs nobles pour agir, des motifs axés sur le développement intégral de l'être humain. En plus de la rentabilité, il devient de première importance d'examiner l'utilité de ce que l'on produit, non seulement pour le consommateur mais également pour les employés qui fabriquent le produit ou rendent le service. L'utilité d'un produit ne doit pas uniquement répondre aux besoins physiologiques et psychologiques de l'être humain mais doit tenir compte également de ses besoins spirituels. Toute personne a besoin de se développer, de devenir plus responsable et plus utile aux autres. Tout ce qui favorisera cette évolution s'inspirera de valeurs élevées célébrant la vie.

On comprendra ici pourquoi il est si important de gérer le climat de travail de nos organisations. Un climat de travail lourd entraîne nécessairement une production médiocre tant du point de vue de la qualité que de la quantité. Ce que le personnel pense a donc une importance capitale en bout de ligne. C'est pourquoi un gestionnaire consciencieux se souciera toujours du moral de son personnel et ne le laissera jamais broyer du noir. La connaissance des lois naturelles nous aidera à comprendre davantage pourquoi il faut gérer aussi l'invisible, si nous voulons avoir un certain contrôle sur le visible.

La hiérarchisation des entreprises repose également sur cette loi universelle de la pesanteur. Tous les gens n'ont pas le même niveau d'expérience, de connaissance et de maturité. Ceci n'enlève rien à leur valeur intrinsèque mais commande une hiérarchisation des contributions. Ne pas respecter les niveaux hiérarchiques dans l'articulation des politiques de fonctionnement de l'entreprise manifeste un mépris évident de la loi de la pesanteur.

On s'efforcera donc de donner des promotions non pas uniquement en fonction de son rendement mais également en fonction de la maturité que lui reconnaît le milieu. Le pouvoir d'attraction d'un leader est généralement le ciment des équipes de travail. Or, ce pouvoir se développe avec la maturité, c'est-à-dire avec la qualité du contact qu'il entretient avec son intuition et avec la réalité des choses, des événements et des êtres. D'ailleurs, on ne saurait avoir un contact intérieur de qualité sans un contact de qualité avec le monde extérieur. C'est à partir de cette qualité de contact que l'on jugera de la maturité d'une personne et donc de son poids relatif.

Vous avez sans doute entendu des gestionnaires vous dire que, « pour diriger librement, il ne faut pas être trop familier avec le personnel ». Ce principe de gestion, quoi qu'on en dise, n'est pas faux dans la mesure où il nous rappelle de respecter le niveau de maturité des gens. On confond généralement trop facilement de nos jours la qualité de contact avec l'intimité. On peut avoir un excellent contact avec quelqu'un sans pour autant être son ami intime. Il faut se souvenir que les êtres humains sont avant tout des esprits en évolution et qu'ils n'ont pas tous la même maturité. Ce n'est pas faire preuve d'élitisme ni de snobisme que de respecter cela. Il y a des choses que l'on ne peut pas confier à certaines personnes parce qu'elles n'ont tout simplement pas la maturité voulue pour assumer la responsabilité que vous exigez d'elles. Combien de gestionnaires ont été déçus parce qu'ils n'ont pas su respecter leur intuition qui les mettait en garde à ce sujet. Ils ont préféré, pour être populaires, se montrer ouverts et n'ont pas mesuré l'impact de leurs gestes ou de leurs paroles devant certaines personnes.

Le dicton populaire alléguant que « la première impression est toujours la meilleure » nous révèle justement que nous sommes en mesure d'apprécier intuitivement le niveau de maturité des gens. Par expérience, nous savons tous que ne pas respecter nos intuitions, c'est nous exposer aux pires déceptions. Mais trop souvent, pour satisfaire les désirs égoïstes de notre personnalité, nous nous laissons guider dans ce domaine par nos sentiments ou encore par la raison, et nous faisons fi trop facilement des frontières que notre première intuition avait établies.

La loi de l'attraction des affinités

Cette loi pénètre aussi toute la création. C'est elle qui permet aux étoiles comme aux atomes de maintenir leur orbite sans jamais en dévier. En effet, s'il n'existait que la loi de la pesanteur, tout l'univers se condenserait dans un bloc compact et inerte. Il faut qu'une autre loi joue pour mettre les corps célestes en relation les uns avec les autres.

À titre d'illustration, pensons aux molécules de fer qui s'agglutinent elles aussi avec d'autres molécules de fer, les molécules d'eau avec d'autres molécules d'eau, etc. Partout, on observe des genres et des espèces qui rassemblent les éléments de même nature pour les mettre en relation.

Au niveau social, cette loi s'exprime également dans la diversité des peuples, dans le phénomène des classes sociales, des associations et des clubs de toute nature.

La sagesse populaire exprime fort bien cette loi dans les dictons :

> Tel père, tel fils ;
>
> Qui se ressemble s'assemble ;
>
> Dis-moi qui tu hantes et je te dirai qui tu es.

Ainsi, les buveurs sympathisent-ils toujours avec les buveurs, les fumeurs avec les fumeurs, les bavards avec les bavards, etc. Sont aussi portés à se rassembler, conformément à cette loi, les êtres qui portent des aspirations élevées.

Une meilleure connaissance de cette loi devrait nous aider dans la gestion de nos entreprises. Lors de la constitution de groupes de travail, la sélection du personnel par exemple, on devrait prendre en compte la loi de l'attraction des affinités. C'est ainsi que les techniques de sélection du personnel qui offrent la possibilité aux employés d'une unité de travail de participer au choix de leurs futurs collègues de travail favorisent l'expression de la loi de l'attraction des affinités. On sait qu'on peut influencer de façon déterminante un climat de travail et, par conséquent, la productivité d'une unité de travail, en choisissant avec circonspection les individus qui en font partie.

Je connais un gestionnaire qui, lorsqu'il embauche un cadre, ne se contente pas de lui faire subir le processus classique de sélection mais l'expose systématiquement au personnel, aux clients et aux principaux interlocuteurs sociaux avec qui l'entreprise fait affaire. Ce procédé respecte l'écologie sociale. Il montre clairement au candidat qu'il doit choisir, au-delà de l'emploi, un milieu de vie. Il permet également au système social d'expliciter davantage ses normes et d'exercer son pouvoir de façon plus consciente. Cela favorise non seulement l'intégration de l'individu à sa nouvelle collectivité, mais en plus maintient la santé de toute la société car une collectivité qui n'a plus le contrôle sur ses membres est une collectivité malade.

Le volontariat dans la constitution des « task forces » de toute nature (ex.: les cercles de qualité) fournit également un bel exemple d'application de la loi d'attraction des affinités. Ce genre de groupe est constitué généralement de personnes qui :

- s'intéressent à la même situation ;
- ont une volonté commune de résoudre le problème identifié ;
- appartiennent à la même unité de travail ;
- partagent souvent les mêmes valeurs.

Pour attirer des gens de valeur dans l'entreprise, on comprendra à la lumière de cette loi qu'il faut que ceux qui y vivent aient des valeurs. Le succès d'une organisation est avant tout tributaire de gens qui croient fortement en certaines valeurs qu'ils mettent de l'avant. En effet, ce sont l'amour et la clarté de la mission de l'entreprise qui attireront les gens qui sont en résonance avec cette mission. On aura beau faire les plus beaux concours de sélection, l'intégration réelle d'une personne à un milieu de travail sera toujours fonction de sa capacité de vibrer aux valeurs de ce milieu. Ces valeurs, lorsqu'elles sont intégrées, imprègnent les normes du milieu et ces normes deviennent les gardiennes naturelles de la conduite des affaires.

En connaissant la loi des affinités, on veillera à garder la santé de nos milieux de travail en soutenant les initiatives qui vont dans le sens des valeurs que l'on veut mettre de l'avant et en rejetant celles qui détruisent le climat de travail. Les formes créées par les paroles, les pensées, les actes sont attirées par des centrales de formes similaires qui renforcent la production de ces formes dans le milieu de travail. C'est ainsi qu'on arrive à polluer complètement un milieu par le négativisme, l'esprit critique déformé, le sabotage, le cynisme, la rancune et la méfiance. Toutes ces formes attirent des formes de même genre, ce qui amplifie à la longue la confusion et dégrade tout, même les initiatives les plus nobles.

On peut comprendre de ce qui précède l'importance d'animer le milieu de travail. Trop d'organisations se contentent d'offrir à leurs employés une description de tâches et un chèque de paie. La vie d'une entreprise, comme la vie sociale, prend forme autour des événements prévus et imprévus dans le cycle de gestion. L'art de diriger consiste à animer ce cycle et à utiliser les événements sociaux qu'il commande pour rendre vivantes dans l'entreprise les valeurs selon lesquelles on veut vivre. Nous en reparlerons dans le chapitre intitulé « L'organisation : un être vivant ».

La loi de la réciprocité des effets

En plus de la loi de la pesanteur et de la loi de l'attraction des affinités, une autre loi contribue au fonctionnement de l'univers. C'est la loi de la réciprocité des effets ou la loi du karma. La loi de la réciprocité des effets vient parachever le travail des deux autres en introduisant le mouvement dans la création. En effet, cette loi assure l'équilibre écologique du grand système en veillant à ce que toute action procure rétroactivement à son auteur les fruits de son vouloir. L'expression populaire a stigmatisé cette loi dans le dicton « on récolte ce que l'on sème ».

Cette loi ne s'étend pas seulement aux semences organiques, elle englobe également ce que nous semons par nos paroles, nos pensées et nos actes. C'est ainsi que nous construisons chaque jour notre propre destin. Si nous connaissons cette loi, nous ne pouvons donc plus prétendre que nous n'avons rien à voir avec certaines situations que nous sommes forcés de vivre. Ces situations sont généralement les effets de décisions antérieures qui peuvent avoir été prises il y a fort longtemps. Le fait qu'on ne s'en souvienne pas précisément est sans importance car, si nous y regardons de près, nous en trouverons toujours les racines dans nos attitudes actuelles.

Cette loi autoactive de la création assure la justice que les êtres humains réclament tant. En effet, la loi de la réciprocité des effets ne se limite pas à la vie terrestre actuelle, mais joue immuablement son rôle au-delà de la mort. La récolte en ce qui concerne l'être humain est liée à l'esprit et, de ce fait, transcende les incarnations de ce dernier. Cela explique l'injustice apparente de certaines situations qui se vivent partout sur notre planète. Lorsqu'un enfant vient au monde, il apporte avec lui un karma qu'il devra vivre ici sur la terre. Ce karma lui apportera les expériences nécessaires à sa maturation et à son évolution. Il n'arrive donc pas ici vierge, comme on le croit généralement.

Une plus grande compréhension de la loi de la réciprocité des effets nous aidera à comprendre certaines distorsions dans nos pratiques de gestion. Par exemple, il était encore de mise d'affirmer, il n'y a pas si longtemps de cela, que pour un gestionnaire de talent un emploi ne pouvait offrir d'intérêt que pour une durée maximale de deux ans. Après ce délai, l'important avait été fait et on ne pouvait plus rien apprendre de cette tâche. C'est ainsi qu'on a vu toute une armée de jeunes diplômés universitaires passer en coup de vent dans nos organisations, posant ici et là des gestes dont ils ne mesuraient pas les conséquences et dont de toute façon ils ne prévoyaient pas récolter les fruits, sachant très bien que, lorsque les effets de leurs actes se feraient réellement sentir, ils seraient déjà ailleurs en train de faire d'autres prouesses administratives.

La réalité a eu raison de ces prétentions. Les organisations qui n'ont pas donné dans cette mode sont aujourd'hui parmi les plus efficaces comme l'ont démontré les études des dernières années sur les entreprises gagnantes.

L'ignorance de cette loi ouvre la porte à toutes sortes de méprises sur la responsabilité des gens par rapport à ce qui leur arrive. Pour éviter de prendre nos responsabilités, nous nous sommes dotés depuis 25 ans d'un système « pourvoyeur » qui achève de s'écrouler sous le poids des demandes toujours croissantes des citoyens. Les relations entre syndicats et patronats sont un pâle reflet, au niveau organisationnel, de la récolte de tout ce que nous avons semé par inconscience, par manque de courage, voire tout simplement par paresse. L'irresponsabilité alimente toujours un sentiment profond d'impuissance, de dégoût, qui finit généralement soit dans le désespoir, soit dans la violence.

« Totamowin tipentakwan » — « ce que tu fais t'appartient » — nous rappelle l'Amérindien. Un jour ou l'autre, il faut bien se rendre compte que la liberté et la dignité humaine ont un prix ; et c'est celui de notre responsabilité totale.

Bien sûr, il y a la responsabilité individuelle, mais il y a aussi la responsabilité sociale. On pouvait mieux comprendre ce que cela veut dire dans les familles traditionnelles où le comportement de l'un des membres apportait à toute la famille la renommée ou la déchéance sociale. Ce n'est pas parce que la famille traditionnelle n'existe plus que la loi ne joue plus. Nous portons le karma des groupes dont nous épousons la cause.

Dans les organisations comme dans la vie en général, nous avons à redécouvrir la loi de la réciprocité des effets. Encore hier, je rencontrais un jeune cadre qui me décrivait, avec beaucoup d'éclat, l'incompétence de ses supérieurs. Selon lui, son entreprise, depuis l'arrivée du nouveau président, avait perdu toute sa valeur. Les cadres supérieurs, selon ses dires, n'étaient plus que des êtres serviles obéissant aux caprices du p.d.g. J'appris petit à petit que les récents changements avaient sabré ses responsabilités et que notre homme ne se sentait plus reconnu par l'entreprise. Graduellement, la discussion nous a fait voir que ce qu'il reprochait à ses supérieurs, c'était sa propre image. Il commençait à se voir et il avait de la difficulté à l'accepter. Jusqu'ici, il n'avait travaillé que pour sa gloire personnelle et, grâce à des talents évidents, il avait assez bien réussi. Sa motivation principale, quoique secrète, avait toujours été, au fond, sa propre carrière. La souffrance de la démotion l'avait préparé à prendre conscience de son erreur. Aussi, je n'eus pas trop de peine à le convaincre d'entreprendre une démarche pour revoir ses motivations et ses valeurs dans le but de réorienter sa carrière. S'il est sincère, et tout me laisse croire qu'il l'est, il reconnaîtra bientôt que ce n'est qu'en se mettant au service des autres et de l'organisation qu'il pourra progresser dans l'organisation. Ce qu'il percevait tantôt comme de la servilité lui apparaîtra alors sous un autre jour.

Quoi qu'il en soit, le groupe dans lequel nous vivons ne nous révèle que ce que nous sommes nous-mêmes et ce n'est qu'en aidant nos milieux à progresser que nous pouvons nous aider nous-mêmes. Autrement dit, un groupe ne peut se prendre en main que si certains de ses membres assument la responsabilité de leur propre transformation même si cela doit conduire à des séparations parfois douloureuses.

On ne se développe pas seul comme on ne se détruit pas seul. Nos gestes ont toujours une portée sociale. Cette vérité est à la base du travail que doivent faire les leaders de nos organisations pour aider les équipes à se développer et à être plus efficaces.

La loi du mouvement

La science a démontré depuis longtemps déjà que l'immobilité n'existe pas dans la création ; tout est énergie en mouvement.

J. A. Gagné, dans son livre intitulé *Chimie générale,* donne une image percutante de cela lorsqu'il nous explique que, si nous grossissions de deux millions de milliards de fois un atome d'hydrogène, le proton, qui est le noyau de l'atome, apparaîtrait comme une bulle de savon de la grosseur d'un tonneau tandis que l'électron, lui, aurait la grosseur d'une tête d'épingle. Il serait également situé à 62 milles du proton et ferait le tour complet de ce dernier en 152 milliardièmes de milliardième de seconde.

On comprendra nécessairement que ce n'est que la vitesse des particules qui nous donne l'illusion que la matière est solide. Il est évident pour tout le monde également que la lumière est source de chaleur et que la chaleur provoque l'accélération du mouvement. Les recherches des dernières années sur la fusion nucléaire, qui ont pour but de résoudre les problèmes énergétiques de la planète, consistent justement à accélérer suffisamment le mouvement de la matière pour l'amener à l'état plasmique. La chaleur générée par ce procédé est tellement intense qu'on utilise, pour maintenir les particules de plasma, non pas un contenant de matière conventionnelle, mais un champ magnétique.

La loi du mouvement transcende le plan matériel et pénètre toute la création. Partout, un fléchissement du mouvement entraîne le refroidissement et la diminution de la vitalité. Tout le monde sait que, sans exercice physique, la santé du corps se détériore. D'après mon médecin de famille, il faut trois mois à une personne pour se mettre en condition physique et trois semaines pour la perdre. Au plan intellectuel, l'exercice est aussi nécessaire pour maintenir nos facultés en éveil. Au plan affectif, une relation qui n'est pas activée par de fréquents échanges se refroidit et meurt.

Il est bien évident que ce qui est vrai pour ces niveaux l'est aussi pour d'autres. Ainsi, une vie remplie de travaux sans but spirituel n'est pas en accord avec la loi du mouvement. Même si le corps s'active, l'esprit qui n'obéit pas aux lois de la création ne peut fortifier ce corps. C'est ainsi qu'un même travail sera pour certains une source d'usure, de stress allant même jusqu'au burn-out alors que pour d'autres il sera une source de joie et de réalisation extraordinaires.

Il n'y a de stable que la transformation, répète régulièrement Jacques Languirand sur les antennes de Radio-Canada. En effet, toutes les formes créées obéissent à la loi de l'évolution qui veut qu'elles naissent, qu'elles se développent, qu'elles atteignent leur maturité et qu'elles meurent.

Nos organisations obéissent aussi à cette loi. Celui qui n'avance pas recule, nous dit la sagesse populaire. Croire qu'un jour nous aurons atteint un lieu, un état où il nous sera permis de nous reposer définitivement est une illusion. La vie n'a prévu de retraite pour personne. Le bonheur ne saurait être le « farniente » mais plutôt un joyeux labeur, et il exigera toujours pour cela la mobilité constante du corps et de l'esprit.

L'objectif du développement ne saurait être visualisé uniquement sous forme de sommet à atteindre, mais aussi en termes d'équilibre à maintenir. Toute situation n'est en effet que le résultat d'un jeu de forces. Certaines situations poussent à la transformation, d'autres travaillent à conserver l'état nouvellement acquis. C'est ainsi que le développement des individus n'a pas de fin même si les formes qu'il emprunte pour évoluer ne sont pas éternelles.

Cette loi trouve de nombreuses applications dans la gestion de nos entreprises. Il est en effet illusoire de vouloir tout standardiser, réglementer dans l'espoir de créer une stabilité qui, de toute façon, ne saurait s'accorder avec la vie qui exige le mouvement. La bureaucratisation, le légalisme sclérosant des rapports patrons-syndicats sont autant d'indices de dégénérescence de nos institutions.

Ces dernières années, j'ai travaillé dans les organisations avec cette préoccupation d'y insuffler davantage un mouvement que d'y réaliser des programmes très structurés. Je ne critique pas ces programmes, ils sont nécessaires, mais je crois que, pour être efficaces, ils doivent avoir des allures plus éducatives que révolutionnaires. Je me méfie de ces grandes stratégies de changements répartis sur cinq ans. D'abord, le développement n'a pas de fin et, ensuite, c'est en mobilisant des individus et non en produisant du papier qu'on en vient à mobiliser une organisation, si grande soit-elle.

Il n'est pas nécessaire, contrairement à ce qu'on pense généralement, que la haute direction soutienne, par des déclarations d'intentions impressionnantes, toutes les actions qui sont menées pour garder un milieu productif et en santé. Il suffit qu'elle permette à des individus compétents de s'y activer. Trop de conseillers et de gestionnaires cachent leur manque d'expérience et leur incompétence derrière leur prétention à l'effet que la direction ne les appuie pas suffisamment dans les projets qu'ils ont à mener. Cet appui inconditionnel n'est jamais un élément déterminant dans le succès d'une intervention. C'est plutôt l'un des résultats d'une intervention réussie.

On confond souvent le point de départ avec le point d'arrivée parce qu'on comprend mal la position des leaders dans un milieu. S'ils représentent vraiment le milieu qu'ils dirigent, les leaders ne peuvent pas, conformément à la loi des affinités, être beaucoup en avance sur leur milieu. Ils risqueraient de perdre leur troupe à la longue. Toute l'énergie du mouvement ne peut donc pas venir uniquement de la direction. Il faut qu'elle s'alimente à tous les échelons de l'entreprise.

Un jour, le directeur général d'une maison d'enseignement collégial vint me voir pour que je l'aide dans la mise en place d'un plan de développement de l'établissement. Après quelques heures d'entretien, il m'avait tracé le portrait de la situation. Il travaillait depuis deux ans à sensibiliser son équipe de cadres supérieurs au fait que, dans une maison d'enseignement, les gestionnaires devaient se voir eux comme des éducateurs et qu'ils devaient s'associer aux professeurs dans cette tâche. Parallèlement à ce travail de consolidation d'équipe, il avait aussi investi beaucoup d'énergie dans la résolution de vieux conflits que la direction entretenait avec les enseignants avant même son arrivée au collège. Il avait réussi en partie à inspirer confiance au personnel ainsi qu'à certains de ses cadres et il lui semblait opportun d'entreprendre une démarche plus systématique afin de favoriser le développement d'un milieu de vie plus favorable à la réalisation de la mission de l'entreprise.

Il me demandait, dans un premier temps, de l'aider à mobiliser les membres du comité de direction qui lui semblaient encore peu préoccupés par ce genre de questions. « Comment pouvons-nous prétendre développer un milieu de vie en santé au collège si nous ne vivons pas les valeurs que nous prêchons au comité de régie ? » me confia-t-il.

Nous avons, dans un premier temps, exploré la possibilité de déplacer les personnes qui, selon lui, n'adhéraient pas suffisamment à son projet. Il faut savoir que, dans les institutions d'enseignement, il est extrêmement difficile de congédier ou de déplacer quelqu'un. De plus, le directeur valorisait inconsciemment le fait de réussir à convaincre ces irrésistibles gestionnaires. Après une analyse plus poussée du système social du collège, nous avons trouvé qu'il y avait en fait un nombre de partisans au projet beaucoup plus grand qu'on le croyait au départ. Nous avons découvert, à notre grande stupéfaction, toute l'énergie que nous brûlions pour convaincre deux personnes alors que vingt-cinq attendaient qu'on organise quelque chose qui leur permettrait de passer à l'action dans leur milieu respectif.

Nous avons convenu que nous n'avions pas besoin de l'unanimité du comité de régie pour agir et nous avons résolu que le prochain pas à faire pour que le projet avance était d'inviter un certain nombre de personnes provenant de différents niveaux hiérarchiques à deux jours de réflexion sur les moyens à prendre pour concrétiser la mission de l'établissement dans la vie du collège. Ces personnes seraient convoquées à titre d'animateurs de la vie du collège et non en fonction de leur statut hiérarchique dans l'entreprise.

Cette stratégie a eu pour effet de libérer une somme considérable d'énergie au profit du projet.

Au lieu de privilégier une intervention en cascade comme nous l'indiquent la plupart des théories portant sur le changement planifié, je préfère de loin procéder, dans ces cas, à une stratégie plus subtile qui ne braque pas inutilement les résistances des gens. Le noyautage est une stratégie beaucoup plus efficace parce que plus naturelle. Par contre, elle demande beaucoup plus d'attention parce qu'elle n'est pas automatisée et que les systèmes bureaucratiques ont horreur de ce qui ne peut pas être prévu.

Le noyautage n'a pas bonne réputation. On l'assimile facilement à de la manipulation. Cependant, dans une intervention sociale, ce n'est jamais la stratégie qui est en cause, mais les intentions de ceux qui l'utilisent. À la réflexion, on s'apercevra que le noyautage respecte davantage les résistances des gens et permet à tous une contribution beaucoup plus valorisante. En effet, les résistances ne sont pas niées comme dans les interventions plus autoritaires ; elles sont mises à contribution. Par contre, elles ne sont pas valorisées au point de paralyser l'action. Les résistances seront plutôt utilisées pour améliorer la stratégie initiale comme peut le faire un parti politique intelligent qui sait s'accommoder du rôle de l'opposition. En tout cas, elle permet de débloquer l'énergie et de restaurer, dans l'organisation, le mouvement indispensable à l'évolution.

Pour aider une organisation à se développer, il faut être comme l'eau, suivre le chemin qui offre la moindre résistance. Une petite infiltration peut venir à bout des barrages les plus résistants. Une petite action est toujours préférable aux grandes déclarations d'intentions.

La loi de la juste compensation

La loi de la juste compensation ou loi du donner et du recevoir est déterminante pour que subsiste la création tout entière. Tout ce qui se produit dans la création est soumis à cette loi. Elle est, si l'on peut s'exprimer ainsi, l'explicitation de la loi de la réciprocité des effets qui veut qu'on récolte ce qu'on a semé. Lorsqu'on observe la nature, on s'aperçoit que partout règne cette loi de l'équilibre entre le donner et le recevoir.

C'est par cette loi, par exemple, que peut s'effectuer l'alimentation des cellules en oxygène. Imaginez un globule qui, en passant dans les poumons, fixe sur sa molécule de fer l'oxygène de l'air. L'oxygène sera échangé au niveau cellulaire contre l'équivalent en gaz carbonique uniquement par le jeu de cette loi qui force l'équilibre entre le donner et le recevoir. La nature tout entière ne subsiste que grâce à cet échange où tout le monde gagne en donnant.

L'échange qui a lieu au niveau des cellules se répète au niveau de l'individu et de son environnement. L'être humain qui expire donne à la nature quelque chose qui lui est utile. En échange, il pourra à nouveau inspirer et capter l'oxygène nécessaire à sa survie. Lorsque la respiration normale d'un individu est perturbée, on observe généralement des difficultés de contact importantes avec lui-même et son environnement. En plus d'être capitale pour la santé du corps, la respiration traduit au niveau psychologique le mode de rapport qu'on entretient avec le monde. En effet, l'interaction sociale est aussi un vaste mouvement du donner et du recevoir tout comme la respiration. On comprendra pourquoi certaines thérapies mettent énormément d'importance sur la respiration. Observez votre respiration lorsque vous rencontrez quelqu'un qui vous est désagréable, qui vous impressionne ou avec qui vous avez tout simplement de la difficulté à interagir. Elle se bloque, se crispe ; dans tous les cas, elle se modifie.

Observez également la respiration des gens qui vous entourent. Vous remarquerez que beaucoup de personnes ont une respiration courte. Vous remarquerez toujours qu'ils n'expirent pas suffisamment et ne peuvent pas de ce fait inspirer à fond. C'est l'expiration que nous exécutons de façon trop superficielle ; tout occupés que nous sommes à prendre, nous oublions que notre capacité à recevoir est conditionnée par notre capacité à donner. Nous étouffons radicalement sous le poids de ce que nous accumulons.

Il en va de la vie économique de nos entreprises comme des fonctions corporelles. Une entreprise demeurera en santé financièrement dans la mesure où, pour réaliser un profit, elle aura au préalable donné en transformant ce qu'elle a déjà reçu. La comptabilité en partie double est justement une façon de contrôler en ce domaine la compensation entre un service fourni et sa contrepartie.

La vie de nos organisations gagnerait en vitalité si l'on était plus conscient de cette loi naturelle, inaltérable, de la juste compensation.

La participation des employés à la gestion de l'entreprise n'est pas une faveur qu'un gestionnaire évolué et compréhensif fait à ses employés ; c'est plutôt une façon naturelle de vivre, dictée par la loi du donner et du recevoir. En effet, lorsqu'on laisse les gens décider des questions qui les concernent, on leur offre l'occasion de s'acquitter d'un devoir qui leur permettra de recevoir encore davantage.

Pour résoudre le problème de contrôle, de régularisation et de direction dont se plaignent plusieurs organisations, il n'est pas très sage d'imaginer des systèmes de plus en plus contraignants. Il suffit tout simplement d'impliquer réellement les gens dans la prise de décision et de distinguer la fonction de direction de celle de contrôle.

En effet, dans notre société, on qualifierait de dictature un état où le pouvoir judiciaire (le contrôle) serait de conni-vence avec le pouvoir législatif (la direction). C'est cependant ce que nous avons généralement comme système de gestion dans nos organisations. Le patron dirige et contrôle. Il donne les ordres et évalue les résultats. Les êtres humains doivent apprendre à participer aux décisions qui les concernent afin de faire des choix responsables et d'assumer les conséquences de leurs choix. Comment organiser nos entreprises de façon à permettre cet apprentissage nécessaire ? Voilà une question fondamentale que doit se poser tout gestionnaire responsable. Gérard Endenburg a fait des expériences et a écrit un livre fort intéressant à ce sujet intitulé *Sociocracy.* J'espère qu'on le traduira bientôt en français car je crois que ses idées influenceront grandement l'évolution de la pensée en gestion.

Pourquoi la motivation augmente-t-elle lorsque les gens ont le pouvoir d'influer sur leur tâche ? Parce que la force qu'ils reçoivent en donnant compense largement l'effort qu'ils fournissent.

La gestion de la reconnaissance est donc de première importance pour maintenir une organisation en santé. Quand les employés perçoivent qu'ils ne sont pas plus considérés lorsqu'ils donnent un bon rendement que lorsqu'ils produisent un rendement médiocre, la loi du donner et du recevoir est violée et tout le corps social en souffre.

Il n'est pas nécessaire que la compensation se fasse monétairement. La reconnaissance sociale vaut elle aussi son pesant d'or. C'est pourquoi il est important de redécouvrir, dans le travail, le sens de la fête. Nos succès et nos échecs sont des événements sociaux qu'il faut savoir célébrer et enterrer socialement. La vie sociale anémique de nos entreprises ne nous laisse que l'argent comme moyen de récompenser l'effort. On tue ainsi les initiatives et leurs auteurs parce qu'on ne les reconnaît qu'en partie. Nous avons tous besoin d'être applaudis. Une entreprise qui a perdu le goût de la fête a beaucoup de difficulté à reconnaître l'apport de ses membres à la vie collective.

La complémentarité des apports des membres d'un groupe se doit d'être soulignée formellement et fréquemment. N'oublions jamais qu'il n'y a pas de grands généraux sans une armée de braves, il n'y a pas de héros sans la complicité d'une équipe qui travaille dans l'ombre. Tout le personnel de bureau qui a contribué à la présentation d'un document qui fait la fierté du service X a-t-il été reconnu pour son travail ? Comment s'assurer que le feedback parvienne à chacun ?

Un jour, le président d'une grande compagnie visitait l'une de ses usines en province. Cette usine avait été reconvertie dans un autre secteur d'affaires et fournissait depuis peu un tout nouveau produit. Pour les employés comme pour la direction, cette conversion avait représenté un défi extraordinaire. Ce jour-là, la première commande devait partir chez un client important. La livraison s'effectuant par chemin de fer, les employés avaient convenu avec le conducteur du train qu'il sifflerait lorsqu'il passerait près de l'usine. À l'heure prévue, au début de l'après-midi, le train siffla en passant près de l'usine. Tous les employés laissèrent spontanément leur poste de travail pour aller voir passer le train qui amenait le fruit de leurs efforts. Le président qui était dans le bureau du directeur de l'usine s'étonna de voir les ouvriers dehors. Lorsqu'il réalisa ce qui se passait, il décréta sur-le-champ d'arrêter la production et d'organiser une fête. Cet événement demeurera vivant longtemps dans le cœur de tous les ouvriers comme un geste de reconnaissance mutuelle, une grande célébration.

Trouver des occasions officielles ou non pour reconnaître les efforts, c'est permettre que se vive sainement dans l'entreprise une loi sacrée de la création, celle de la juste compensation.

Vouloir faire de chaque unité de travail un centre de profit, c'est justement permettre que la loi du donner et du recevoir joue son rôle plus directement. Pour cette raison, il est toujours plus stimulant de contrôler non seulement les coûts mais également les revenus.

Respecter l'équilibre constant entre le donner et le recevoir nourrit le mouvement qui vivifie toute l'organisation et fait régner l'harmonie et la paix.

La voix du cœur

Les lois dont je viens de faire état ne sont pas à proprement parler nouvelles pour vous. Comment se fait-il que nous les enfreignions si souvent ? C'est peut-être que, pour les comprendre, il faut écouter la voix du cœur plutôt que celle de l'intellect. Seule l'intuition peut être à même d'apprécier, dans toute sa simplicité et dans toute sa perfection, le jeu rigoureux de ces lois. Ce sont des lois vivantes qui ne peuvent pas être codifiées dans des règles et des procédures strictes, dans des recettes toutes faites.

Lorsqu'on allait à l'école primaire, je me souviens qu'on nous enseignait que les lois naturelles étaient inscrites dans notre cœur dès notre naissance. Pour retrouver la voix du cœur, le travail sur soi semble indispensable si nous voulons apprécier l'effet des lois naturelles et commencer à les utiliser consciemment en gestion.

Accepter le défi de la simplicité volontaire ! S'engager personnellement et de tout cœur dans son propre développement, voilà le chemin à suivre si nous voulons saisir la portée de ces lois et apprendre à en utiliser le pouvoir.

Denis Gauthier :
le développeur intuitif

Denis Gauthier
Président de Gestion DEGIMI Inc.
Vice-président de SOPROJET International Inc.
Montréal

- applique, dans l'administration de ses entreprises, le principe du « management by exception », soit l'intervention lors de problèmes majeurs ;
- n'est pas un administrateur rationnel selon la logique habituelle ;
- considère ses associés et ses employés comme des entrepreneurs responsables ;
- utilise comme outils de gestion : son intuition, sa foi, sa confiance et, bien sûr, sa compétence ;
- attribue sa capacité à abattre un travail considérable au fait que ce sont des « activités » reliées à sa démarche intérieure.

Grand seigneur, drapé majestueusement d'une longue cape de velours noir, raffiné, imposant par sa grande simplicité et son aisance naturelle, c'est ainsi que Denis Gauthier m'apparaît.

Aussi, missionnaire et explorateur de l'imminent 21e siècle, il utilise des millions de billets verts pour aider les plus démunis.

Sa jeune quarantaine surprend. Une telle sagesse et une telle harmonie intérieure surviennent habituellement deux ou trois décennies plus tard.

Rencontrer un homme qui avoue être complètement heureux devient un privilège. Je lui suis reconnaissante d'être là...

* * *

. Croyant, très branché sur le spirituel, Denis Gauthier vise, pour chacune des entreprises qu'il dirige, un but qui coïncide avec sa mission personnelle.

Côté immobilier : il fait partie d'un consortium, qui regroupe cinq compagnies, spécialisé dans la construction de résidences pour personnes âgées autonomes, semi-autonomes et en soins prolongés, les C.H.L.D. (Centres d'hébergement de longue durée). Il apporte une attention particulière aux aménagements afin de répondre le plus adéquatement possible aux besoins de ces personnes. Il veut ainsi répondre à une demande de plus en plus forte car, prévoit-il, d'ici dix ans le Québec manquera d'hôpitaux et de résidences pour cette population. Sa formule vise du même coup à diminuer les sommes que le Québec doit investir.

« Si je n'avais pas cette mission d'aider les personnes âgées, je ne serais pas dans le domaine immobilier. Spéculer, faire de la gestion d'immeubles, gérer pour gérer, ça ne m'intéresse pas. Je sens que j'ai la capacité de dépasser cela », explique-t-il. Il utilise donc la gestion de ses entreprises pour se mettre au service des personnes âgées.

Côté import-export : il est importateur de café, exportateur de fromage et de plusieurs autres produits. Son but : aider les pays en voie de développement en même temps que le Québec. Il travaille actuellement à instaurer un système de troc international afin de favoriser le Québec dans ses exportations et ainsi lui permettre de maintenir sa croissance économique.

« Pour exporter et rivaliser avec des pays comme le Japon, dit-il, nos compagnies doivent réduire leurs frais fixes en augmentant leur volume et, pour cela, développer des marchés extérieurs.

« Par exemple, on peut importer du Brésil des bananes, des fruits et des légumes qu'achèterait Métro-Richelieu qui, au lieu de payer le Brésil, rembourserait la compagnie intermédiaire qui, de son côté, acquerrait de Bombardier des autobus ou des trains à l'intention du pays exportateur qui en a besoin. »

Il aiderait ainsi Bombardier à augmenter son volume, à diminuer ses frais fixes et à rivaliser avec les pays industrialisés.

Côté édition : il s'est occupé pendant plusieurs années de *MBA,* le magazine des gestionnaires qui veut répondre aux besoins intellectuels de ceux-ci. Des journalistes correspondants au Japon, aux États-Unis, pour la Communauté européenne, scrutent, analysent et résument l'essentiel de la réalité de ces pays. Le magazine devient un outil de gestion.

Une première mondiale : le magazine tient compte des besoins spirituels des gens d'affaires. « J'essaie d'apporter un appui modeste aux présidents de compagnies et aux gens d'affaires qui sont, au sommet de la pyramide, complètement isolés. C'est un soutien qui pourra les aider dans leur vie intérieure et dans leur démarche spirituelle », avoue-t-il.

Ainsi, le numéro de juin traite du « Club deux-tiers », organisme créé pour recueillir des fonds afin de financer des projets dans les pays en voie de développement, d'éduquer et de sensibiliser les jeunes Québécois du secondaire à la dimension de l'aide internationale.

Le Cheval de Troie, version moderne

Autre projet qu'il surnomme « mon Cheval de Troie » : un bateau qui ferait le tour du monde avec, à son bord, tous les produits québécois ou canadiens. Cette approche originale veut pallier le retard qu'accuse le Québec dans son ouverture internationale et aider les exportateurs. Ceux-ci doivent surmonter de nombreux obstacles majeurs lorsqu'ils arrivent dans les pays étrangers : décalage horaire important, langue, emplacements pour les expositions et culture de chaque pays.

Cette vitrine navigante accueillerait des gens d'affaires de chez nous qui auraient accès à la nourriture québécoise, à des interprètes, à des espaces pour exposer leurs produits. Ils pourraient, en outre, à un rythme sain, se préparer mentalement et physiquement à leurs entretiens d'affaires.

Existe-t-il des limites aux visions de Denis Gauthier ?

Une action toujours intégrée

« Chaque jour, je réfléchis pendant quelques minutes sur les actions que j'ai posées ou que j'aurai à poser. » Ses cinq années passées chez les Jésuites s'inscrivent comme un fait marquant dans sa vie. La formation qu'il y reçoit améliore sa réflexion, oriente sa mission et l'aide à intégrer ses actions à ses pensées intuitives ou à sa démarche spirituelle. « Il faut qu'il y ait une intégration dans le tout, sinon je ne pourrais pas avancer, peu importe le développement », affirme-t-il.

Cependant, son cheminement remonte à son enfance au cours de laquelle ses parents l'initient à une démarche spirituelle, achevée plus tard par les Jésuites. Concrétiser ses intuitions devient un leitmotiv qui colorera son « transit sur cette terre » de teintes harmonieusement agencées.

Il ne se considère pas comme un administrateur rationnel qui fonctionne d'après la loi de cause à effet. « Je regarde une situation et la décision surgit spontanément : c'est là qu'il faut aller ! » Beaucoup de foi et de confiance s'insèrent dans ses démarches, qu'il réajuste par la suite aux événements. « La vie m'a fait préciser et orienter mon cheminement », mentionne-t-il.

En voici un exemple. Pour aider la population du Guatemala, il achète cinq containers de café au prix fort sur une base de confiance mutuelle. À la demande des gens du pays, il leur verse un demi-million de dollars sans assurer la marchandise au préalable. En moins de 24 heures, les prix font un bond. On l'accuse d'être un charlatan, etc. Le café est volé, il perd son demi-million et le pilote de son hélicoptère est tué. Le coup est dur à encaisser.

Néanmoins, cette expérience malheureuse, basée au départ sur la confiance, ne le décourage pas. En effet, il continuera quand même à s'occuper du café, mais en étant plus prudent et plus attentif aux procédures utilisées dans ce domaine. « Car faire du café pour du café et de l'argent pour de l'argent, ça ne m'intéresse pas », dit-il. Son objectif d'aider les pays en voie de développement demeure cependant bien ancré dans ses démarches.

Intéressé au-delà...

Ses intérêts se situent au-delà de l'accumulation de capitaux. Les coups durs qu'il a reçus — celui du café, entre autres — lui permettent de se renforcer, de réfléchir davantage sur les actions qu'il pose. Il les émonde pour éviter de se disperser et, par ricochet, de manquer de profondeur.

Il souligne qu'il prend soin de son corps ; il pratique le karaté trois fois par semaine pour se tenir en forme et aider à sa concentration. « L'important, dit-il, c'est d'être régulier et tenace dans ce qu'on fait. »

Il protège aussi son environnement émotif « parce que, ajoute-t-il, je ne suis pas seul. J'ai une compagne de vie extraordinaire, des enfants merveilleux que j'ai voulus ; j'en suis responsable et je dois être présent. » À ceux-ci il veut transmettre un sens, un goût et une vision de la vie qu'il juge plus importants que l'argent. « Penser aux autres, leur manifester de l'empathie, faire équipe avec la société », dit-il, lui apparaît essentiel. Cependant, ce qui importe, c'est « de ne jamais être médiocre dans ce qu'on fait ».

Intuition et discipline

Il revient à l'intuition qui exige, à son avis, une discipline physique, intellectuelle, de travail et d'organisation. Sinon, elle manquera de coordination. Une structure minimale de vie est nécessaire pour que « le corps se développe pleinement et l'esprit abondamment ».

Pour pouvoir grandir, il faut parfois prendre des décisions difficiles. « Un peu de mortification — même si le mot n'est pas très à la mode — dégage l'esprit », affirme Denis Gauthier. En disant cela, il songe à sa séparation d'avec la communauté. « Ce fut un moment pénible parce qu'alors j'ai senti que je manquais de générosité. Je partais juste pour moi-même ; j'étais tiraillé et angoissé. »

Ce matin-là, l'homme qui parle sans éclats de voix et librement de son expérience de la vie me déclare : « Vous avez en face de vous l'homme le plus heureux du monde. Vous m'enlèveriez tout ce que j'ai, y compris les millions que je possède, ça ne me dérangerait pas. »

Eh bien, moi, « l'homme le plus heureux du monde » m'a pas mal impressionnée...

Claire Noël

Chapitre 3

L'intuition en management

L'intuition : le mythe actuel

Tout le monde reconnaît l'importance du flair en affaires. Lorsqu'on ne peut expliquer rationnellement les succès répétés d'un gestionnaire, on dit qu'il a de l'intuition, du flair. Au fait, qu'est-ce que l'intuition ? Une faculté spirituelle ou une fonction du cerveau ? Ce n'est pas d'aujourd'hui que l'on tente de réduire l'intuition à une fonction cérébrale. Récemment, on a même cru découvrir une preuve à cette différence entre les deux hémisphères du cerveau.

Les recherches des années 60 en neurologie ont donné lieu à la création d'un mythe fort répandu en psychologie et, par voie de conséquence, en management. Ce mythe affirme, en effet, que nous avons deux cerveaux indépendants l'un de l'autre et qu'ils accomplissent des tâches différentes. L'hémisphère droit serait le siège de la créativité et de l'intuition tandis que le gauche serait celui de la logique. Puisque ces deux cerveaux ne fonctionnent apparemment pas ensemble chez la même personne, il y aurait donc des gens à prédominance cerveau gauche et d'autres à prédominance cerveau droit. En outre, d'autres recherches démontrent que les gestionnaires au meilleur rendement sont ceux qui manifestent le plus d'intuition. De là il est donc facile de conclure à la nécessité de promouvoir des méthodes pédagogiques capables d'éduquer le cerveau droit puisque les écoles traditionnelles ne développent, selon ce mythe, que le cerveau gauche. Des écoles d'administration réputées comme l'Université de Standford font déjà l'expérience de nouveaux programmes qui mettent l'accent sur l'importance de l'intuition dans la prise de décision.

Le mythe des deux cerveaux est fondé sur de fausses prémisses selon lesquelles les deux hémisphères sont spécialisés et, par conséquent, fonctionnent indépendamment. Comme l'affirme le chercheur Jerry Levy, ceci n'a jamais été démontré scientifiquement. C'est plutôt le contraire qui l'a été. Chaque hémisphère présente certes des différences, mais c'est la grande similarité des deux qui frappe les savants. En tout cas, il n'y a aucune activité humaine où les deux hémisphères ne jouent leur rôle simultanément. Il est donc illusoire de prétendre que l'on peut éduquer un seul hémisphère du cerveau à la fois. Pour conclure, il n'y a pas d'évidence, non plus, en ce qui a trait à la localisation de la logique et de la créativité. Les patients qui ont subi des dommages à l'hémisphère droit démontrent un manque de logique souvent plus flagrant que ceux dont l'hémisphère gauche a été atteint.

L'intuition : une réalité

Au fait, qu'est-ce que l'intuition ? Ce terme est dérivé du latin *intuitio*, composé de *in* « dans » et *tueri* « contempler » On pourrait donc traduire par « contempler intérieurement ».

Pour comprendre l'intuition, il nous faut admettre qu'il y a quelque chose à contempler intérieurement. Les matérialistes, qui nient l'existence de l'esprit immortel, n'admettront certes pas qu'il puisse exister une forme de connaissance ne devant rien au cerveau ni à son produit, l'intellect.

Pourtant, la plupart des grands chercheurs scientifiques admettent qu'ils ont eu l'intuition de leurs découvertes bien avant de les avoir prouvées intellectuellement. C'est ce qui permet à Andrew Weil d'écrire : « L'histoire de la science montre clairement que les étapes les plus importantes de la compréhension humaine proviennent de bonds intuitifs aux frontières de la connaissance, et non pas des cheminements intellectuels le long des sentiers fréquentés. »

Pour saisir la nature de l'intuition, il nous faut reconnaître qu'elle est une fonction de l'esprit[*], du moi spirituel, seul élément réellement vivant dans l'être humain. Le cerveau joue le rôle d'instrument dans le processus, mais il ne saurait en aucune façon en être la cause.

L'intuition est le porte-parole de l'esprit tandis que le cerveau est l'agent exécutif de son vouloir. Notre voix intérieure ainsi que nos aspirations les plus profondes ont l'intuition comme outil de communication.

L'expression populaire qui prétend que « la première impression est toujours la meilleure » reflète bien la portée de l'intuition. C'est une forme de connaissance directe qui, ne faisant pas appel à l'analyse, nous renseigne pourtant avec exactitude sur la nature de personnes que bien souvent nous voyons pour la première fois ou encore nous indique l'attitude à adopter dans une circonstance donnée.

D'une part, l'intuition, de par sa nature, peut entrer en contact avec le plan spirituel et y puiser les connaissances supérieures, comme elle peut reconnaître tout ce qui vient de ce plan, que ce soit dans l'art authentique, dans les conclusions de recherches scientifiques ou tout simplement dans les comportements de nos semblables. Dans ce sens, l'intuition est un guide précieux dans la conduite de nos affaires quotidiennes.

D'autre part, elle établit la liaison avec la force qui donne vie à nos pensées. C'est ce qui explique, par exemple, l'impact que créent certains leaders sur leurs troupes. Lorsque l'esprit, le moi spirituel, est vraiment touché, il émet une onde que le cerveau capte à la manière d'un récepteur

---

[*] Pour comprendre la nature de l'esprit, il faut se référer aux connaissances traditionnelles sur la constitution de l'être humain : esprit-âme-corps, le cerveau faisant évidemment partie du corps.

radio. Le cerveau décode alors, sous forme de pensées, l'intuition reçue.

Personne aujourd'hui n'oserait prétendre en écoutant la radio que l'émission provient de la boîte métallique elle-même. Ainsi en est-il de l'intuition que nous captons au moyen du cerveau.

Suivant l'orientation et la force du vouloir initial de l'esprit, les pensées formées par le cerveau seront animées d'une force et d'une direction correspondantes. C'est ainsi que, prenant vie, elles pourront être captées par d'autres personnes et les influencer. D'où l'importance de maîtriser ses pensées et de les orienter de manière à atteindre les buts qu'on s'est fixés car elles ne sont pas inoffensives, comme le confirme le vieil adage : « Les idées créent le monde ».

Nous constatons, à la réflexion, que reconnaître la nature de l'intuition nous oblige à prendre conscience de la grande responsabilité qui nous incombe d'utiliser correctement la force créatrice vivante qui flue à travers nous.

L'intuition et le management

En management, l'intuition est d'une importance capitale, notamment pour gérer le futur, prendre la meilleure décision dans une situation donnée, comprendre une situation, connaître les gens, choisir ses associés, exercer un leadership mobilisateur et créateur.

En gestion stratégique, par exemple, nous savons maintenant que derrière tout choix stratégique se cache une vision qui, elle, n'est pas dictée par l'intellect. Celle-ci, lorsqu'elle est explicitée, mobilise mieux les énergies du personnel et cela plus rapidement que tous les détails concernant la mission et les buts de l'entreprise. Ces dernières années, les Japonais ont fait largement la démonstration de ce point précis.

Parlant de la vision proposée par les vrais leaders, Peter Senge affirme : « Elle ne vient pas de l'intellect, elle prend sa source dans la grande sensibilité d'un individu aux forces s'exprimant dans un système, dans sa perception intuitive de ce qui s'y passe et des futurs possibles qu'il y décèle. »

L'intuition est tout aussi indispensable pour choisir ses associés. En effet, dans la réussite d'une association de travail, les affinités qui unissent les gens sont aussi importantes que leur curriculum vitae. Les « atomes crochus », selon l'expression consacrée, ne sont rien d'autre que la perception intuitive qui nous renseigne sur la nature profonde des gens. Lors des séances d'évaluation que j'ai eu à diriger avec de nombreux managers en vue de choisir le personnel cadre à des postes clés, j'ai constaté que l'analyse des candidats, selon des critères minutieusement choisis, vient corroborer la plupart du temps les intuitions initiales du jury.

L'intuition permet de comprendre les situations de l'intérieur, de saisir la dynamique des événements en un rien de temps et de faire les interventions appropriées au moment opportun. Par exemple, des problèmes dont les symptômes se manifestent lors des ventes peuvent avoir leur cause dans les délais de livraison. Paradoxalement, une meilleure formation des vendeurs, leur remplacement, la modification des prix, l'amélioration de la qualité du produit et toute autre action qui pourrait nous sembler logique en pareilles circonstances ne produiront pas l'effet désiré. En réalité, c'est l'intuition plus affinée d'un manager qui l'amènera à explorer d'autres avenues pour le conduire directement à la source du problème qui pourrait bien être dans ce cas les délais de livraison qui se sont allongés avec le volume de commandes ayant pour effet de réduire les ventes.

L'intuition joue aussi un rôle déterminant dans l'exercice du leadership. En effet, la voix de l'intuition, appelée aussi la voix du cœur, est la seule qui sache rejoindre véritablement les gens parce qu'elle seule touche leur esprit, leur moi spirituel. Or, pour mobiliser des hommes et des femmes autour d'un objectif commun, il faut qu'ils soient touchés de telle sorte qu'ils se mettent en mouvement d'eux-mêmes. Pour cela, il faut faire appel à leur cœur, à un idéal élevé qui parlera à leur intuition. Georges Archier et Hervé Sérieyx ont bien expliqué ce processus dans leur livre *L'Entreprise du 3e type,* paru aux Éditions du Seuil en 1984.

Si l'intuition est un outil de management de plus en plus reconnu, une question se pose d'elle-même. Comment reconnaître l'intuition de la fantaisie, de l'imagination ? Comment développer l'intuition ? Finalement, comment concilier la raison et l'intuition en management ?

Reconnaître et développer son intuition

Je crois qu'il n'y a pas de recettes types pour reconnaître et développer son intuition. Tout compte fait, c'est d'une simplicité enfantine bien que, il faut en convenir, cela exige une vigilance de samouraï. Si celle-ci nous permet de rester attentifs à notre voix intérieure en toute circonstance, la simplicité, par ailleurs, nous donne la force de lui obéir en toute confiance.

Un de mes amis, à qui je demandais la recette de son succès en affaires, me résumait ainsi son secret : « Il ne faut jamais régler une transaction sans en sentir la commande intérieure. » Puis il me raconta comment il avait évité, tout récemment, une mauvaise affaire en refusant, sans raison apparente, un projet que ses associés lui vantaient en s'appuyant sur les arguments les plus logiques qui soient. « En affaires, me dit-il, on rencontre beaucoup de gens, on est sollicité par de nombreux projets différents. Il faut apprendre à se faire une idée et à agir rapidement. Dans ces circonstances, on ne peut pas tout analyser, il faut se fier à ses intuitions. On les justifie souvent après coup ! »

Le président d'une scierie me raconta, pour sa part, comment il décidait de vendre et d'acheter son bois. « Je monte, me dit-il, à la limerie où, de la fenêtre, on peut voir la cour à bois et les séchoirs. C'est un endroit où je relaxe. C'est là que j'échafaude mes plans et que je prends mes décisions. Cela me vient sous forme d'images que je me sens poussé à réaliser. Parfois, lorsque mes intuitions me font peur, j'attends, en me disant qu'une occasion de concrétiser d'une façon ou d'une autre ce que j'ai vu va bientôt se présenter. Chaque fois, je suis le premier surpris de voir mes rêves se réaliser. »

Un directeur d'un établissement de services sociaux m'explique comment il dirige son établissement malgré la crise et les remises en question que vit le réseau depuis quelques années : « Les gens me prêtent des dons de stratège que je ne me reconnais pas moi-même. En dernière analyse, je crois bien que je prends mes décisions en écoutant d'abord mes intuitions. C'est sans doute ce qui déroute mes collègues. Je laisse les événements agir sur moi et j'écoute ce que cela me fait. Je demande d'être éclairé intérieurement et j'attends. Tout à coup, la décision à prendre s'impose d'elle-même. Je reçois des indications dans mes rêves ou, encore, des événements se produisent qui me renseignent sur la direction à prendre. Je crois que, lorsqu'on ne sait pas quoi faire, il suffit de faire un petit pas dans la direction que nous indique notre intuition. Les faits vont nous confirmer par la suite si l'on est dans la bonne voie ou si l'on poursuit un mirage. »

Malcolm Wescott, dans son ouvrage *Toward a Contemporary Psychology of Intuition,* décrit certaines attitudes caractéristiques des gens intuitifs. Selon ses études, « ils ont tendance à faire preuve de non-conformisme et se complaisent dans cette attitude. Ils ont confiance en eux-mêmes, sont autonomes et ne ressentent pas la nécessité de s'identifier à un groupe social. (...) Ils envisagent des possibilités et entretiennent des doutes bien plus que ne le font les autres groupes, ce qui ne les empêche pas de vivre sans inquiétude. Ils aiment prendre des risques, acceptent volontiers la critique et le défi. (...) Ils se décrivent comme des individus indépendants, spontanés, assurés et capables de voir loin. »

À bien y penser, l'intuition étant de nature spirituelle, tout le monde devrait en être pourvu dans les mêmes proportions. Pourquoi alors certains semblent-ils, à cet égard, plus démunis que d'autres ?

Pour comprendre cela, il faut connaître la nature de l'intellect et la place qu'il a usurpée dans le fonctionnement normal de l'être humain. L'intellect est un outil parfaitement approprié pour les conditions matérielles dans lesquelles nous vivons actuellement en tant qu'esprit. Cependant, si l'intellect est un instrument formidable pour développer la technologie nécessaire à notre évolution dans la matière, il n'est, par contre, d'aucune utilité pour comprendre le sens de la vie et des événements.

Au cours de notre évolution, nous nous sommes laissé subjuguer par cet instrument parce qu'il nous permettait d'acquérir des biens matériels pour lesquels nous éprouvions toujours plus d'attachement. Ce penchant a entraîné le développement unilatéral du cerveau antérieur, générateur de l'intellect, au détriment du cervelet, organe récepteur de l'onde intuitive. Ce choix a eu pour conséquence l'affaiblissement de notre réceptivité aux données de l'intuition. Graduellement, nous nous sommes fermés à cette petite voix intérieure écoutant plus volontiers celle du sentiment. Aujourd'hui, la plupart des gens confondent intuition et sentiment.

Il faut savoir que le sentiment n'est pas l'intuition, qu'il provient du corps physique et qu'il n'est rien d'autre qu'une sensation physique que l'intellect interprète et dirige. Autrement dit, se fier à ses sentiments, c'est encore se fier à son intellect.

En conséquence, si nous voulons libérer notre intuition, il faut d'abord que nous reprenions le contrôle de notre intellect et de nos sentiments. Pour y arriver, aucune technique ne saurait remplacer le travail sur soi. Vaincre ses peurs, ses attachements, ses désirs égoïstes, voilà la voie.

« Le désir de satisfaction narcissique constitue l'un des obstacles principaux au développement de l'intuition. Quand l'intérêt personnel représente la motivation prédominante, les perceptions intuitives risquent fort de se confondre avec l'anxiété névrotique ou la prise de ses désirs pour des réalités. »

Plusieurs personnes croient développer leur intuition parallèlement à leurs facultés psychiques. Aussi voit-on de plus en plus de personnes qui s'intéressent à la clairvoyance, la clairaudience ou autres sensibilités extra-sensorielles. Ces dons sont de nature psychique et non spirituelle. Ils ne sont pas nécessairement l'indice d'une intuition affinée. On libère cette dernière dans la mesure où l'on écoute sa voix intérieure. Ici, comme ailleurs, la puissance croît avec l'usage. L'intuition est donc un trésor inviolable qui repose en chacun de nous et dans lequel nous pouvons puiser quotidiennement.

La vie nous fournit tous les jours des occasions de grandir, de nous développer. Elle est pour chacun une école permanente parfaitement adaptée à ses talents et à son niveau. Nul n'a besoin d'études pénibles ou d'exercices ésotériques pour développer son intuition. Il s'agit tout simplement d'être à l'écoute de sa voix intérieure, d'être attentif aux expériences de la vie quotidienne et de décoder les messages souvent insistants qu'elle nous envoie.

L'entraînement à l'éveil de l'esprit pour amener la libération optimale de l'intuition se résume en fait à trois étapes fort simples mais essentielles. La première consiste à calmer le mental. Il s'agit de savoir orienter nos pensées plutôt que de les laisser nous diriger. L'apprentissage de la relaxation nous aide grandement à franchir cette première étape. Nous exercer à la perception consciente des différents aspects de notre expérience physique, émotion-nelle et mentale peut être très utile pour nous distancier de notre vécu et ainsi nous identifier à cet aspect de nous-mêmes qui transcende notre personnalité, c'est-à-dire à notre esprit, à notre moi véritable.

La seconde étape consiste à focaliser notre attention sur une question qui nous tient à cœur et pour laquelle nous cherchons une réponse : c'est l'apprentissage de l'attention. Celle-ci permet d'émettre suffisamment d'énergie pour attirer à nous d'autres idées qui sont en affinité avec le sujet de notre recherche et qui le complètent. Les grands leaders entretiennent tous une pensée maîtresse, un rêve sur lequel ils reviennent constamment et qui éclaire leur action quotidienne. Plus cette idée est nourrie de l'intérieur, plus elle acquiert de force à l'extérieur. D'où l'importance de nous réserver des moments de silence pour nous concentrer sur les buts que nous poursuivons et pour écouter notre petite voix intérieure.

La troisième étape consiste à cultiver une attitude de réceptivité et de détachement afin de permettre à l'intuition d'accéder à la conscience sans distorsion. Cette attitude d'ouverture à l'expérience est le gage d'un apprentissage réel. Elle permet à l'esprit d'être touché par notre vécu et de répondre clairement à ces stimuli sans se laisser prendre dans le cyclone des états émotionnels et mentaux.

Il existe un exercice fort simple pour apprendre à écouter ses intuitions ; il consiste à réviser sa journée avant de s'endormir en portant attention aux choix que l'on a faits. Pour chacun d'eux, on peut se demander si l'on a écouté la voix de l'intuition ou celle de l'intellect. La réponse à cette simple question — il ne s'agit toutefois pas de se culpabiliser — va nous permettre non seulement de développer notre sensibilité à nos intuitions, mais également notre habileté à les utiliser judicieusement.

Le manager rationnel et intuitif

Depuis le grand succès que Kepner et Trigoe ont connu avec leur livre *The Rational Manager,* les théories en sciences de l'administration ont fait graduellement plus de place à l'intuition comme élément important dans la prise de décision. Les formules toutes faites, les processus de prise de décision en vingt-cinq étapes, les diagrammes logiques, les grilles d'analyse du marché, de la concurrence et de l'environnement ont toutes montré leurs limites. En fait, la bonne marche des affaires ne répond pas uniquement aux impératifs de la rationalité.

Par contre, il ne faudrait pas sombrer dans l'excès inverse et prétendre qu'en affaires on ne doit pas se servir de son intellect. Il est vrai que l'intuition doit indiquer la direction, mais c'est à l'intellect que revient le rôle d'apprécier la situation sur le terrain et de trouver la meilleure façon de mettre en application les données intuitives.

En réalité, diriger une organisation, un service et, à la limite, sa vie requiert une vision bifocale. D'une part, on doit garder un œil sur la vision intuitive que l'on poursuit et, d'autre part, on doit demeurer réaliste par rapport à la situation concrète que l'on vit. L'écart entre la réalité et la vision que l'on poursuit crée nécessairement une tension normale. Celle-ci est utile à l'évolution naturelle des choses. C'est la tension créatrice qui maintient tout en mouvement. Cependant, beaucoup ne pouvant la supporter essaient de la résorber soit en fuyant dans l'imaginaire, soit en abandonnant complètement leur vision. Dans un cas, on les appelle les « flyés », dans l'autre, les « blasés ». Dans notre société, un grand nombre de personnes appartiennent à l'une ou l'autre de ces deux catégories. Nous en connaissons tous des spécimens fort représentatifs. La fuite dans l'imaginaire est souvent confondue avec l'esprit intuitif. Il faut savoir que l'imagination est le produit de l'union du sentiment et de l'intellect.

« Les images de l'intuition sont vivantes et recèlent de la force vive, tandis que les images du sentiment — l'imagination — sont des illusions qui n'ont qu'une force d'emprunt. »

Joseph Goldstein écrit à ce sujet : « Les intuitions naissent du silence de l'esprit ; l'imagination est conceptuelle. Il existe entre elles une profonde différence. C'est la raison pour laquelle la perception intuitive ne se développe pas par la réflexion mais par l'instauration d'un esprit silencieux d'où peut émerger la claire perception, la claire vision. Tout le progrès de la perception intuitive, tout le développement de l'entendement se manifeste au moment où l'esprit est en paix. »

C'est donc une image d'équilibre et de santé que doit faire naître en nous le concept d'« intuition » et non l'idée d'un esprit chimérique.

En management, s'il est important de surveiller l'évolution des affaires, il est tout aussi indispensable d'approfondir nos motivations et de clarifier constamment notre vision. Écrire la mission de l'entreprise n'est pas une chose que l'on fait une fois pour toutes. Le but que l'on poursuit doit mériter autant d'attention que les moyens que l'atteindre. La gestion équilibrée de ces deux prérogatives fait du management un art aussi bien qu'une science.

La réflexion de tout le personnel sur la vision poursuivie fournit non seulement l'énergie pour mettre en place des moyens justes et efficaces de la réaliser, mais permet la focalisation de tous les efforts dans la même direction. C'est le secret des entreprises qui poursuivent réellement l'excellence.

Il faudra donc s'attendre à voir arriver dans nos entreprises de nouveaux managers qui auront redécouvert l'importance de l'art en gestion et qui sauront mieux que d'autres, grâce à une intuition vivante, insuffler au personnel un sens de la direction et un enthousiasme que seule procure la vision d'un idéal élevé.

Si nous voulons franchir le pas de développement qu'exige notre époque, notre devoir est de nous mettre sérieusement à la tâche pour redonner à l'intuition la place qui lui revient, en affaires comme dans les autres domaines de la vie humaine.

Wilfrid Brunet :

l'homme d'affaires parfois rêveur

Wilfrid Brunet
Président de Sylvio Brunet & Fils Ltée
Fassett (Québec)
Directeur du marketing et des ventes
Bois Cobodex inc.
Grenville (Québec)

- tente de découvrir les nouveaux marchés ;
- ressent le besoin de travailler en harmonie avec sa personnalité ;
- vise à établir un climat de confiance tant avec les clients qu'avec le personnel de l'entreprise ;
- mise énormément sur la sincérité des gens.

Le pied solide de l'arbre s'incruste dans une terre fertile. Ses racines curieuses cherchent des voies porteuses de vérité. L'écorce saine éclate ici et là. Jaillissent alors des branches résolues qui joyeusement s'étirent avec symétrie vers la cime.

Assoiffé de lumière, l'arbre s'élance toujours plus haut. Convaincu de sa trajectoire, il rêve d'atteindre un jour l'inaccessible.

* * *

En 1980, il participe à une mission économique à l'étranger. Il en revient avec un horizon élargi et des possibilités de nouveaux marchés. Une grande question s'impose : « Comment agencer le tout avec l'entreprise et mes objectifs personnels ? » Il réussit à établir et à amener de nouveaux contacts. « Les gens me faisaient confiance comme homme d'affaires, mais surtout comme homme engagé. »

Les cinq frères associés décident d'analyser leurs forces respectives et d'occuper des postes correspondant le plus possible à leur personnalité. Quant au consortium, le côté « rêveur » de Wilfrid Brunet le pousse à découvrir et à exploiter des marchés locaux et internationaux. En même temps, il établit des politiques de vente et des structures adaptées à l'exportation.

Les profits : une préoccupation du passé

En 1982, s'effectue une transformation dans sa vie : une évolution spirituelle domine ses activités. Son épouse trouve un feuillet explicatif du « Message du Graal », une œuvre spirituelle qui contient les lois de la création. « Un an plus tôt, le même feuillet, je l'aurais jeté à la poubelle », assure-t-il. Intrigué par la transformation de sa conjointe, il commence la lecture de l'œuvre. Le contenu des trois tomes le désarçonne et le force à tout reconsidérer. Il va même jusqu'à se demander s'il doit mettre les affaires de côté. Il connaît une période de « grand remue-ménage intérieur » et doit ajuster son travail à sa découverte spirituelle.

Quelques années auparavant, il reçoit des signes d'avertissement sans trop les comprendre. Un jour qu'il tient par la main deux de ses enfants, ceux-ci lui échappent, traversent la rue et sont heurtés par une voiture. L'accident est grave, ils frôlent la mort. « Ça m'a sorti de mon travail et j'ai pris mes distances par rapport à l'argent et au profit qui étaient jusqu'alors mes buts dans la vie. Pourtant, je sentais qu'il me manquait toujours quelque chose. Aujourd'hui, je suis reconnaissant que tout se soit déroulé de la sorte. »

Avant cet accident, la famille opte pour la naturopathie. Une alimentation mieux équilibrée libère, dans un certain sens, l'esprit. « Et le fait de comprendre cette dimension de notre corps nous a aidés énormément », avoue-t-il.

Enfin, depuis sa découverte du Message du Graal, il s'efforce de vivre et d'agir selon les lois de la création. Cette approche lui apporte plus de compréhension comme homme d'affaires. « Ça se reflète beaucoup dans mon travail », nous confie Wilfrid Brunet.

Des objectifs atteints

« Au lieu de toujours laisser dominer l'intellect, j'ai découvert et mis en valeur ma dimension intuitive qui donne un peu l'impression à mes subordonnés immédiats que je suis un être parfois rêveur. » Il décide donc de leur prouver qu'il a quand même les deux pieds bien sur terre. À cette fin, il se fixe des objectifs : augmentation du chiffre d'affaires, rentabilisation, etc. Il dépasse ses objectifs et continue dans le même sens. Après deux années aussi probantes, ses associés doivent se rendre à l'évidence qu'il est réaliste et le travail d'équipe reprend dans un climat de confiance.

Le mouvement positif qu'il génère déteint aussi sur le personnel de l'entreprise. « On se comprend maintenant sans avoir toujours besoin de recourir à la parole. J'essaie quand même de ne pas trop bousculer mon entourage au travail. » On lui reproche, cependant, sa vitesse de pensée, car elle essouffle ceux qui l'entourent. À cela il répond : « Je ne suis qu'un instrument. »

Sa facilité de ressentir les gens et leurs valeurs lui permet d'aborder les problèmes et de les régler en tenant compte de ces dimensions. « Je n'aime pas les problèmes non résolus. De plus, mes expériences passées servent à enrichir ma réalité d'aujourd'hui », explique-t-il. Et cette façon d'être se reflète aussi dans les chiffres d'affaires : « Je n'ai pas à m'inquiéter du futur, la rentabilité sera là. »

La maladie du risque

Lors d'une petite conférence prononcée devant des hommes d'affaires de la région, il leur dit : « Je suis un homme d'affaires qui a la maladie du risque mais qui s'appuie toujours sur son vécu. Il faut penser *développement.* » Comme il occupe un poste au service de la planification, il travaille constamment aux dimensions de développement et à l'évolution de l'entreprise.

Il se définit comme « un homme possédant des réflexes rapides et une intuition poussée ». Grâce à la rentabilité de la société familiale maintenant établie, il peut se libérer de responsabilités et ainsi déléguer avec confiance. Il admet avoir besoin de ceux qui le connaissent bien et qui n'ont pas peur de lui. Aussi peut-il se permettre d'être un gestionnaire plutôt rêveur, ouvert et flexible. Il précise : « J'accepte les personnes telles qu'elles sont et j'essaie de les aider. » Il mise beaucoup sur la force de la pensée positive « pour le bien-être de l'entreprise. Il faut toutefois que les personnes tirent dans le même sens. »

Avant tout, son évolution spirituelle

L'existence et la rentabilité des entreprises sont pour lui l'occasion d'aider la société, de permettre aussi à des êtres humains, en plus de gagner de l'argent, « de s'accomplir, d'évoluer et de monter dans l'entreprise ». En même temps, il entrevoit un éventuel successeur qui, dans quelques années, pourra le remplacer. Son fils, peut-être : il vient de se joindre à l'équipe.

Toutefois, le but premier de son activité quotidienne demeure son évolution spirituelle. « Je m'accomplis dans ma vie, dans mes actions pour élargir ma compréhension des êtres humains et de l'évolution. »

Il reconnaît la complémentarité vitale qu'apporte son épouse. « Elle me rappelle que je me donne trop à mon travail ; elle est devant moi comme un guide. Sa présence est essentielle à mon évolution. »

« Il devient de plus en plus clair que mon travail doit être en harmonie avec ma démarche spirituelle. »

Il constate avec bonheur que les relations humaines prennent de l'importance dans les entreprises, mais « il faut essayer, dans le domaine des affaires, d'aller plus loin et d'y ajouter la dimension spirituelle ».

Claire Noël

Deuxième partie

Pour diriger, apprendre à obéir

Chapitre 1

Le gestionnaire :
une personne d'abord

*Connais-toi toi-même
et tu connaîtras
l'univers et les dieux.*
Socrate

Gestionnaire... maître à bord !

Un jour, l'Association des cadres supérieurs des services de santé et des services sociaux du Québec me demanda de prononcer une allocution sur le thème de leur congrès : Gestionnaire... maître à bord.

Le thème de ce congrès avait été inspiré à la fois par le lieu où il se tenait, sur les bords du St-Laurent, au Manoir Richelieu de Pointe-au-Pic, et par une question fondamentale que se posent, avec encore plus d'insistance aujourd'hui, beaucoup de gestionnaires de tous les secteurs de la vie économique, politique et sociale : est-il possible de diriger véritablement nos organisations dans cette période de turbulence que nous traversons ?

L'expression « gestionnaire... maître à bord », si elle séduit ceux qui rêvent de pouvoir, fait sourire, à tout le moins, ceux qui se disent réalistes et qui affirment, tantôt avec des airs d'initiés, tantôt de blasés, avoir perdu leurs illusions. Ils constatent, non sans raison, qu'à bien des égards le contrôle de notre propre développement économique et social nous a échappé et ce, non seulement à l'échelle de nos organisations publiques, mais à celui de la planète tout entière. Nous ne maîtrisons plus la pollution, le terrorisme, les famines, la détérioration des milieux sociaux, l'explosion démographique mondiale, la diminution des ressources, le chômage, la montée de la bureaucratie et des états policiers, etc. Les pessimistes y voient le déclin de notre civilisation occidentale, les optimistes y décèlent les indices d'une mutation profonde de nos sociétés. Les deux groupes ont sans doute raison.

Il existe cependant un petit nombre de capitaines qui, dans la tourmente, n'ont pas abdiqué. Ceux-là ont compris qu'aujourd'hui plus que jamais dans l'histoire, l'exercice de l'autorité exige ce que les fondateurs de la démocratie grecque avaient reconnu dès le début, à savoir le renoncement au pouvoir personnel. Il me revient à l'esprit, à ce propos, une phrase célèbre d'un philosophe de l'Antiquité dont le nom m'échappe et que se plaisait à citer Jean Drapeau, l'ancien maire de Montréal : « Le pouvoir est trop important pour qu'on le donne à ceux qui le désirent. »

Il faut qu'interviennent, en effet, d'autres forces plus puissantes que celles que nous avons déployées jusqu'ici pour que la situation se corrige et que nous reprenions une trajectoire de développement normale, alignée sur les lois naturelles de l'univers qui animent toutes les formes vivantes.

Si nous en sommes arrivés là, ce ne peut être que notre faute et même si nous pouvons nous attendre à être aidés in extremis, comme nous l'indique la plupart des prophéties, nous allons nous-mêmes devoir réparer les dégâts que nous avons faits sur la planète. Il est légitime de garder espoir, c'est même un devoir pour ceux qui sont conscients. Croire, cependant, que la nature va réclamer ses droits sans que nous ayons à en payer le prix, c'est faire preuve d'un manque absolu de logique et d'une réflexion pour le moins superficielle. Non, il est urgent que nous nous prenions en main, individuellement et collectivement. Pour y parvenir, il faut que nos chefs soient de nouveau inspirés. C'est pourquoi il leur faudra de plus en plus laisser de côté leurs désirs personnels pour écouter davantage la voix de leur intuition. C'est à ce prix seulement que le gestionnaire méritera désormais d'accéder à un poste de chef parce que ce n'est qu'en suivant les indications que lui souffle sa voix intérieure qu'il pourra montrer aux autres la voie qui mène hors du danger actuel.

Cette nouvelle génération de managers grandit lentement. La crise que nous vivons leur est favorable puisqu'elle oblige ceux qui ne sont pas à la hauteur de leur poste à se réorienter. Gestionnaire... maître à bord : oui, mais à condition d'amener un changement radical de notre façon de gérer et d'organiser nos entreprises. La crise que nous traversons et les transformations qu'elle inscrit dans la conscience des gens l'exigent.

La cause de la crise actuelle

La majorité de nos contemporains souffrent d'une insatisfaction profonde. Entre autres choses, il semble que la majorité dite silencieuse a perdu le sens du travail et qu'elle cherche, dans la consommation des biens matériels, une raison de vivre. De leur côté, pour s'adapter à la mentalité dominante, nos organisations se sont transformées en producteurs de masse.

La relation avec les clients de l'entreprise s'est alors chosifiée et l'organisation du travail, pour des raisons de « productivité », s'est mécanisée. Petit à petit, nos organisations sont devenues de gros navires tout équipés et bien entretenus par des équipages affairés et disciplinés, mais dont les capitaines ne contrôlent plus rien parce qu'ils ont oublié le but du voyage. Nous voyageons pour voyager et c'est bien ennuyant, quand ce n'est pas tout simplement dramatique.

Cela ne surprend plus personne lorsque nos organisations se plaignent que leurs employés ont perdu le sens de l'appartenance à l'entreprise, que la motivation et la productivité sont à la baisse, et que même les managers souffrent de la maladie honteuse qu'on a, par égard pour eux, élégamment appelée LE MALAISE DES CADRES.

Comme l'affirment les auteurs du livre *Crises et leadership*, écrit sous la direction de Jacques Dufresne et de Jocelyn Jacques, paru aux Éditions Boréal en 1983 :

« Nous sommes forcés de constater que les organisations ne fonctionnent pas très bien. Lorsqu'on les prend une à une, cela n'est pas très grave ni trop compliqué. Un petit changement de personnel ici, un petit changement de structure là, une petite modification des procédures ici, une petite modification des responsabilités là. Cependant, le phénomène apparaît plus complexe et plus grave lorsqu'on cesse de regarder les arbres pour contempler la forêt : c'est la crise ! »

Au-delà de la myriade de causes qui nous ont amenés à la situation actuelle, un nombre toujours grandissant de penseurs sérieux, et ce depuis le début du siècle, nous proposent, comme piste d'exploration, la réconciliation des ambitions matérialistes et à courte vue de la science et de la technologie modernes avec les aspirations authentiques au développement spirituel de l'être humain.

Il semblerait que nous ayons troqué la célèbre phrase de Socrate : « Homme, connais-toi toi-même et tu connaîtras l'univers et les dieux », pour une connaissance dite plus objective, une connaissance scientiste du monde extérieur. Je ne parle pas ici d'une connaissance scientifique, mais bien scientiste parce que la science véritable ne saurait nier l'existence d'un monde supérieur sous prétexte qu'elle ne le voit pas sous son microscope. Pour avoir accès au monde spirituel, il faut un équipement de même nature. Pour cette exploration, il est bien évident que le bistouri n'est pas approprié !

Pour accéder à une compréhension renouvelée des organisations et des systèmes humains en général, je suis convaincu qu'il nous faut aujourd'hui revenir à une image plus complète de l'homme.

Dans cette société imprégnée des connaissances que la science fait fleurir, il y a lieu de se demander comment il se fait que les sciences humaines n'ont pas encore fourni de solutions satisfaisantes aux problèmes qui menacent inexorablement la qualité de la vie sur notre planète.

Il faut comprendre que, pour avoir leur place parmi les sciences naturelles, la sociologie, la psychologie, l'économie et toutes les autres sciences dites humaines ont adopté, pour étudier l'homme, la méthode qui avait fait au siècle précédent la gloire de la chimie, de la physique et de la biologie.

Cette méthode aborde les phénomènes de l'extérieur. Tout ce qui ne tombe pas sous le coup des sens est considéré comme sans fondement dans la réalité. Si cette approche purement matérialiste nous a donné d'impressionnantes découvertes dans le monde des sciences naturelles, elle ne nous a pas pour autant beaucoup aidé à régler les grands problèmes humains qu'a posés l'évolution technologique. À étudier l'homme comme on étudie les minéraux, on en est vite arrivé à nier son intériorité. Les modèles intellectuels ont remplacé la sagesse intérieure qu'on a qualifiée de subjective et de non-scientifique. En outre, tandis qu'on implantait les systèmes de gestion qui devaient nous apporter le bonheur, les rapports humains se desséchaient et l'homme devenait un étranger pour lui-même.

Depuis un siècle, on s'évertue à nous décrire l'homme de différentes manières. Qu'on le présente comme une machine sophistiquée, un animal supérieur, un ensemble de réponses toutes faites, un être à la recherche du bonheur, chaque fois on laisse de côté ce qui est en définitive l'homme, ce qui en fait son essence même : le moi spirituel.

Il nous faut maintenant réapprendre à voir l'homme avec les yeux du cœur et redécouvrir la beauté et la sagesse éternelles enfouies en chaque personne afin de redonner au contact humain la profondeur à laquelle nous aspirons tous du fond de l'âme.

Les idées et les méthodes qui serviront de base à cette vision renouvelée de l'être humain s'édifieront sur la connaissance à la fois du corps, de l'âme et de l'esprit de cet être. Elles permettront ainsi de saisir les relations qui existent entre ces trois éléments pour ouvrir la voie à une meilleure compréhension de leur développement harmonieux.

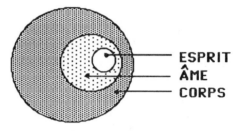

Fig. 2.1.1. L'homme, un être tripartite

Une compréhension globale de l'être humain nous permettra de voir derrière tout événement physique le jeu des forces spirituelles. La santé physique, sociale, économique et culturelle d'une organisation, voire d'une société, résulte du jeu d'équilibre de ces forces. Il nous appartient de découvrir ces forces et de les utiliser si nous voulons gérer efficacement nos organisations en nous appuyant sur des bases solides.

La constitution de l'être humain

La prise de conscience qui mène à la découverte de l'élément spirituel en chacun de nous naît, selon mon expérience, de la reconnaissance de la dualité fondamentale qui existe entre ce qu'on appelle la personnalité et l'individualité.

Cette prise de conscience se fait naturellement au fil des expériences de la vie. Pour les uns, c'est quelque chose d'évident dès le départ. Pour les autres, c'est le résultat d'une expérience intense lors d'une grande joie ou d'une grande peine. Une promotion inattendue, une difficulté, un échec percutant, une rencontre extraordinaire sont autant d'occasions de prises de conscience. L'aide d'une personne plus expérimentée peut également nous faciliter cette découverte.

Cette prise de conscience est un événement capital dans la vie d'une personne. En effet, dès que quelqu'un peut s'identifier comme un être spirituel, qu'il peut faire l'expérience intérieure d'un centre stable, d'un point d'appui à partir duquel il peut diriger sa vie, il commence à collaborer à son propre développement et à celui des autres. C'est alors qu'il devient un chef dans le vrai sens du terme. Cette expérience peut se répéter et s'intensifier jusqu'à devenir un état permanent. La vigilance du samouraï et celle du vrai chef se fondent sur cet état.

La plupart des gens ont fait à différentes époques de leur vie une ou plusieurs expériences de contact intense avec leur esprit. Des êtres éminents vivent ce contact de façon plus fréquente. Plusieurs personnes ont déjà éprouvé cela dans des contextes et des formes différentes, j'en suis persuadé après l'avoir vérifié auprès de certains gestionnaires. Je me souviens, pour ma part, d'une expérience semblable survenue vers l'âge de quatorze ans.

J'étais étendu sur mon lit dans ma chambre. Je rêvassais, tout absorbé par les sentiments que j'éprouvais pour une jeune fille que je venais tout juste de rencontrer. Tout à coup, j'eus l'impression d'être transporté dans un autre monde beaucoup plus lumineux, beaucoup plus vrai. J'eus alors, dans une bouffée de joie, la sensation extraordinaire d'être **moi.** D'être tout simplement vivant et en lien avec la force de l'univers. Cette expérience a peut-être duré trente secondes, je n'en sais rien. Cependant, j'ai eu la sensation que c'était beaucoup plus réel que la réalité et j'en ai gardé un souvenir indélébile. Je n'ai compris que plus tard ce que j'avais vécu ce jour-là. Sur le moment, j'ai simplement ressenti une grande paix intérieure en même temps qu'un élan joyeux et impétueux pour agir, pour construire, pour bâtir. Cette expérience m'a porté pendant plusieurs jours. Je me souviens aussi d'avoir essayé de la reproduire, mais sans succès. Elle m'a toutefois permis, à l'époque, d'accroître le sentiment de ma propre valeur et, par le fait même, ma confiance en moi.

J'ai compris, plusieurs années plus tard, avec l'aide de Maurice Clermont, psychothérapeute, ce que j'avais vécu à quartorze ans. Quand j'ai rencontré Maurice, j'étais en crise de carrière. J'avais terminé mes études universitaires depuis trois ans et je vivais, sur le plan professionnel, une grande déception. Je ne trouvais pas vraiment de sens à ma vie et encore moins à celle des autres que je voyais pris dans le cerle infernal : boulot, métro, frigo, dodo, avec, ici et là, de petits plaisirs sans grande satisfaction.

Je refusais de me résigner à vivre cette vie terne et sans joie, et je me disais que j'allais devenir fou si les choses continuaient ainsi encore longtemps. J'ai donc décidé d'aller en thérapie pour y voir plus clair. J'ai compris, en explorant mes propres peurs, qu'il n'existe que deux formes de peur : celle de devenir fou et celle de mourir. À bien y penser, ce sont là les deux facettes d'une seule expérience, car devenir fou, ce n'est ni plus ni moins que mourir au monde des autres. C'est la mort sociale. Pour certaines personnes, cette perspective revêt un caractère plus dramatique que la mort physique. Dans les deux cas, cependant, on n'en guérit qu'en acquérant la certitude de son éternité. J'en fis l'expérience en allant à la découverte de mes peurs.

Au plus intense de ce sentiment, j'ai soudain compris que je n'étais pas cette peur mais bien que j'éprouvais de la peur, et qu'il y avait en moi quelque chose de plus solide, de plus fondamental qui transcendait la peur et pouvait même la contrôler.

Par la suite, j'ai pu vivre beaucoup plus facilement les autres sentiments que je jugeais, à l'époque, indignes d'une personne raisonnable. J'apprenais par là, non pas à laisser mes sentiments diriger ma vie, mais plutôt à les accepter et à les utiliser pour mieux connaître mes besoins et rencontrer les autres. Quelle joie que celle de diriger sa propre vie au lieu d'être la victime des événements !

Prendre contact avec le chef d'orchestre de notre vie, l'esprit vivant en nous, est une expérience accessible à tous. Il est possible de réaliser cela en faisant le petit exercice que je vous propose maintenant.

Assoyez-vous confortablement et prenez le temps de vous détendre... Portez attention à votre respiration sans toutefois essayer de la changer... Soyez attentif aux sensations que vous éprouvez... Notez les points de tension dans votre corps ainsi que les endroits détendus... N'essayez pas de transformer votre expérience... Demeurez témoins de ce que vous vivez physiquement, sans essayer de modifier quoi que ce soit... Faites cela pendant quelques minutes...

... Après quelques instants, sentez que *vous n'êtes pas votre propre corps* puisque vous pouvez l'observer. En effet, vous avez des sensations, mais vous n'êtes pas ces sensations. Beaucoup de personnes s'identifient à leur corps physique et considèrent qu'ils n'ont plus de valeur si, par exemple, leurs forces diminuent, s'ils n'ont pas l'apparence physique valorisée par la mode, etc. Cette expérience peut être vécue très péniblement par certaines personnes. J'ai vu plusieurs managers qui, lorsque arrive la quarantaine et qu'ils se découvrent moins résistants physiquement, vivent une période de crise majeure. Soit qu'ils deviennent super-contrôlants étouffant ainsi leurs subordonnés, soit qu'ils font une dépression et prennent beaucoup de temps à s'en remettre. Notre corps physique a beau changer d'état, nous demeurons toujours là, capables de l'observer. Donc, nous ne sommes pas notre corps.

Portez à présent votre attention sur ce que vous éprouvez immédiatement... Êtes-vous anxieux ?... Éprouvez-vous de la joie, de la tristesse ou encore de la colère ?... Observez vos sentiments évoluer pendant quelques minutes... Prenez conscience de l'aspect changeant de vos états émotifs... Notez que derrière chaque sensation, chaque motion intérieure se cache une é-mo-tion...

... Après quelques instants, imprégnez-vous du fait que *vous n'êtes pas vos émotions* puisque vous pouvez les observer, les exprimer, les utiliser pour communiquer, etc. Goûtez cette agréable sensation d'être libre de ce que vous percevez.

Beaucoup de personnes s'identifient à ce qu'elles ressentent émotivement. Elles deviennent ce qu'elles éprouvent. Lorsqu'elles ont peur, elles sont terrorisées. Lorsqu'elles sont en colère, elles perdent le contrôle d'elles-mêmes. Lorsqu'elles sont tristes, elles s'écroulent. Pourtant, nos sentiments sont là pour nous informer sur l'état de satisfaction de nos besoins et nous permettre d'agir en fonction de ceux-ci, de façon responsable. Nous ne devons jamais, pour notre bonheur, en être les esclaves, mais toujours en demeurer les maîtres.

Lorsqu'on éprouve de la colère, c'est tout simplement parce qu'on est privé d'une source de satisfaction. Lorsqu'on est triste, c'est qu'on a perdu une source de satisfaction. Lorsqu'on a peur, c'est qu'on craint de perdre une source de satisfaction. Lorsqu'on est joyeux, c'est qu'on satisfait ses besoins. Nos sentiments ne sont pas nous. Ce sont des outils au même titre que notre corps physique.

> *Portez maintenant attention à vos pensées... Devenez le témoin des pensées qui vous habitent... Soyez attentif au dialogue continuel qui se déroule en vous... Restez présent à ce dialogue pendant quelques minutes... Notez que chaque pensée commande une émotion et que chaque émotion alimente une sensation physique... Constatez l'effet de vos pensées sur votre état émotif et physique...*

...Donnez-vous la possibilité de vivre, par rapport à vos pensées, cette distance nécessaire pour prendre conscience que *vous n'êtes pas vos pensées*. En effet, vous êtes capable de les observer, de les exprimer, de ne pas vous y attacher, de les retenir et de les approfondir, etc. Donc, vous n'êtes pas vos pensées. Remarquez, par exemple, combien vos pensées ont changé depuis votre adolescence. Pourtant, vous êtes toujours vous-même derrière les pensées que vous entretenez aujourd'hui.

Vous connaissez sans doute beaucoup de personnes, dans votre entourage, qui s'identifient à ce qu'elles pensent. Lorsque vous ne partagez pas leurs idées, vous observez que ces personnes les défendent comme si leur vie en dépendait.

Si nous ne sommes ni notre corps physique, ni nos émotions, ni nos pensées, qui sommes-nous donc?

> *Prenez quelques instants pour explorer et expérimenter ce que vous êtes au-delà de vos sensations, de vos émotions et de vos pensées...*
> *Ne cherchez pas à mettre des mots sur votre expérience... Vivez-la... Devenez ce centre de vie en vous et explorez-en les qualités...*

Nous sommes, vous l'avez sans doute observé, un centre de conscience. Nous sommes celui qui observe. Nous sommes *le témoin* de notre expérience. Cependant, nous ne sommes pas seulement témoins de notre expérience, nous pouvons également agir à partir de la conscience que nous avons des choses. Nous sommes donc, en plus, *un centre de volonté.* Cependant, nous sommes non seulement *un centre de conscience et de volonté,* mais également *un centre d'amour.*

En effet, nous agissons généralement dans un but précis : celui, nous apprend la psychologie, de satisfaire nos besoins. Nous ne sommes pas, à cet égard, différents des autres organismes vivants. En d'autres mots, nous agissons pour être utiles à nous-mêmes et, bien sûr, à notre environnement. Être utile, voilà, je crois, la plus belle définition que l'on puisse donner de l'amour. Aimer, c'est tout simplement être utile. C'est pourquoi il est si important pour toute personne de se sentir utile. Nous avons un besoin impérieux d'aimer et, si nous ne satisfaisons pas ce besoin, nous en mourons. C'est sans doute cette compréhension des choses qui fait dire à Mère Teresa que « le monde se meurt d'amour ». Il faut ici distinguer l'amour de sa caricature qui consiste à vouloir plaire à tout prix. Pour apprendre à aimer, il faut, on le sait, se libérer de l'esclavage de vouloir plaire à tout prix.

Lorsque nous nous donnons la peine d'explorer par nous-mêmes qui nous sommes, de mettre de côté ce que les autres nous disent pour en faire directement l'expérience, nous découvrons tous la même réalité, même si nous la traduisons dans des mots différents. Notre expérience nous révèle que nous sommes ultimement un centre de conscience, de volonté et d'amour et qu'en définitive, le but de la vie, c'est de nous révéler cela à nous-mêmes.

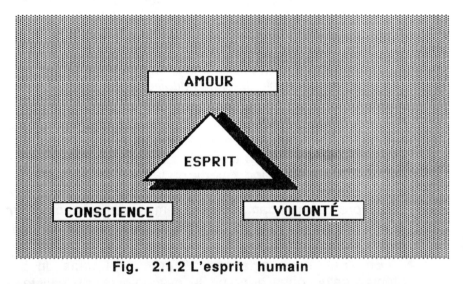

Fig. 2.1.2 L'esprit humain

Si vous avez fait l'exercice que je vous suggérais plus haut, peut-être avez-vous pu ressentir ces qualités en vous. Sinon, ne désespérez pas, vous allez devoir refaire l'expérience sans doute plusieurs fois avant d'obtenir des résultats satisfaisants. Vous faire aider par quelqu'un de compétent dans ce domaine peut également vous faciliter la tâche. Je vous le recommande. Il faut savoir ici que cette expérience est à la portée de tous et qu'au fond ni l'étude intellectuelle ni les exercices de méditation n'y donnent réellement accès, même s'ils peuvent quelquefois être utiles. Seul un désir sincère et honnête imprégné d'une bonne dose d'humilité nous permet d'atteindre notre esprit et, par là, le monde spirituel. C'est avant tout une expérience que chacun doit vivre.

Plusieurs gestionnaires à qui je propose ce petit exercice ou d'autres similaires dans mes séminaires de formation me disent vivre, dès le premier essai, une expérience significative au plus haut point. Ils en éprouvent une grande joie, celle de se sentir vivants et responsables de leur vie. Beaucoup me l'expriment de cette façon : « Je viens de me détendre pour la première fois depuis de nombreuses années. » Quelques-uns s'endorment. D'autres, moins nombreux, ont peur ou se sentent frustrés.

Cette expérience nous permet de nous faire une image vivante de ce qu'est un être humain, de sa constitution.

Ce premier contact avec l'esprit vivant en nous est capital si l'on prétend diriger d'autres personnes. Comment, en effet, demander à d'autres de nous suivre, si nous n'avons pas appris nous-mêmes à obéir à la voix intérieure qui doit guider notre existence tout entière ? Il faut d'abord faire l'effort de reconnaître le chef de sa propre vie et lui obéir avant de prétendre commander les autres. Le vrai leadership ne se contrefait pas. La crédibilité dans un chef se fondera toujours sur le degré de maturité qu'il aura atteint, donc sur la qualité du contact intérieur qu'il a développé en lui-même. Qu'il en vienne à perdre ce contact et aussitôt sa crédibilité et la confiance de ses subordonnés lui seront retirées.

Aujourd'hui, il existe beaucoup de confusion autour du terme esprit. Par exemple, lorsqu'on dit qu'un homme ou une femme a de l'esprit, on ne se réfère pas toujours à ses qualités spirituelles, mais à ses qualités mentales, intellectuelles. Cette confusion est la conséquence d'un développement unilatéral de l'intellect au détriment de l'esprit et, partant, de notre perception intuitive des choses.

Il y a donc l'esprit, d'une part, et l'intellect, d'autre part, qui lui servent de moyens d'expression et d'instruments d'expérimentation au plan terrestre.

L'esprit se manifeste chez l'être humain par ce qu'on appelle les qualités du cœur, le sens du vrai, du juste, du beau, de l'amour, et par l'intuition, nommée également « voix intérieure » ou « conscience ». L'intellect, quant à lui, se manifeste par le raisonnement, le calcul, l'imagination ; son domaine d'activité est uniquement le plan matériel.

L'intellect est un outil au service de l'esprit. Ce dernier donne la direction, tandis que le premier élabore et concrétise ses orientations sur le plan matériel.

Parfois, il arrive qu'au cours de son évolution l'être humain oriente son activité exclusivement vers l'intellect, avec l'ambition de contrôler son environnement, d'en devenir le maître. C'est cette orientation unilatérale qui affaiblit graduellement le lien entre l'esprit et la personnalité. Elle peut même l'en séparer complètement. L'esprit ne peut plus, dès lors, diriger la personnalité et c'est l'intellect qui prend la relève.

L'intellect, notre mental, au moyen des pensées, exerce son influence sur notre corps par l'intermédiaire du système nerveux qui, en réaction, stimule nos émotions et notre imagination qui, à leur tour, alimentent le mental, l'intellect. Vous pouvez en faire l'expérience immédiatement si vous le désirez.

> *Prenez le temps de vous détendre... Pensez à la phrase la plus négative que vous entretenez à votre sujet... Pendant que vous pensez à cette phrase négative (exemple : « je ne réussirai jamais dans la vie »), observez les sensations que vous éprouvez dans votre corps... Exagérez ces sensations en prenant la position physique qu'elles vous suggèrent... Observez également les sentiments qui vous viennent, ainsi que les images qui surgissent en vous... Constatez comment ces images alimentent la pensée négative que vous entretenez... Vous êtes pris dans le cercle vicieux.*

> *Arrêtez-vous maintenant et prenez le temps de construire en vous-même la phrase positive qui annule celle que vous venez d'avoir... Répétez l'expérience... Observez les résultats...*

Vous pouvez constater que, coupée de l'esprit, la personnalité a tendance à se retourner sur elle-même et à fonctionner en vase clos.

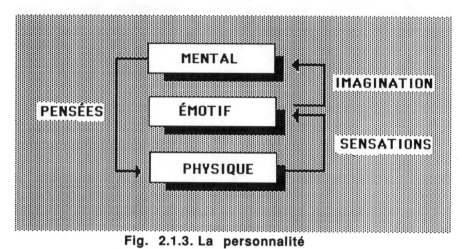

Fig. 2.1.3. La personnalité

Il ne faut donc pas penser que nos sentiments peuvent nous libérer de notre intellect puisqu'ils en sont issus. Certaines psychothérapies modernes suggèrent que la clé de notre libération consiste à apprendre à exprimer nos émotions. Ce n'est pas nécessairement le cas. Nos émotions ne sont que des moyens pour nous amener à prendre conscience de nos besoins afin d'être plus en mesure de les satisfaire. De nombreuses personnes ont appris à exprimer leurs émotions et n'en ont fait qu'un moyen de plus pour contrôler leur environnement. En effet, elles tyrannisent les autres avec leurs émotions qu'elles expriment violemment dès qu'elles apprécient ou détestent quelque chose. Ce comportement est assurément dicté par l'intellect égoïste.

L'imagination n'est pas non plus l'intuition. La différence réside dans le fait que les images générées par l'imagination ne stimulent généralement que leur auteur. Par contre, l'intuition nous en fournit de si vivantes qu'elles ont de l'impact sur les autres parce qu'elles les rejoignent au niveau spirituel. Ainsi, l'imagination n'est pas créatrice. Elle n'élabore ses images qu'à partir des matériaux connus.

Lorsque le contact entre la personnalité et l'esprit est rompu, il s'ensuit toute une kyrielle de problèmes. Les rapports entre les personnes s'enveniment. La faculté qu'a chacun de voir dans l'autre un être porteur d'une étincelle spirituelle s'affaiblit. L'autre devient souvent un concurrent, l'adversaire qui peut nous empêcher d'obtenir les richesses ou le pouvoir que nous convoitons. À la place d'une saine émulation qui renforce et anime tout le monde, s'instaure une lutte sans merci. La confiance et le respect des autres disparaissent, et ce à tous les niveaux des relations humaines.

Je passe sous silence tous les autres problèmes d'ordre matériel qu'engendre le non-respect, non seulement des autres personnes, mais de la nature et de ses lois. Les écologistes et le monde médical se chargent de nous les rappeler à l'occasion.

D'où l'importance de contrôler ses propres pensées, en d'autres mots, de ne pas se permettre de penser n'importe quoi. Le mental peut être utilisé pour le bien comme pour le mal, pour construire aussi bien que pour détruire. L'affirmation : « Un homme est tel qu'il pense » ou encore celle que véhiculent les Japonais dans leurs cercles de qualité : « Le produit est le reflet du mental » signifient que nous devenons ce que nous pensons. Nous nous formons nous-mêmes et formons aussi notre environnement à l'image de nos pensées.

Encore faut-il, pour en arriver là, reconnaître que nous ne sommes pas nos propres pensées, ni nos émotions, ni notre corps physique. Nous sommes plutôt un esprit vivant qui cherche à atteindre la pleine conscience de lui-même, en même temps que la pleine responsabilité de ses faits et gestes, dans le but de toujours mieux servir la vie. Pour apprendre à vivre en contact avec soi-même, en d'autres mots, à être centré, il faut d'abord avoir fait l'expérience du centre.

En gestion comme en pédagogie ou en psychologie, on est peu enclin à intégrer la dimension spirituelle dans le modèle de la personne humaine. La plupart du temps, on se contente de parler de ses effets à un niveau plus quantifiable. On définit donc le développement humain en termes de connaissances, d'habiletés et d'attitudes. On fait rarement le lien entre les manifestations de l'évolution de l'esprit et l'esprit lui-même. Pourtant, les connaissances, les habiletés et les attitudes qui ne sont pas le résultat d'un mûrissement de l'esprit, ne sont en aucune façon des forces vivantes dont l'individu peut tirer profit. Or, pour que l'esprit mûrisse, pour qu'il devienne plus conscient, plus responsable et plus utile, il lui faut faire des expériences. Seule l'expérience personnelle confère une connaissance valable, celle qui change notre façon de vivre et, par le fait même, a des chances d'influencer réellement les autres.

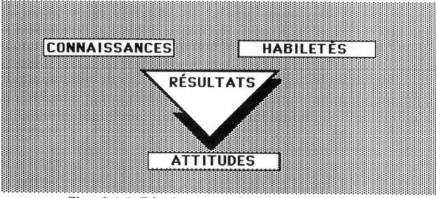

Fig. 2.1.4. Résultats de l'apprentissage

Toute démarche d'apprentissage qui ne tient pas compte de cela n'est qu'un amas de connaissances stériles. Les organisations qui essaient, par exemple, d'implanter de nouveaux modes de gestion en copiant les recettes des autres, sans se donner la peine de comprendre les changements profonds de mentalité que ces systèmes exigent, ne réussissent, tout bien considéré, qu'à polluer leurs organisations avec les gadgets de gestion à la mode. Aucun changement significatif ne se réalise de cette manière. Il faut investir dans la vie pour qu'elle nous rapporte. Personne ne peut tricher à ce jeu-là.

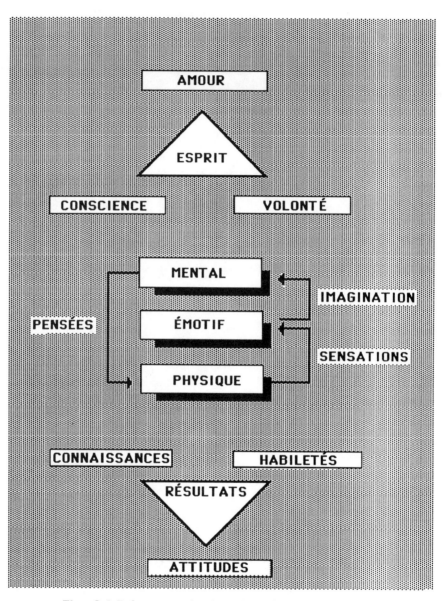

Fig. 2.1.5. La constitution de l'être humain

Jean-Pierre Vinet :
L'image éclatée

Jean-Pierre Vinet
Directeur de la coopération
Hydro-Québec international
Montréal

- aide les entreprises qui exploitent l'électricité dans les pays francophones sur les plans de la gestion et de la formation ;
- préfère envoyer les intervenants québécois dans ces pays plutôt que de faire venir les étrangers chez nous ;
- espère pouvoir jeter des ponts et établir des jonctions intéressantes avec les clients extérieurs ;
- s'efforce de respecter la nature des gens des autres pays francophones ;
- s'offre, par ce poste, une ouverture sur le monde qui rejoint sa démarche personnelle.

Déroulement du tapis rouge. Le magicien s'avance. Prestidigitateur de talent, il méduse son assistance. Il salue et fait son tour de piste. Un numéro qu'il connaît bien.

Soudain, les projecteurs modifient l'éclairage. Le chapiteau et les spectateurs s'évanouissent.

Seul en scène, éclairé de l'intérieur, l'homme examine la complexité de ses formules. Il en découvre la futilité. Il se retire derrière le rideau, se démaquille, revient et se voit... enfin tel qu'il est.

* * *

Très performant, homme d'action aux horaires surchargés, le jeune Jean-Pierre Vinet se doit d'être toujours occupé. « L'activité était pour moi une sorte de nourriture », avoue-t-il.

À 40 ans, il commence à se poser des questions. « Est-ce que pour le reste de ma vie je vais courir après les mêmes choses : succès professionnel, bien-être matériel, réussite sociale ? Existe-t-il autre chose derrière tout cela ? » Il devient plus attentif à l'expérience et au vécu des autres. « Avant, j'étais attentif, mais pas de la même façon. Je regardais les gens, les écoutais et identifiais très rapidement ce que je pouvais retirer d'eux. Je voyais seulement ce dont j'avais besoin. »

Il commence à réaliser que les autres peuvent lui apporter et lui apprendre des choses. On lui suggère de se rapprocher des personnes qui l'attirent le moins. Il découvre que « je les fuyais parce qu'elles me mettaient en contact avec des parties de moi qui me faisaient peur ou que je ne voulais pas voir ».

Puis ses enfants grandissent. Il doit apprendre à se détacher d'eux et peut-être aussi « d'un tas de choses ». Il connaîtra, grâce à un programme continu de trois ans en management, « un cheminement très intense, tant sur le plan professionnel que personnel ».

Il vit, il y a un an et demi, un événement très douloureux. Par suite d'une décision administrative de l'entreprise, il doit quitter son poste de chef de service ressource de région. « Sur le coup, tu te demandes pourquoi le tapis t'a glissé sous les pieds. » Malgré cela, il retombe assez rapidement sur ses pieds. Les réactions de ses proches le soutiennent : « C'est positif. Au fond, tu cherchais une façon de te sortir de ce tourbillon-là. »

Confronté à l'image qu'il projette, au succès, au pouvoir, il se sent coincé. Cet événement imprévu lui fournit l'occasion de s'arrêter, de faire le point, d'examiner ses valeurs et de se demander : « Qu'est-ce que je veux ? Quelles sont les valeurs auxquelles je crois ? »

« Mon meilleur outil n'est pas dans ma serviette »

Progressivement, il découvre des possibilités nouvelles pour sa vie. « D'abord, je ne veux plus travailler douze heures par jour et avoir des horaires qui m'empêchent presque de manger. » Dorénavant, il veut du temps pour réfléchir, savoir pourquoi il pose des gestes, écouter la vie afin de faire « une œuvre un peu plus durable, un peu plus profonde ». Une sorte de détachement commence à s'installer chez lui.

Après le coup dur sur le plan professionnel, un an plus tard arrive une promotion. « J'aurais voulu dessiner un poste avec les mêmes caractéristiques, je n'aurais pu faire mieux. » Intérieurement, le défi l'attire mais « ne flatte pas du tout son ego ». Il regarde plutôt ce qu'il devra construire et imaginer. Il considère que ce poste est transitoire, car il sait qu'il y aura autre chose au bout, même s'il ne sait pas encore ce que c'est.

Il a une croyance fondamentale : « Dans la vie, on crée les situations dont on a besoin pour progresser. » Cependant, il ne prétend pas tout comprendre, tout savoir et posséder une vision complète de ce qui l'attend. Toutefois des petits bouts de chemin sont parcourus. Il aborde son nouveau poste en se disant : « Mon meilleur outil n'est pas dans ma serviette : c'est moi, comme être humain. Et cet outil, je vais le traîner partout avec moi. » Son expérience de conseiller lui permet de définir son travail dans ces termes : « La consultation, c'est se brancher sur les autres tout en restant branché sur soi, car on intervient beaucoup plus avec ce qu'on est qu'avec ce qu'on sait. »

Il considère que l'étape professionnelle où il est parvenu est belle, non pas à cause du poste qu'il occupe, mais plutôt grâce à sa nouvelle attitude de détachement qui suppose quand même un engagement profond.

« J'ai arrêté de forcer »

En ce qui le concerne, il identifie deux aspects essentiels sur le plan professionnel : le contenu du poste et l'équipe. « À partir de maintenant, je vais attacher beaucoup d'importance au patron avec qui je vais travailler et à l'équipe en place. Je veux établir avec mes collègues des relations de collaboration plutôt que de compétition. » Puis, le besoin d'impressionner l'entourage et de faire des prouesses étant de plus en plus à la baisse, « j'ai arrêté de forcer », avoue-t-il. Par conséquent, son niveau de stress et de nervosité a considérablement diminué.

« Ma nouvelle fonction représente tout un test, parce que je n'ai pas d'expérience sur le plan international. Je devrai l'acquérir et, de plus, je vais rencontrer des gens qui ont de 10 à 20 ans d'expérience sur ce plan. Il y a 5 ans, ça m'aurait stressé. Aujourd'hui, je me dis que ça va venir un à un comme les papiers-mouchoirs. »

Ce gars qui dégageait une telle confiance en lui qu'il écrasait ceux qui avaient des doutes est maintenant reconnu par son entourage comme une personne qui a une sécurité et une foi intérieures qui respectent les autres. « Du moins, j'essaie d'y arriver parce que je suis plus conscient. »

Il remet tout en question

À 40 ans, Jean-Pierre cherche donc le sens de sa vie. Pour tenter de comprendre le sens de la vie, de sa vie, il s'engage dans une très longue période de réflexion sur la mort.

Il aborde en outre le plan physique et observe que son corps lui parle de façon extraordinaire. Jusqu'alors, il se contentait de lui dire : « Tu n'es qu'une machine, alors suis. » Il s'approche des médecines douces, de l'antigymnastique, de l'imagerie mentale, de la méditation avec le support professionnel de Marie-Lise Labonté qui marquera son cheminement. Seul participant masculin dans les groupes, il trouve dommage que « les hommes — sans vouloir faire leur procès — passent beaucoup à côté de la vie, de la beauté, de la relation avec eux-mêmes et avec les autres ».

Ses recherches et réflexions provoquent inévitablement des réactions dans son entourage. La plus pénible à se produire est le fossé qui se creuse entre son épouse et lui. Ils en arrivent à divorcer. Deuxième événement très dur qu'il devra vivre. Là aussi, il est pris au piège de son image. Cette fois, c'est l'image du couple idéal — dynamique, chez qui on s'amuse beaucoup, très proche de ses enfants — qui tombe. Coïncidence, hasard ? Il n'y croit pas. Toujours est-il que les deux coups les plus durs de sa vie lui arrivent à peu près en même temps.

Une exploration à fond

À cette étape, il va chercher de l'aide. Il entreprend une psychothérapie pour valider, entre autres, ses décisions et son devenir. Il aborde même la question des vies anté-rieures. Dans sa recherche, il est accompagné par une femme assez exceptionnelle, de formation scientifique, Judith Chelteff. Il trouve grâce à elle le fil conducteur de son existence et peut identifier les embûches qui le menaçaient. Loin de le traumatiser, « cette découverte devient le prolongement et la concrétisation de ce que j'avais commencé à vivre et que je sentais intuitivement », conclut-il.

Autre rencontre significative : Gilles Charest. Un début de relation compétitive qui se transforme en amitié. « Entre deux hommes, c'est important de pouvoir nous montrer l'un à l'autre tels que nous sommes. Gilles m'a stimulé énormément et, pendant un certain temps, il a été pour moi une espèce de guide. » Pas un maître, il n'en est pas question. « Je n'ai jamais voulu me rattacher à une école de pensée. J'en suis incapable, je rue dans les brancards et je deviens délinquant. »

Il poursuit ses recherches par de nombreuses lectures qui touchent la psychologie et l'ésotérisme au sens large, par des cours, entre autres sur le tarot et la numérologie, et par le contact avec des personnes engagées dans la même démarche que lui. Il est en quête de lois qui ne sont pas écrites mais qui sont là et qu'il sent. « C'est une réalité avec laquelle je dois vivre. »

Est-ce le début de la sagesse ? Il ne sait pas. Il reconnaît cependant que c'est un moment privilégié pendant lequel il se questionne sur les choses essentielles. Son authenticité, il la vérifie même durant l'entrevue. « Est-ce que je bâtis une image ? Suis-je honnête avec moi ? Est-ce que je dis des choses auxquelles je crois vraiment ? » Devenir de plus en plus conscient, s'ouvrir à soi pour ensuite s'ouvrir aux autres et les comprendre, voilà où son cheminement l'amène.

D'autre part, la vie le comble, car il rencontre une femme avec laquelle il partage une relation très apaisante et très enrichissante. Au même diapason, ils apprennent, s'appuient mutuellement et poursuivent ensemble leur recherche respective, mus par les mêmes valeurs et les mêmes objectifs.

La vie : une aventure extraordinaire

À son nouveau poste, il réagit de façon très différente par rapport à autrefois. Il ressent deux émotions qu'il n'avait pas éprouvées lors de ses précédents changements de fonctions : une forme d'humilité face au défi qui l'attend et une très grande vigilance afin de ne pas retomber dans l'activisme.

Le fait d'être devenu conscient, sensible, lui fait voir la vie comme « l'aventure la plus extraordinaire qu'on puisse vivre. À partir du moment où vous savez que la mort n'est qu'un passage et qu'elle est quelque chose de positif, de naturel, ça aide à relativiser pas mal de choses. »

S'il le veut, il peut, dira-t-il, commencer à préparer sa prochaine vie. D'abord, en réglant ses affaires dans cette vie-ci, puis en imaginant et en visualisant le type de vie qu'il veut vivre la prochaine fois. Il parle du passage qu'est la mort, des situations qui arrivent quand la foi est assez grande qu'elle les fait se matérialiser. « Il ne sert à rien de se battre contre les lois naturelles et universelles. Si elles valent pour un arbre, pourquoi n'auraient-elles pas de sens pour l'être humain ? Aussi, je suis extrêmement optimiste », ajoutera-t-il.

Un jour, il accepte donc de se livrer tel qu'il est. Il apprend aussi à utiliser son intuition, à développer son côté accueillant, sa chaleur, son empathie, son écoute, et, confie-t-il, « je pense que je suis devenu plus beau, plus vrai, plus simple, plus accessible et surtout, je vis une paix intérieure et une sécurité plus solides ».

Claire Noël

Chapitre 2

La course au bonheur

Il y a quelques années Jean Lapointe, Ginette Reno et plusieurs autres artistes québécois se sont réunis pour réaliser la comédie musicale intitulée *La course au bonheur.* Chez nous, le disque « La course au bonheur » fut immédiatement adopté par les enfants et, durant les vacances de cet été-là, j'eus l'occasion, ce qui ne fit pas toujours mon bonheur, de l'entendre des centaines de fois. Cette comédie musicale raconte l'histoire classique d'un personnage richissime qui, insatisfait de son sort, décide d'organiser une course au bonheur. Il trouve ainsi le bonheur, non sans peine, auprès des enfants qu'il rencontre au bout du monde. Ces enfants ont été abandonnés là, nous apprend-on, par des adultes trop absorbés par leurs affaires. Les enfants apprennent à notre aventurier que le bonheur se trouve dans notre façon de voir le monde et de l'expérimenter.

Cette idée que le bonheur est à la portée de ceux qui ont gardé un cœur d'enfant n'est pas neuve. Elle a été reprise ces dernières années par différentes approches de croissance personnelle. Dans ces groupes de thérapie, on se propose d'aider les participants à libérer l'enfant qui sommeille en eux. J'ai pu constater que ces démarches donnent des résultats dans la mesure où elles permettent aux personnes de se libérer de leurs idées toutes faites, donc de leur intellect, et de reprendre contact avec leur intuition. Il ne faut donc pas confondre la technique de libération (donner le droit de parole à l'enfant qui est en chacun de nous) avec la libération elle-même.

Je ne crois pas que le bonheur soit lié à l'enfance comme telle. On rencontre des enfants malheureux qui ne dégagent aucune fraîcheur. Ils sont comme enfermés en eux-mêmes et désabusés à cause, bien trop souvent, d'une initiation précoce au monde des adultes. Si dans nos souvenirs d'enfance se tisse une douce mélancolie, comme le sentiment d'une grande perte laissant derrière elle une impression de vide, cela est dû au fait que nous avons perdu notre capacité de ressentir intuitivement les choses. Il n'y a pas d'autres raisons.

La course au bonheur, c'est justement cette quête du contact avec notre centre au moyen de notre intuition.

En coupant le pont qui unit la personnalité à l'esprit, il faut savoir que nous ne perdons pas uniquement le contact avec notre intuition, nous brisons également notre lien avec la réalité, seule source d'apprentissage. Cela va automatiquement de pair. L'expérience du monde dans lequel nous vivons est de première importance pour permettre à notre esprit de mûrir.

Lorsque nous nous coupons de nos intuitions, il faut que, parallèlement, nous nous coupions de la réalité. Les psychologues ont remarqué ce phénomène et l'ont nommé désensibilisation. Tout se passe comme si nous introduisions un nuage désensibilisant entre les données qui proviennent de l'extérieur et nous pour que l'esprit ne soit pas atteint. La personnalité, pour se défendre, se durcira donc et apparaîtront ce qu'on appelle les résistances. Ce sont des moyens par lesquels la personne évite le contact avec la réalité. À la longue, elles peuvent devenir permanentes et exigeront des expériences de plus en plus fortes pour réveiller l'esprit qui sommeille à l'intérieur.

Le développement intellectuel n'est pas un signe évident de maturité. On rencontre des intellectuels réputés qui n'ont aucune vitalité. Ce sont des robots ambulants, prisonniers de leurs prétendues sciences. Ce sont eux que l'on surnomme, dans nos entreprises, les incompétents bien articulés. Ces gens ont emmuré leur esprit et sont devenus l'esclave de leur intellect. Férus de techniques administratives, ils sont habituellement les promoteurs du meilleur des mondes tel que l'a décrit si merveilleusement Aldous Huxley : un monde sans poésie et sans science véritable où l'on a aplani toutes les inégalités grâce à une génétique qui permet de concevoir les humains en éprouvettes et de les élever en laboratoire, dans des conditions contrôlées, pour produire exactement les modèles désirés. Tout sentiment de malaise y est vite réprimé par une drogue appelée curieusement SOMA.

L'intellect laissé à lui-même fonctionne en circuit fermé et ne peut, en aucune façon, produire des œuvres vivantes reliées à la vie. L'être humain a cependant la liberté de laisser son intellect gérer sa vie ou de se prendre lui-même en charge.

À une certaine époque, j'avais mon bureau près du Carré Saint-Louis à Montréal. Certains midis, je choisissais de traverser ce secteur pour aller manger sur la rue Prince-Arthur. Dans ce parc, je croisais souvent des clochards qui entretenaient de longues conversations avec leur bouteille. Comme la plupart de mes concitoyens, je passais devant eux en faisant semblant de ne pas les voir mais, chaque fois, je ressentais un léger pincement au cœur.

Étant, pour ma part, convaincu qu'on est responsable de ce qui nous arrive, je me suis longtemps demandé comment ces personnes pouvaient choisir de vivre dans de pareilles conditions. J'eus ma réponse lorsque je compris que la paresse spirituelle entraîne la désensibilisation. Pour des personnes éveillées intérieurement, de telles souffrances seraient en effet intolérables. Pensez-y deux minutes ! Il faut donc que la perte de conscience de soi entraîne également la désensibilisation. Conclusion, il faut à ces gens un degré de souffrance beaucoup plus grand qu'à d'autres pour se mettre en mouvement et décider de changer quelque chose à leur sort.

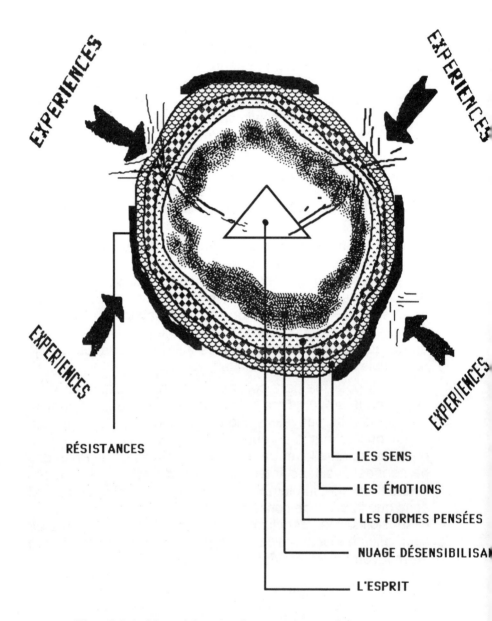

Fig. 2.2.1. L'expérience du monde extérieur

Pour celui qui veut mûrir, celui qui ne se sent pas puéril parce qu'il cherche activement le bonheur, celui-là doit accepter d'affronter la réalité toute jolie ou tout affreuse qu'elle soit. Si l'on veut vivre heureux, il faut accepter la souffrance lorsqu'elle est là. Elle n'y est jamais par hasard. Pour cela, nous devons aiguiser notre sensibilité, être conscients de ce que nous vivons. C'est à travers ce contact avec le réel que l'esprit peut apprendre réellement. Les leçons que nos maîtres nous enseignent n'ont que valeur de repères. Elles ne font pas partie de notre expérience et ne sauraient être considérées comme des connaissances acquises. Il nous faut découvrir les choses et les êtres par nous-mêmes.

Le développement spirituel n'est donc pas du tout une fuite dans l'imaginaire. C'est avant tout un geste de responsabilité par rapport à notre vécu immédiat. Les enfants de la comédie musicale *La course au bonheur* ont absolument raison : ce n'est qu'en expérimentant le monde avec les yeux de l'intuition qu'on y trouve le bonheur et qu'on peut chanter avec eux : « C'est beau le monde ».

L'expérimentation et la satisfaction des besoins

Nous n'avons pas à chercher très loin les expériences dont nous avons besoin pour mûrir. La vie quotidienne nous fournit exactement ce qu'il nous faut pour grandir. Cette vie quotidienne, nous la vivons en grande partie au travail.

Cette conception des choses nous amène à considérer la vie comme une école parfaitement adaptée à notre évolution personnelle. Les événements que nous vivons prennent donc leur sens véritable lorsque nous les interprétons à la lumière de ce qu'ils veulent nous enseigner.

Je me souviens de ce président de compagnie qui me consulta un jour pour faire de la planification stratégique. En bavardant avec lui, je lui fis remarquer la coïncidence qui existait entre les besoins de son entreprise et ses besoins personnels. En effet, il venait juste de me confier qu'il avait atteint tous les objectifs qu'il s'était fixés quelques années plus tôt et qu'il se surprenait à penser, non sans inquiétude, qu'il voulait quitter sa propre entreprise. Lorsqu'il prit conscience que son entreprise avait comme lui besoin de défis, il se mit résolument au travail pour trouver des défis qui correspondraient davantage à son rythme de développement et qui, en assurant la croissance de l'entreprise, donneraient également un sens à sa vie personnelle.

On oublie trop facilement qu'une entreprise est un regroupement de personnes qui s'unissent pour répondre à des besoins, ceux de leurs clients, certes, mais surtout leurs propres besoins. Une entreprise qui ne satisfait pas les besoins de ses membres est vouée à l'échec.

Les besoins des clients sont habituellement inclus dans ceux des membres de l'entreprise car le besoin d'être utile ne saurait être satisfait par une activité narcissique qui n'apporte rien aux autres membres, ni à la clientèle, par conséquent.

Répondre à ses besoins ne s'oppose en rien au développement d'une attitude de service envers les clients. Au contraire, nier nos besoins va plutôt nous débrancher de la réalité et, par le fait même, des besoins de nos clients. Nous devrions toujours nous rappeler que notre premier client, c'est d'abord nous-mêmes.

Pour apprendre à satisfaire ses propres besoins, il faut savoir différencier ses désirs personnels de ses besoins. Cela s'acquiert lorsqu'on a suffisamment pris de distance par rapport à son expérience pour en garder le contrôle. La personnalité cherche sa propre gloire avant toute chose. Si elle n'est pas sous le contrôle de l'esprit, elle devient rapidement un véritable tyran pour soi-même et pour les autres. Nous devenons alors la proie de son insatiable désir de tout contrôler. De là naît notre propre souffrance et celle que nous infligeons aux autres. Nous pouvons être manipulés par notre intellect qui cherche à tout rationaliser ou encore par nos émotions (servantes de l'intellect) et notre désir de plaire ou finalement par nos propres instincts. Un être humain qui possède la maîtrise de soi veille à ce que ses pensées, et par là même son intellect, demeurent constamment sous le contrôle de son esprit. Il réfrène ainsi ses instincts et son tempérament en replaçant les sentiments et l'imagination dans leurs limites naturelles.

Le cycle de l'émergence et
de la satisfaction des besoins

Il est possible de développer cette vigilance que requiert la maîtrise de soi en prêtant attention au cycle d'émergence et de satisfaction de nos besoins.

La psychologie de la perception nous a appris que nos besoins et nos désirs influencent nos perceptions. Les associations de consommateurs ont compris cela et recommandent à leurs membres d'éviter de faire leur marché lorsqu'ils ont faim. D'ailleurs, il vous est sans doute arrivé de faire votre marché lorsque vous aviez l'estomac vide et de constater qu'à ce moment-là votre facture était plus élevée qu'à l'ordinaire. Votre besoin (la faim) a aiguisé votre perception et vous vous êtes laissé tenter par les étalages.

Pour connaître nos besoins, nous pouvons parcourir le chemin en sens inverse et prendre conscience de nos propres perceptions. Un voleur qui rencontre un saint ne voit que ses poches, nous raconte un vieux proverbe hindou. La clé pour gérer nos besoins repose donc dans notre perception du monde. Prendre de la distance par rapport à cette perception, demeurer conscients de ce que nous vivons d'instant en instant nous place dans la position juste pour gérer nos besoins.

D'ailleurs, la maturité d'une personne se mesure à sa façon de percevoir le monde, nous disent les plus éminents guides spirituels. Le monde reste le même, c'est notre perception qui change. Devant un lac, certains éprouveront de la tristesse, d'autres de l'exaltation, d'autres encore une grande paix. Pourtant, la réalité demeure toujours la même. C'est nous qui évoluons, qui changeons et, par le fait même, qui percevons la réalité de façons différentes.

Il faut également savoir que les besoins et les désirs que nous ne gérons pas ne disparaissent pas pour autant. Même si nous n'en avons plus conscience, cela ne signifie pas qu'ils ne sont plus présents. L'intellect prendra alors la relève de l'esprit et, dès qu'il se retrouvera dans une situation qui s'apparente à la situation où nous avons réprimé notre besoin, il sera de nouveau stimulé et l'énergie alors refoulée cherchera à refaire surface. Pour contrôler ces

cherchera à refaire surface. Pour contrôler ces
bouillonnements énergétiques, nous allons devoir bâtir un
système de résistances qui entrera automatiquement en
action quand ces situations se présenteront. Chaque besoin,
chaque désir non satisfaits, chaque situation inachevée de
notre vie alimentent un système de résistances automatiques
qui aura pour effet de fausser l'émergence de nouveaux
besoins, entraînant une diminution de la conscience et, par le
fait même, une désensibilisation par rapport à la réalité.

La personne minée par les situations inachevées de sa vie
se sent comme téléguidée par un mystérieux tyran. Elle
confond désirs et besoins ; elle ne comprend pas les motifs de
ses actes et elle éprouve constamment une sorte d'insatisfaction diffuse. On dit de ces personnes qu'elles sont inconscientes, comme endormies.

Il importe donc de développer notre capacité à demeurer
présents à ce que nous vivons d'instant en instant pour sentir
que nous prenons une part active au spectacle de la vie.

Le cycle d'émergence et de satisfaction des besoins peut
être décomposé en six (6) phases. À chacune de celles-ci,
nous pouvons interrompre le cycle d'émergence des besoins
et ainsi nous couper de l'expérience en cours. En psychologie, ces interruptions sont appelées résistances.

Je vais décrire brièvement ce cycle de même que les
résistances qui l'accompagnent telles que présentées dans
l'approche psychologique gestaltiste.

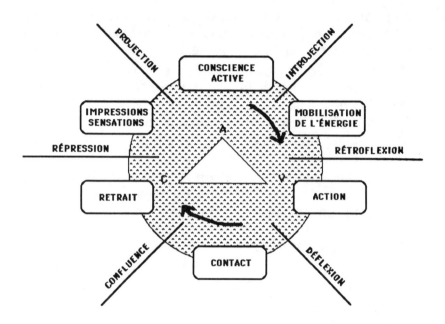

Fig. 2.2.2.
Cycle d'émergence et de satisfaction des besoins

Débutons par la phase des **impressions/sensations.** Cette vigilance que nous voulons développer doit commencer dès qu'une impression, une sensation ou une émotion nous arrivent. L'environnement nous propose toutes sortes de stimulations. Les pensées, les ambiances, les vibrations sont des données que nous captons et qui exercent une pression sur nous. C'est pourquoi nous devons avoir la vigilance d'un samouraï pour ne pas nous laisser submerger par ces impressions.

C'est à cette étape qu'apparaît le mécanisme de défense que nous appelons *la projection* qui, en fait, est une façon de résister et d'éviter de gérer consciemment les impressions et les sensations qui nous assaillent. La projection consiste à rendre les autres responsables de ce qui nous arrive. Ce comportement a pour effet, comme toute résistance d'ailleurs, de nous couper de ce que nous vivons et de nous amener à en nier la responsabilité.

La phase de la **conscience active.** Dès que nous percevons une impression ou une sensation, nous devons prendre une décision. Qu'allons-nous en faire ? Une façon de ne pas choisir consciemment consiste à utiliser des réponses toutes faites pour classer ce que nous ressentons. Nous appelons cette résistance *l'introjection.*

Nous faisons de l'introjection lorsque, par exemple, nous mettons de côté ce que nous ressentons en face d'une personne en utilisant les préjugés populaires comme camouflage : « les patrons ne veulent que de l'argent », « les employés sont paresseux de nature », etc.

La phase de la **mobilisation de l'énergie.** Si nous demeurons attentifs à ce que nous vivons, notre conscience va être attirée par des pensées, des sensations qui nous renseigneront sur la nature de nos besoins ou de nos désirs. À chaque étape, nous demeurons toujours libres de choisir ce que nous voulons vraiment. Une façon de ne pas décider, de ne pas prendre le risque d'agir pour satisfaire ses besoins, c'est, ici, d'utiliser le mécanisme de défense que nous appelons *la rétroflexion* qui consiste à se faire à soi-même ce que nous devrions faire aux autres.

Par exemple, quelqu'un nous fait du mal et, au lieu de nous défendre, nous nous culpabilisons ou encore, au lieu de demander à quelqu'un des marques d'attention, nous mangeons de manière exagérée. Toutes les formes de compensation peuvent être classées sous cette étiquette. Le summum de la rétroflexion, c'est le suicide. Les gens qui se suicident sont généralement très agressifs et, au lieu d'exprimer ce qu'ils ressentent, ils tournent cette énergie contre eux-mêmes et en arrivent à s'enlever la vie.

La phase de l'**action.** Une fois que nous sommes cons-cients de ce que nous voulons, généralement nous agissons pour l'obtenir. Cela demande habituellement un certain courage, spécialement si, pour satisfaire notre besoin, nous devons aller vers les autres.

Une façon de résister au contact avec la source de satisfaction est d'utiliser un comportement défensif que nous appelons *la déflexion.* Chaque fois que nous évitons de répondre directement à une question qui nous est posée en changeant subtilement le sujet de la conversation, nous faisons de la déflexion. Il y a mille et une façons de faire de la déflexion. Vous pouvez facilement en imaginer vous-même.

La phase du **contact.** Établir un contact avec une personne ou un objet, c'est une expérience qui modifie ma relation avec cette personne ou cet objet. En effet, un contact réel permet un échange énergétique entre moi et l'environnement qui touche mon être profond. C'est l'expérience, l'apprentissage réel par le vécu.

Une façon de polluer le contact que nous avons avec les êtres et les choses, c'est *la confluence.* La personne qui dit toujours oui, qui n'affirme jamais ses désaccords ouvertement en est un bel exemple typique. Les relations de dépendance que nous entretenons avec les autres le sont grâce à ce mécanisme de défense. La confluence ne permet pas d'établir une frontière claire entre soi et les autres. Quand, par exemple, je tutoie tout le monde indépendamment de ce que je ressens intérieurement, je suis confluent.

La phase du **retrait.** Une fois le contact établi et l'expérience faite, nous nous devons de nous retirer pour réfléchir à ce que nous venons de vivre et d'en tirer des leçons pour l'avenir. La vie exige des moments d'activité et des moments de repos. La phase de retrait est ce repos indispensable à l'émergence de nouvelles sensations, de nouvelles impressions.

Une façon de ne pas vivre ce retrait consiste à réprimer toute sensation nouvelle en restant accroché au passé. La rancune est un bon exemple de *répression* : comme la personne rancunière maintient dans sa conscience l'expérience passée pour raviver sa rage, on peut comprendre ici que pardonner n'est pas un acte gratuit de générosité. Celui qui ne pardonne pas s'empêche tout simplement de vivre.

La phase des **impressions/sensations.** Une fois le retrait achevé, nous redevenons libres pour que d'autres sensations, d'autres impressions émergent à la conscience. Une façon de perdre le contact avec soi, de nier ce qu'on vit est de réprimer les sensations et les impressions qui nous habitent.

Les résistances ne sont pas à éviter en soi. Elles peuvent être profitables lorsqu'elles sont utilisées consciemment. Par contre, elles sont dommageables lorsqu'elles demeurent inconscientes et qu'elles nous coupent de notre expérience. On ressent leur présence comme des tiraillements intérieurs. Chaque fois que je me sens hésitant, mal à l'aise, gêné, confus, c'est que je résiste d'une certaine façon. Une conscience claire ne tolère jamais cela.

De ce qui précède, on peut conclure que c'est en gardant pur le foyer de ses pensées qu'on fait régner la paix intérieure et extérieure et que l'on parvient à être heureux. On peut donc conclure que, pour éliminer le stress inutile, il faut rééduquer sa propre conscience et être attentif à ce que l'on vit d'instant en instant.

Il s'agit de ne pas se laisser envahir par des états d'âme que l'on ne choisit pas consciemment. Accepter la responsabilité de tout ce qu'on pense, dit ou fait est une bonne façon de prévenir les effets destructeurs du stress. Les pensées qui nous entourent et qui définissent l'atmosphère psychologique dans laquelle nous vivons peuvent, si nous les laissons faire, diriger complètement notre vie. Par conséquent, la vigilance s'impose.

Contrairement à ce que l'on croit généralement, nos pensées ne sont pas inoffensives. Des pensées négatives peuvent nous déconcentrer et nous faire rater complètement ce que nous nous proposions d'atteindre.

Elles peuvent également nous conduire, si nous ne les contrôlons pas, à des gestes que nous ne poserions peut-être pas nous-mêmes, mais que d'autres pourraient poser à notre place. Il faut savoir que les formes-pensées que nous alimentons vont s'agglomérer dans des centrales de formes-pensées conformément à la loi de l'attraction des affinités selon laquelle ce qui se ressemble s'assemble. Tôt ou tard, elles seront captées par quelqu'un d'autre qui, lui, pourra bien les matérialiser. C'est ainsi que nous pouvons être associés à des choses que nous n'aurions pas nous-mêmes eu le courage de faire, mais que nous avons aidé à se réaliser parce que nous les avons entretenues dans nos pensées. Par conséquent, mieux vaut penser le bien. Cette loi motive la responsabilité que nous avons de gérer notre vie comme nous gérons nos entreprises. On récolte toujours ce qu'on a semé. Le chapitre suivant traite justement de cette question.

Les moteurs du changement

Qu'est-ce qui cause le changement ? Deux facteurs peuvent le provoquer réellement : la souffrance et l'aspiration vers la lumière.

La plupart des êtres humains que je connais, dont moi-même, ne décident de changer ce qui ne va pas dans leur vie, même si le malaise existe depuis longtemps, que si la souffrance devient intolérable.

Il faut croire que nous avons acquis de curieuses habitudes en ce qui regarde l'évolution puisque nous attendons généralement de beaucoup souffrir avant de changer notre condition. Apparemment, les deux dernières choses dont un être humain consent à se défaire sont : sa souffrance et sa propre prétention. En y réfléchissant un tant soit peu, nous constatons que ces deux calamités sont iden- tiques. C'est en effet notre prétention à tout vouloir contrôler, voire à dominer le monde, qui cause tous nos tourments. Abandonner la voie de la souffrance, c'est également faire preuve d'humilité et accepter de se laisser guider par autre chose, par notre intuition.

Le travail sur soi affine notre conscience et diminue, par le fait même, notre seuil de douleur. Graduellement, nous apprenons à agir pour satisfaire nos besoins sans trop souffrir. Peu à peu, notre motif pour agir ne sera donc plus uniquement la souffrance, mais cette aspiration à se développer que chaque personne ressent en elle-même lorsqu'elle y est attentive.

On ne doit pas confondre l'anxiété avec cette quête du devenir. Cette dernière est une tension naturelle, un stress normal, indispensable pour notre évolution.

Je me souviens d'un conseiller qui me décrivait, à chacune de nos rencontres, les tourments qu'il vivait dans son travail. Souvent, il me demandait conseil pour surmonter ses difficultés. Chaque fois, je recourais à mon art, ne ménageant pas les efforts pour l'aider. Ce fut sans grand succès, je l'avoue. Un jour qu'il venait encore me raconter ses déboires, me confiant qu'il se sentait anxieux depuis un certain temps, je me trouvai devant l'impétueuse nécessité de lui répondre : « Tu n'es pas anxieux, Georges, tu es paresseux. Ce que tu ressens, c'est l'aspiration normale au développement. Plus tu la nies, plus elle se fait insistante. Tu peux prendre des valiums, tu ne feras qu'endormir cette tension créatrice et, à la fin, elle se tournera contre toi et te rendra réellement malade. Mieux vaut l'écouter, Georges, crois-en mon expérience ! » Ces paroles firent effet. Il découvrit plus tard, en explorant cette tension, qu'il devait prendre dans son travail les risques qu'il remettait toujours à plus tard.

La souffrance est un puissant moteur pour nous amener à changer. On a tout intérêt, lorsqu'on veut modifier le cours des événements dans notre vie, comme dans l'entreprise d'ailleurs, de toujours vérifier au départ le prix à payer pour maintenir la situation actuelle. La souffrance ne serait pas nécessaire à notre évolution si nous étions constamment à l'écoute de notre intuition. Nous évoluerions alors dans la joie. C'est ce que voulait démontrer Bouddha lorsqu'il enseignait à ses disciples, sur les chemins poussiéreux des Indes, que nos désirs personnels sont la source de nos souffrances.

Chaque fois que nous souffrons, c'est qu'en définitive nous nous sommes identifiés à un aspect de notre personnalité : le corps (la jeunesse), nos sentiments (certains plaisirs), nos pensées (l'image de soi). Nous essayons par tous les moyens de retenir la vie, de contrôler notre environnement, de conserver ce que nous considérons comme nos acquis.

La souffrance nous oblige toujours à un détachement, à une renonciation. Le détachement des biens matériels n'est pas le plus difficile. Il est plus pénible encore de se défaire de ses prétentions. En définitive, la souffrance contribue à nous rappeler notre but véritable, c'est-à-dire l'élévation du niveau de conscience, la pleine responsabilité et une activité libre au service de la vie.

La vie est une école

Lorsque de temps en temps nous prenons la peine de jeter un regard par-dessus l'épaule gauche et de contempler le chemin parcouru dans la vie afin de donner un sens au moment présent, nous sommes toujours étonnés de réaliser que chaque événement, à bien y penser, n'est pas le fruit du hasard. C'est toujours une découverte réconfortante de constater que nous sommes guidés dans l'existence. Nous ne sommes pas laissés seuls dans un monde arbitraire. Au contraire, si nous pouvons atteindre un point d'observation suffisamment haut pour avoir une vue objective sur le panorama de notre existence, nous voyons clairement comment chaque événement s'enchaîne aux autres pour constituer un programme de formation sur mesure bien adapté à ce dont nous avons besoin.

L'être humain est essentiellement un esprit qui prend graduellement conscience de lui-même à travers l'expérience que lui permet sa personnalité. Le cours normal de son développement le pousse à devenir plus conscient. Ainsi, il est davantage responsable de son milieu tout en y étant plus utile.

Les biographies de personnages célèbres tendent à démontrer que la vie est une école. Tout se passe comme si chaque phase de l'humanité ou encore celle de l'individu atteignait un degré toujours plus élevé dans l'échelle de la maturité spirituelle.

Pour tous ceux qui s'intéressent au développement du personnel de leur entreprise, la compréhension de ces phases et de leurs caractéristiques s'avère indispensable. De saines politiques en matière d'affectation, de promotion et de formation du personnel s'appuient sur cette connaissance.

Trois grands facteurs déterminent la courbe de développement d'un individu dans le temps : les facteurs biologique, psychologique et spirituel (Lievegoed).

Le facteur biologique

Il est couramment admis qu'au niveau biologique, la vie d'une personne suit à peu près le schéma suivant :

de   0 à 20 ans   phase de croissance et de développement physique ;

de   20 à 40 ans   phase d'équilibre physique ;

de   40 à 80 ans   phase de déclin physique.

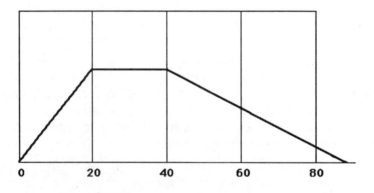

Fig. 2.2.3. Courbe de développement biologique

Le graphique a son importance lorsque l'on considère le travail exigé des individus par l'entreprise.

Le facteur psychologique

Sur le plan psychologique, la structure de la personnalité d'un individu change au fur et à mesure qu'il franchit les étapes de la petite enfance, de l'enfance, de l'adolescence, de l'âge adulte, et ainsi de suite. Chacune de ces étapes a d'ailleurs donné lieu à des études psychologiques particulières.

Le facteur spirituel

La destinée de chaque être humain est unique. Elle s'inscrit dans des circonstances différentes qui lui permettent d'actualiser son potentiel spirituel et ses capacités créatrices. Cependant, ce potentiel ne se développera pas tout seul, mais par des expériences vécues qui vont favoriser une relation toujours plus intense avec lui-même et avec les autres. Sans ce contact, l'évolution de l'être n'est pas possible.

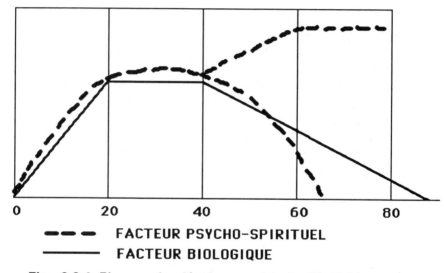

| 0 | 20 | 40 | 60 | 80 |

 **FACTEUR PSYCHO-SPIRITUEL**

──────── **FACTEUR BIOLOGIQUE**

Fig. 2.2.4. Phases de développement de l'individu

De 0 à 20 ans, le développement physique supporte le développement psychospirituel ; qu'il nous suffise de rappeler comment l'éveil de la sexualité a affecté notre vie au moment de l'adolescence. De 20 à 40 ans, l'attitude de chacun aura une influence déterminante sur le développement de l'individu. Cette attitude est décisive après 40 ans lorsque les forces physiques commencent à décliner.

Généralement, à cette croisée, deux chemins se présentent devant nous. L'un conduit à un haut degré de réalisation et de performance, tandis que l'autre suit la courbe d'involution du développement physique. Tout dépend de la façon dont chaque personne traverse la crise de développement propre à cette période. Celles qui continuent de ne compter que sur les forces de leur personnalité devront faire de plus en plus d'efforts pour arriver à se maintenir dans la course. Pour cela, elles apportent du travail à la maison. Ensuite, elles délèguent de moins en moins, histoire de se prouver leurs capacités et de se croire indispensables. Ces personnes deviennent, pour les entreprises, de véritables boulets et les pires freins à l'innovation. À cela s'ajoute le fait qu'elles se ferment sur elles-mêmes puis meurent psychologiquement avant de mourir physiquement.

Par contre, celles qui franchissent cette période avec succès atteignent leur maximum de créativité dans la cinquantaine. Elles peuvent s'y maintenir grâce à leur expérience, leur sens de la perspective et leur sagesse. Ces personnes sont capables de conceptualiser, d'élaborer des politiques et, par-dessus tout, de servir de référent aux plus jeunes et de préparer ainsi la relève.

Voici en résumé les principales phases de la vie de l'individu au travail.

De 20 à 30 ans

C'est l'entrée dans l'entreprise. L'individu a tout à se prouver. C'est l'époque où un compliment ou une critique du patron dictent l'état émotionnel et l'estime de soi.

De 30 à 40 ans

C'est la phase de l'organisation à proprement parler. L'individu a pris une certaine assurance et il a confiance dans son propre pouvoir. Sa vie est organisée sur tous les plans ; même sa vie familiale et sa vie sociale répondent aux principes de l'organisation scientifique du travail. L'objectif à atteindre : un emploi rémunérateur, une belle petite famille, deux voitures, une maison en banlieue, un chien qui mange de la nourriture en boîte et des vacances estivales bien méritées à la mer.

De 40 à 50 ans

La crise des valeurs éclate. « J'ai atteint les objectifs que je m'étais fixés dans la vie. Maintenant, où vais-je ? » Plusieurs cherchent, au moyen de changements extérieurs (travail, maison, mariage) à recommencer le cycle correspondant à la décennie précédente. C'est l'étape où la personne passe habituellement du « je » au « nous ». Devant un problème, la personne de 40 ans aura encore le réflexe de dire : « Comment puis-je résoudre ce problème ? » La personne de 50 ans dira plutôt : « À qui dois-je déléguer la responsabilité de résoudre ce problème? Qui tirera le plus de profit de ce travail ? » C'est la phase où l'on commence à être plus libre intérieurement et prêt à aider les autres.

De 50 à 60 ans

Période intense de créativité. L'individu accroît ses activités sociales. Selon certaines études, les grands leaders se manifestent vraiment à cette époque de leur vie.

De 60 à 70 ans

Période de calme. La personne admet que tout ce qu'elle a voulu réaliser demeure fragmentaire. Pour tout le monde, plus particulièrement pour les plus éminents, la vie devient une symphonie inachevée. Cependant, le détachement et la capacité de choisir se sont accrus, l'efficacité aussi, et la personne a finalement compris que la vie prend son véritable sens dans le service aux autres.

Voilà ébauchés, à grands traits, les divers passages de la vie. Chaque âge est porteur d'expériences à mûrir. Cependant, l'accès à la sagesse n'est pas garanti pour autant. Si nous sommes toujours libres de vivre les expériences que nous offre la vie, nous pouvons aussi les fuir. Pour être fructueuses, les saisons de la vie exigent un engagement actif dans son propre développement.

Le bonheur n'est pas un droit absolu. Il est un résultat, un état auquel on a accès et que l'on peut maintenir lorsqu'on se sait en train de devenir plus conscient, plus responsable et plus utile.

En somme, il ne s'apparente pas au repos, au confort de la vie facile, aux jouissances de toutes sortes, aux recettes des autres, mais plutôt à la discipline et à l'activité joyeuse que procure l'expérience personnelle, c'est-à-dire un contact vrai avec soi et avec le monde.

Jean Laurin :
l'ancien cascadeur

Jean Laurin
Directeur adjoint, région Maisonneuve
Hydro-Québec
Montréal

- se met à la disposition du vice-président de la région et des membres du comité de gestion ;
- se définit comme un conseiller en relations humaines ;
- aide les groupes à refaire leur énergie ;
- fait ressortir les points majeurs des consensus des groupes, laissant par la suite ces derniers trouver eux-mêmes leurs solutions.

Batailleur infatigable, son langage imagé, tout en cascades, coule sans interruption. Stratégie ? Peu importe, il m'a captivée.

Il y a peu de répit dans sa vie. Casse-cou, il monte à l'assaut de l'entreprise comme d'autres attaquent l'Everest. Un ennemi sournois le terrasse de temps en temps. Pourtant, il ne rend jamais les armes. Au contraire, il revêt à nouveau son armure et repart de plus belle vers de nouvelles conquêtes.

Puis, c'est l'accalmie ; il dépose les armes. Plus léger et plus rapide, il bouge mieux. Son ultime combat : prendre possession... de sa vie.

* * *

À l'obtention de son diplôme d'ingénieur, il constate que son choix est une erreur. Tout un départ ! Très court passage chez IBM avant d'arriver à Hydro-Québec. Il n'y est pas seul : 1 000 autres ingénieurs servaient déjà dans les rangs. Il décide alors qu'il n'ira pas dans le pacage ; il vise donc le plus haut niveau hiérarchique, le pouvoir, parce qu'il veut réussir. Il y consacre une somme d'énergie « considérable ». Pour pallier une formation déficiente en gestion, il suit des cours aux H.É.C. le soir, ce qui lui permet de devenir conseiller en structures administratives.

Sa vie : le travail

Il entre dans la course et axe tout sur le travail. Il hypothèque sa vie personnelle et familiale. Heureusement, son épouse tient le flambeau. Plus tard, son « trip » de pouvoir terminé, il constate que la famille a tenu le coup. Il gravit les échelons un par un pour accéder, entre autres, au poste de directeur du service de la rémunération. « S'il y a un job où faut pas s'aimer, c'est là. » Syndicats, cadres, conseil d'administration sur son dos, il tient le drapeau durant quatre ans.

Encore entièrement axé sur la tâche, il est nommé à la direction du service de développement de l'organisation. Il reproche à son patron de l'avoir placé là. Sur ses gardes, il intègre ce nouveau poste et constate alors que les valeurs ont changé : l'organisation se préoccupe maintenant du développement de la personne. On lui parle de Gilles Charest et de son équipe. Il résiste et tarde un an avant de s'inscrire à une session.

Une expérience majeure

Traiter le contenant autant que le contenu ne représente pour lui que des mots qu'il ne comprend pas. Tout s'éclaire quand il passe à l'action. Il demeure cependant réticent face aux sessions de formation en gestion et en consultation et a énormément peur d'aller exposer ses faiblesses. Il s'assure même que personne dans la boîte n'est inscrit sur la liste des participants. Après coup, il admet que ce sera l'une des expériences majeures de sa vie.

Il a également vécu d'autres expériences difficiles, mais cette fois sur le plan physique. Multiples opérations et périodes de convalescence durant lesquelles « je savais que j'avais des choses à régler, je voulais faire le point, j'avais le temps de penser. Mais dès que ça dérangeait, j'arrêtais. »

« La session m'a permis, au moins une fois dans ma vie, d'aller au bout de mon imbécillité et des émotions qui m'envahissaient et me guidaient et de découvrir que j'en payais le prix . Tous les neuf mois, je me retrouvais à l'hôpital pour une nouvelle opération. »

Il s'approprie sa maladie

Les cours de gestion lui apportent plus que de la théorie. « Il y a trois ans, j'ai décidé de gérer ma vie. » Il s'aperçoit que le statut, le pouvoir hiérarchique, le salaire ne lui appartiennent pas ; on peut les lui enlever.

Il se souvient à cet effet d'une patiente arthritique rencontrée lors d'un de ses séjours à l'hôpital qui lui paraissait fort dépourvue. Cette situation l'amena à réfléchir et à découvrir que, même dans son état, cette femme gardait sa liberté et son pouvoir intérieur.

« Dans mon cas, j'avais toujours cru que c'était aux autres d'agir pour que je guérisse. Lorsque j'arrivais à l'hôpital, je demandais aux médecins : « Où en êtes-vous ? Qu'avez-vous fait depuis ma dernière visite ? »

« Un jour, je me suis approprié ma maladie. C'est moi qui me rendais malade. Aussi longtemps que je ne me déferai pas de mon attachement à mon statut, au pouvoir hiérarchique, je paierai le gros prix. »

Un grand mouvement intérieur s'installe. Il décide de « ne plus être directeur de service mais plutôt directeur adjoint ». Aussitôt arrivé dans son nouveau poste, son directeur lui propose d'assumer par intérim deux postes de direction. La tentation est trop forte, il accepte et se retrouve de nouveau à l'hôpital. L'arthrite septique le poursuit. Cette infection propre, propre, propre fait que le corps ne réagit pas et, conséquemment, ne produit aucun anticorps. À son arrivée à l'hôpital, le médecin lui dit : « Attention, on peut te perdre si on ne trouve pas l'antibiotique approprié. » Vrai ou pas, cet avertissement le fait réfléchir. Il annonce : « Le pouvoir, c'est terminé ! »

« J'étais carrément en train de rater ma vie. J'avais juste oublié que la maladie est un symptôme qui nous dit qu'on n'est pas dans la bonne voie. Le bonheur aussi est un symptôme qui nous dit : « Continue comme ça, tu vas bien. »

Il lui faut cependant une bonne année pour convaincre son entourage qu'il est sérieux dans sa décision de lâcher le pouvoir. Il passe par la porte de l'humilité et voit toute l'énergie et la violence qu'il investit à se protéger et à se défendre, lors des sessions, entre autres. Puis il atteint un cran de plus qui lui permet d'intégrer des valeurs nouvelles.

Il doit franchir un autre cap difficile : son passage de directeur du siège social à un poste de directeur adjoint dans une région où il est « le onzième dans l'échelle hiérarchique ». À cette période, des cauchemars l'assaillent.

Une lourde armure nous ralentit

Au début de la maladie, je me suis dit : « Il y a quelque chose qui ne marche pas. Maintenant, je sais que l'évolution de ma maladie est reliée à ce que je vis. »

Il commence à gérer sa vie et devient plus à l'écoute des autres. De temps en temps, il se fait surprendre à jouer avec le pouvoir, mais il peut rire de lui. Dans son travail de conseiller, il se permet de plus en plus de s'exprimer à fond pour être davantage disponible. « En prenant soin de moi, je prends soin des autres. »

Sa vie, compartimentée jusqu'à l'âge de 40 ans, s'unifie. « J'ai maintenant l'impression d'être le même partout. Je ne joue plus de « jeux » comme avant. » Finis les jeux de pourvoyeur et de directeur. Il constate que « ça prend au moins une vie pour devenir en harmonie avec ce qu'on est et laisser tomber son armure ». Sa croyance en la réincarnation lui donne donc l'espoir d'atteindre un jour son objectif.

« C'est clair maintenant pour moi : je me suis donné cette maladie-là dans cette vie. » Cette maladie chronique apparaît vers l'âge de 18 ans. « Enfant, je me sentais très vulnérable, j'avais toujours peur. Et cette peur, j'ai réussi à la cacher derrière la violence et l'agressivité. Puis, par la pseudo-réussite sociale. » Jusqu'au moment où tout explose. « J'ai découvert, il y a environ 10 ans, que je m'étais joué un vilain tour. La maladie est là pour me le rappeler. J'ai commencé à ce moment à lâcher le contrôle. »

Lors d'une session, un animateur le met face à sa réalité. « Combien d'années de vie active te reste-t-il ? Cinq, dix, quinze ans ? C'est pas beaucoup. » Très secoué, il réalise qu'il est temps de se rendre utile aux autres.

Il avoue quelques gaucheries au départ : conseils pas nécessairement appropriés, impatience face à ses clients. Lui qui n'acceptait pas de se tromper et qui jugeait les gens consent à tout remettre en question et range le petit juge dans sa poche. « Je suis devenu analyste, l'envers du juge, qui, au lieu de condamner les gens, essaie plutôt de les comprendre.

Même si le milieu de travail lui dit qu'il est utile, il vit encore une petite frayeur et de l'insécurité. Au moment de notre rencontre, son titre et son poste ne sont pas encore légalisés dans la structure.

Malgré cette incertitude, son travail se fait dans la détente. « J'ai plus l'impression d'être utile aux autres et en harmonie avec mon milieu et de moins forcer qu'avant. Je me rends compte que c'est cela que je devais découvrir. »

Claire Noël

Chapitre 3

La gestion :
une voie de réalisation
personnelle

Il n'y a pas de développement réel sur le plan professionnel sans un développement parallèle conscient sur le plan personnel.

Pour devenir un agent d'intégration efficace au sein de son entreprise, le manager se doit d'apprendre parallèlement à diriger sa propre vie. Je sais que plusieurs personnes ne seront pas d'accord avec cette opinion mais, selon moi, un leader se doit d'être d'abord un modèle. Notre monde moderne, avec ses idées de participation et de démocratie, n'a pas réussi à nous guérir de notre besoin de modèle pour la simple raison que c'est une façon naturelle d'apprendre et de maintenir notre cohésion sociale. Cela me semble faire partie de l'écologie sociale. Chercher à le nier ne change rien au fait. Les modèles véhiculent des valeurs et les valeurs constituent la base des cultures.

Dans cette perspective, il nous faut revoir les concepts classiques du management : la planification, l'organisation, la direction et le contrôle, pour en faire des habiletés que le manager maîtrise au fur et à mesure qu'il accepte de se développer personnellement, de devenir un chef. Pour employer un lieu commun : « On ne naît pas manager, on le devient. »

Si atteindre la maturité signifie cheminer vers plus de conscience, de responsabilité et d'utilité, la démarche de développement d'une personne qui prétend devenir manager s'articulera également autour de trois aspects : *conscience, volonté, amour.* En d'autres termes, l'expérience de gestionnaire devrait aider l'individu à répondre aux trois questions fondamentales de l'existence :

1° Qui suis-je ?   Quelles sont mes forces et mes faiblesses ?

2° Avec qui suis-je ?   Quel est mon réseau d'influence ?

3° Pourquoi suis-je ici ?   Quelle est ma mission dans la situation actuelle ?

La réponse à ces questions, c'est la connaissance acquise par expérience des lois qui régissent l'univers et la possibilité d'atteindre son plein épanouissement dans le respect de ces lois.

En effet, se connaître, c'est d'abord accepter son niveau actuel d'évolution conformément à la loi de la pesanteur, qui veut que chacun occupe une place sur l'échelle de la maturité en fonction de son poids relatif. Reconnaître les autres et s'associer à eux, c'est utiliser consciemment la loi des affinités pour progresser dans la vie. Accepter sa mission de chef, c'est travailler dans le sens de sa vision et obéir, du même coup, à la loi du Karma qui veut que ce soit en agissant que l'on se crée, autrement dit, qu'on récolte toujours ce qu'on a semé.

Pour celui qui s'oriente ainsi, la maîtrise du rôle de manager devient une voie de réalisation personnelle.

C'est pourquoi les programmes de formation des managers de demain ne devront pas seulement se contenter de dispenser des connaissances, mais devront prévoir des moyens pour accompagner le manager dans sa propre expérience de travail.

Voyons comment l'exercice du management est, en soi, une voie de réalisation personnelle.

Le management comprend deux grandes fonctions : l'une vise le maintien de l'entreprise et l'autre, son développement. La fonction de maintien comprend les activités de *direction* et de *contrôle* et est généralement remplie par les premiers niveaux de gestion. La fonction de développement se réfère aux activités de *planification* et d'*organisation* et relève des responsabilités de la direction supérieure de l'entreprise.

Voici les étapes qu'un individu doit franchir s'il décide de devenir manager et de maîtriser ces grandes fonctions. Imaginons une personne qui gravit normalement les échelons de la hiérarchie organisationnelle.

a) La maîtrise de la fonction de maintien de l'organisation

Aux premiers niveaux hiérarchiques, on demande avant tout au manager d'être un bon superviseur, c'est-à-dire de gérer les conflits que génère la rencontre des objectifs des individus et de ceux de l'entreprise.

Pour y arriver, le gestionnaire devra apprendre à gérer ses propres conflits personnels. Il devra apprendre à connaître les aspects divergents de sa personnalité et à faire la paix en lui-même d'abord. En fait, les conflits qui s'expriment dans la société et dans nos entreprises ne sont que le reflet de nos conflits intérieurs. La lutte entre le syndicat et le patronat, par exemple, ressemble étrangement au conflit qui oppose en nous les sentiments et la raison.

La vie sociale, comme la vie psychologique, n'est pas possible sans l'expression des opposés. L'existence des polarités est un fait de la nature. Pour faire de l'électricité, il faut un pôle positif et un pôle négatif.

Cependant, le drame éclate, dans la vie sociale comme dans nos vies personnelles, quand l'énergie que génèrent ces forces apparemment contradictoires n'est pas harnachée et orientée dans un but qui requiert la complémentarité et la collaboration des opposants.

De même que le manager apprend, dans l'entreprise, à ne pas prendre partie dans un conflit mais plutôt à réconcilier les opposants en utilisant les points de vue de chacun pour mettre en lumière le but commun, de même chaque individu apprend, dans sa vie personnelle, la voie du juste milieu, de la vertu, en réconciliant en lui les aspects contradictoires de sa personnalité pour l'atteinte d'objectifs qui le rapprochent de son idéal.

Pour résister aux tiraillements qu'il subit de l'intérieur et de l'extérieur, le manager se doit d'abandonner les modèles de comportements et de management qu'il a appris des autres pour découvrir son propre style et affirmer ce qu'il est et ce qu'il veut personnellement.

C'est l'étape où il apprend à gérer ses émotions, à maîtriser ses propres pensées, à mesurer l'impact de ce qu'il dit et de ce qu'il fait. Au-delà des règles de conduite préétablies et des désirs de ses employés, il devra puiser au-dedans de lui-même la force qui l'aidera à indiquer à tous la voie du bien commun.

Cette tâche va obliger le gestionnaire à se légitimer intérieurement dans son rôle de chef, ce qui n'est pas chose facile. De quel droit suis-je autorisé à prendre des décisions qui affectent la vie des autres ? Est-ce le titre et le poste qui me permettent de commander ? Est-ce parce que j'en sais plus qu'eux sur l'entreprise ? Est-ce uniquement parce que j'ai eu la chance d'obtenir le poste de chef ? Ce sont là des questions auxquelles on doit trouver des réponses si l'on veut se sentir vraiment à l'aise dans le rôle de chef.

Si on n'y parvient pas, on risque d'adopter un style de leadership rigide. Soit qu'on joue les durs, au patron qui applique à la lettre les règlements de l'entreprise parce qu'on a choisi d'être fidèle avant tout à l'entreprise qui nous paie, soit qu'on joue le bon gars, au patron qui se range toujours du côté de ses employés parce qu'on se perçoit d'abord comme un représentant des employés auprès de la compagnie.

En fait, on ne peut justifier l'exercice de l'autorité que lorsqu'on a reconnu intérieurement l'autorité de sa propre intuition, lorsqu'on est capable d'avoir accès à soi. Pour cela, on doit apprendre à maîtriser sa personnalité. Le travail de superviseur de premier niveau offre beaucoup d'occasions de travailler dans ce sens.

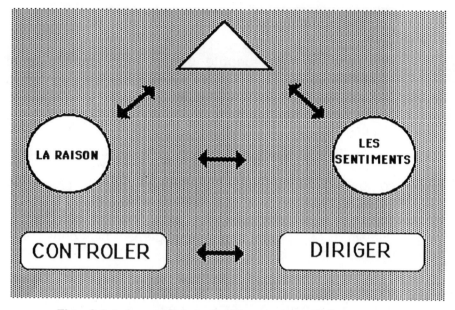

Fig. 2.3.1. La maîtrise de la personnalité

La maîtrise de sa personnalité confère beaucoup de pouvoir. Un individu en possession de ses moyens aura toujours plus d'impact que celui qui est victime de ses émotions ou qui s'identifie totalement à ce qu'il pense. Le premier a acquis le respect de ses subordonnés et de ses pairs. Il maîtrise la fonction de supervision. Il a appris à exercer le contrôle sans être rigide, à diriger sans abdiquer son rôle et ses responsabilités de chef. Dans le feu de l'action, il sait concilier les besoins des individus et ceux de l'entreprise.

b) La maîtrise de la fonction de développement

Dès que le manager maîtrise les éléments de la fonction de supervision, qu'il est capable de confier des mandats attrayants et de soutenir la motivation de son groupe, il est prêt à occuper des fonctions où il consacrera une plus grande partie de son temps à la planification et à l'organisation de son entreprise.

Lorsqu'on sent qu'on a du pouvoir et qu'on en est conscient, la prochaine étape de notre développement va nous poser la question : le pouvoir pour faire quoi ? C'est à ce moment que commence pour plusieurs la quête spirituelle. La découverte des valeurs spirituelles s'accompagne d'une transformation qui débute par la modification de ses habitudes de vie. On est plus soucieux, par exemple, de son alimentation et de sa santé en général. Les objectifs à portée humanitaire deviennent plus importants. Son échelle de valeurs change.

Parvenu à ce stade de sa vie, on a l'impression d'avoir prouvé suffisamment sa valeur, on a perdu le goût des combats à gagner pour se sentir vivant. On cherche un nouveau type de défis qu'on trouvera en mettant graduellement ses habiletés au service de sa véritable mission d'être humain. C'est l'occasion d'un engagement plus conscient au service des autres.

Pour conseiller et diriger les autres, il faut avoir découvert le sens de sa propre vie et s'être mis concrètement en mouvement pour réaliser son idéal. Ce but transcende les désirs personnels et témoigne des aspirations profondes d'une personne. La motivation première de cette phase de vie devient donc le service. Pour accéder à des postes d'orientation dans une entreprise et pour y vivre en tout confort, il est essentiel d'avoir acquis un minimum de sagesse et de travailler activement dans ce sens.

C'est ainsi qu'après avoir développé sa conscience et sa volonté, on s'ouvre à l'amour. Le développement d'un manager efficace suit à peu près ce chemin. Après avoir acquis le pouvoir sur soi et sur son environnement, on met ce pouvoir au service de la vie. C'est alors qu'au cours du processus, la personne parvient à intégrer à la fois les quatre fonctions de son rôle avec les quatre plans de son être.

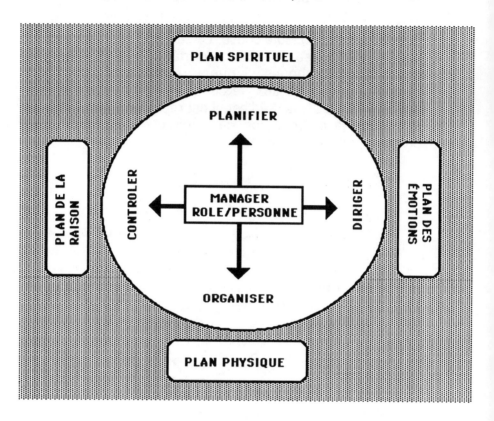

Fig. 2.3.2.   Le manager intégré

Ce qui précède nous aide à comprendre que les concepts classiques de gestion — planification, organisation, direction et contrôle — ne sont pas seulement des fonctions mécaniques que l'on peut maîtriser techniquement. La connaissance véritable de ces fonctions s'acquiert d'abord par des expériences qui correspondent dans la vie d'un gestionnaire à des passages, à des étapes initiatiques.

Cette vision des choses est connue depuis fort longtemps ; d'ailleurs, on en découvre les fondements dans le fonctionnement de plusieurs sociétés traditionnelles.

Les Amérindiens, par exemple, ont toujours eu une vision du monde qui s'apparente à celle-là. Ils visualisent le monde dans un cercle. Le pôle nord, représenté par le bison, symbolise la sagesse de la nature, le plan qui prend soin du développement de toute chose. Le pôle sud, représenté par la souris, symbolise le souci du détail, nécessaire pour organiser les choses. L'ouest, représenté par l'ours, symbolise l'introspection, le contrôle indispensable à toute action planifiée. Quant à l'est, il est représenté par l'aigle qui symbolise la claire vision de la direction à prendre pour progresser dans le monde.

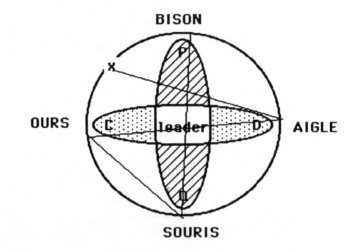

Fig. 2.3.3. Vision du monde des Amérindiens

L'individu, comme le manager, commence son périple dans l'existence quelque part sur ce cercle. Le but de sa vie étant d'acquérir la vision globale des choses, sa vision de départ doit donc être complétée par la vision de ceux qui se situent ailleurs sur le cercle de la vie.

C'est ainsi que se développer comme personne et comme gestionnaire nécessite d'entreprendre un voyage pour acquérir graduellement, par l'expérience, la vision des quatre directions : planifier, organiser, diriger et contrôler. La plupart des légendes amérindiennes racontent les aventures d'un héros marchant sur le chemin menant dans les quatre directions. L'aventure se termine lorsque le héros est revenu au point de départ. Le but est alors atteint et ce but, c'est la sagesse, la maturité. La maturité d'une personne, tout comme celle d'un gestionnaire dans son entreprise, se manifeste par une perception élargie des êtres et des événements ainsi que par la compréhension toujours plus profonde de leur interdépendance.

Chez les Incas, l'organisation sociale reflétait cette sagesse. Ce n'est qu'à cinquante ans que les hommes pouvaient accéder à des postes de commande. Ils étaient alors présentés au chef inca qui décidait, avec ses conseillers, de l'affectation de chacun. Certains étaient désignés pour superviser les plus jeunes, les autres entraient dans le cercle des conseillers du chef et l'aidaient à développer la communauté.

L'expérience nous démontre que, pour devenir de bons gestionnaires, ceux-ci doivent acquérir, en plus du savoir-faire inhérent à leurs fonctions, le savoir-être qui va les légitimer dans leur rôle de chefs. En effet, pour mobiliser d'autres personnes autour d'un projet commun, le leader doit incarner dans l'action les idéaux qu'il propose. À cet égard, il ne sera crédible que s'il a acquis l'expérience qui confère la véritable sagesse... que s'il a lui-même parcouru le bout de chemin sur lequel il veut que d'autres s'engagent.

Les gestionnaires dont nous avons besoin aujourd'hui ont déjà commencé leur travail. On les reconnaît à certaines caractéristiques qui ont été largement décrites, avec beaucoup d'éclat, par les auteurs du best-seller *Le Prix de l'excellence.* Ces caractéristiques sont :

- l'amour du travail ;
- le goût de l'action ;
- la simplicité ;
- la connaissance de leur domaine ;
- le respect du client ;
- le respect de l'employé ;
- la capacité de donner un sens à ce qu'ils font.

Ce sont des caractéristiques qui s'acquièrent avec l'expérience. Les programmes de formation pour gestionnaires devront dans l'avenir en tenir compte et faire une place tout aussi importante au « savoir-être » qu'au « savoir-faire » en gestion.

Prescriptions pour l'action

La crise que nous vivons actuellement remet en question les buts de nos entreprises et les orientations prises jusqu'ici et montre l'échec qu'ont subi nos dirigeants dans leurs tentatives de susciter la participation du personnel. La leçon que nous devons en tirer va plus loin que de dire qu'il nous faut revenir à de sains principes de gestion. Il nous faut redécouvrir le sens de la gestion ; réapprendre que gérer exige une maturité dont on se passe trop facilement aujourd'hui. Voici en résumé quelques énoncés qui illustrent cette façon de voir et dont le but est d'alimenter vos réflexions.

• Le développement organisationnel passe nécessairement par le développement personnel de ses membres, car le moyen le plus efficace pour inciter les autres à changer reste encore l'exemple personnel. Aucune idée, aucun projet ne peut survivre à moins qu'il ne soit incarné dans des individus.

• Pour être en mesure de gérer (diriger/contrôler) les conflits qui surgissent dans nos entreprises, il faut d'abord apprendre à gérer ses conflits personnels. Pour donner une orientation (planifier/organiser) à un groupe, il faut avoir donné un sens, une direction à sa propre vie.

• Pour aider d'autres personnes à changer, à se transformer, il ne faut pas être soi-même attaché à une forme fixe. Il faut être capable de faire face à ses propres peurs : peur de perdre son identité si l'on change ; peur de l'inconnu ; peur de souffrir ; peur de se montrer ; peur des attentes des autres ; peur d'être seul ; peur d'être différent ; peur d'être fou ; peur de perdre le contrôle ; peur de mourir.

• La fonction de manager doit être vue non pas comme une suite d'activités mécaniques — planification, organisation, direction, contrôle — mais bien comme un processus de transformation personnelle. Maîtriser ces activités de l'intérieur, devenir manager, c'est devenir soi-même. Les succès d'un manager dépendent de sa capacité d'apprendre de son expérience, donc de sa capacité à changer.

- Ce processus de transformation ne peut se faire sans prendre de risques, sans accepter l'incertitude, sans s'abandonner. Pour celui qui cherche le sens de la vie et des choses, l'incertitude est une compagne nécessaire. Petit à petit, une autre forme de certitude s'installe, celle de l'intuition. Nous découvrons que nous sommes guidés de l'intérieur. La confiance dans son intuition s'accompagne de la découverte de la vocation. Nous reconnaissons que nous faisons partie d'un plan d'ensemble et que nous y avons un rôle à jouer. Avec la vocation vient l'engagement, un engagement intérieur, et c'est alors que nous nous sentons portés par la vie parce que nous y collaborons.

- Quiconque est soucieux de sa propre transformation sera amené inévitablement à s'engager dans l'action sociale, dans la transformation de son milieu. L'inverse est aussi vrai ; dès que nous commençons à travailler pour un monde différent, le monde change pour nous. Chaque pas nous transforme et libère davantage d'énergie pour nous amener plus loin.

Michel Regimbal :
le chasseur de proies intemporelles

Michel Regimbal
Président-directeur général
Boulons et Outils Metrix Ltée
Laval

- vend des produits qu'il importe ou achète localement à des entreprises spécialisées ;
- préconise une gestion participative pour faire ressortir l'élément humain ;
- se définit comme un trait d'union entre ses clients et ses employés ;
- poursuit son évolution, guidé par ce qu'il retire de ses expériences de gestionnaire.

Calé dans le fauteuil, Michel Regimbal se ramasse. Tel un chat, il cogite, surveille, ronronne, attend patiemment l'ouverture.

L'esprit alerte, les muscles tendus, il est prêt à bondir. Pour se jeter dans l'action, l'aventure qui l'entraînera vers de nouveaux horizons. Impossible de le mettre en cage. Je vous le dis : un vrai chat, un peu panthère par certains aspects.

Chasser avec lui doit être un jeu sérieux. D'abord, on doit s'assurer un bon minimum pour survivre, pour le reste... on verra !

* * *

Loin en arrière existe un grand désir d'occuper une place respectable socialement et qui correspond à ses goûts. Sa première université : Hydro-Québec. Il y apprend beaucoup et veut appliquer toutes ses théories. Comment peut-on agir dans de telles structures quand il faut passer par plusieurs intermédiaires ? Il se sent alors pénalisé intérieurement et démotivé par la lenteur du processus.

Les portes fermées ne résistent pas longtemps à son caractère. Il essaie de contourner le système et tâte le marché intérieur de l'entreprise par les promotions.

Boulevard Dorchester, endroit de réflexion

Une grosse année de réflexion, des promenades de long en large sur le boulevard Dorchester, un isolement total puis sa décision est prise. Sa réclusion l'amène à réfléchir sur ce qu'il est, ce qu'il a réussi et ce qu'il veut être à 40, 45 et 50 ans. Il mesure ses chances d'être heureux comme directeur de tel service dans le contexte où il est, évalue les possibilités de se retrouver dans un cul-de-sac ou sur « la petite tablette » à 40 ans, et part. « À 33 ans, je laisse tout et je m'embarque pour la grande aventure. Mettre de côté la sécurité d'emploi, la pension, un très bon salaire représentait un très grand risque pour moi. »

C'est une question de vie qui le force à vouloir toujours améliorer le contenu de ses expériences éventuelles. Un jour, il rencontre d'anciens patrons de la boîte qui l'écoutent raconter ce qu'il vit. « Je crois qu'ils m'ont envié. J'ai compris aussi qu'il m'avait fallu une certaine dose de courage pour prendre une telle décision à ce moment-là. »

Le risque du « one shot gun »

Il plonge dans un domaine totalement inconnu. Il bâtit de A à Z une compagnie : structure financière, contenu de travail, réorganisation totale de l'entreprise. Cinq années passent. Il entame des discussions avec ses deux associés pour l'orientation et le développement de la compagnie. Ceux-ci préfèrent retirer le maximum de profits de l'entreprise plutôt que de penser à son développement. L'horizon se rétrécit. Notre homme piaffe. Il leur présente une offre d'achat mais la balle lui revient. Ses deux associés décident de quitter leur profession, de conserver la compagnie et de prendre sa place à titre de dirigeants.

Il a 38 ans, plus de compagnie, pas d'emploi et six semaines de compensation en poche. Quatre semaines plus tard, il a déjà créé une nouvelle entreprise qui, aujourd'hui, fait compétition à la précédente.

Les signes de piste se poursuivent

Pourquoi cet autre départ ? « Après coup, je réalise que mes deux associés ne me rejoignaient pas dans mes valeurs profondes. Je ne suis pas intéressé à ne faire que de l'argent. Il faut aussi que je grandisse tout en faisant progresser mon entreprise. » Depuis sept ans, Boulons et Outils Metrix lui fait vivre toutes sortes de hauts et de bas. Résultat : « Mon entreprise est en plein épanouissement, mon sourire en fait foi et je suis prêt à attaquer autre chose. »

Ses virages s'imprègnent peu à peu de patience. Il apprend à contrôler ses élans et ses passions en regardant pousser les fleurs. Il les découvre grâce à un vieux sage, chimiste, qui a roulé sa bosse — un oncle — qui l'amène sur des sentiers différents. Il lui apprendra à s'intérioriser davantage, à se rapprocher de la nature, à approfondir ses valeurs personnelles et à se dégager du matériel.

Une nouvelle étape de vie s'amorce. « C'est par les êtres humains qu'on ressent le plus la vie ; ils nous permettent de nous exprimer et de nous réaliser. Le plus beau cadeau que cet homme m'a fait fut de m'amener sur le plan humain où la notion d'amour, de partage et des forces de chacun prend toute sa signification. »

Et ce cadeau l'aide plus que n'importe quel financement. « Je me suis bâti, j'ai développé davantage ce qui était là en moi. » Il croit très fort qu'il « arrive toujours quelqu'un en cours de route qui nous fait signe, force la porte pour nous montrer un chemin à suivre ou peut-être nous faire voir de nouvelles pistes. »

Drôle de façon de gérer

Michel Regimbal a une drôle de façon de gérer, paraît-il. C'est du moins l'avis de son entourage. Le gain rapide ne le séduit pas. Même si son approche humaniste n'est pas payante à court terme, ça lui importe peu. « Si je crois en une valeur, je suis prêt à investir, à aller de l'avant et, à l'avance, j'accepte le résultat en bout de ligne. Si j'ai un million, tant mieux. Mais si j'ai un demi-million et que je suis pleinement heureux, c'est encore mieux. Pour moi, le bonheur se mesure plus en satisfaction qu'en argent. »

Car il aime un rapport loyal et épanoui entre les personnes ; sa gestion en est inspirée. Son défaut ? Certains diront qu'il est « mère poule » parce qu'il est ouvert aux problèmes qu'éprouvent ses employés.

« Si je suis compréhensif et que je soulage un peu les difficultés d'un employé, le lendemain, celui-ci produira du 200 pour cent. C'est vrai que je donne beaucoup mais je m'attends à recevoir beaucoup dans ce sens-là. Cependant, quand on agit ainsi, on risque de se faire mal, d'être malheureux, d'avoir de la peine parce qu'on joue sur les cordes sensibles. Par contre, c'est tellement gratifiant que cela vaut la peine de souffrir un peu. Les gens deviennent un peu plus forts, un peu plus grands et un peu plus nobles dans leur action. »

Son style de gestion est le prolongement de ses valeurs. De plus, les employés « n'ont pas été seulement gavés ou nourris d'argent et de la possibilité de travailler. On leur a montré autre chose, on les amène à un plan supérieur. Je pense que c'est là la vraie réussite. »

Jeunes « chasseurs » demandés

Préparer une relève s'intègre dans la notion de développement dont parle souvent Michel Regimbal. D'autant plus que, selon les statistiques, de 80 à 85 % des petites entreprises disparaissent lorsque le fondateur cesse de diriger. La relève représente une continuité et surtout l'espoir qu'un jeune suive un jour ses traces. Il pourra alors changer de piste, « passer à une phase supérieure à tous points de vue ». Il décrit la continuité de la façon suivante : « On apprend, on digère, on fait en sorte que ça fonctionne bien et ensuite on passe à autre chose. »

Une étape intermédiaire s'impose : la formation des jeunes. Il faut les sensibiliser à un style de gestion, leur donner le goût de l'entreprise. À leur contact, il rafraîchit ses théories et se met à la page. Cette relation de confiance mutuelle lui apparaît très valable et des plus enrichissante.

Il considère le système universitaire actuel aberrant, car « il prépare des jeunes qui n'ont pas la connaissance du terrain ». La solution ? Des ententes entre l'université et la petite entreprise qui, à son avis, est « l'endroit idéal, la plus belle école, car on y fait de tout et on vit le cycle complet de l'administration ». Ces échanges permettraient d'établir et d'entretenir des relations avec les jeunes et de les connaître. Formule qui réduirait aussi les risques lors des choix, tant pour l'étudiant que pour l'employeur.

La vie parallèle impossible

Dissocier sa vie de son travail, est-ce possible ? « Tu ne peux pas vivre deux vies parallèles. Il faut considérer le travail comme faisant partie de ta vie, comme une seconde nature. Il s'intègre alors à ta vie et devient source d'épanouissement personnel. »

Il ne peut concevoir qu'une personne exécute un travail qu'elle déteste pendant 20, 30, 40 ans et qu'elle accepte une telle vie. Il avoue cependant : « J'ai eu la chance de rencontrer des « petits anges » quelque part qui m'ont forcé à réfléchir. » Et puis, il y a sa nature curieuse : « Ça remonte à très loin en arrière, je voulais comprendre un peu tout ce qui se passait et je voulais aller plus loin. Quand il y a blocage, je réagis parfois violemment. J'ai besoin d'ouvertures, je n'accepte pas d'être confiné quelque part. Aussi, il peut m'arriver de vouloir bousculer mais, si c'est bien mené, dans le respect des autres, je crois qu'il n'y a pas de mal à cela, au contraire. »

Son besoin d'horizons nouveaux est valable pour les autres aussi. Par exemple, il surveille de plus en plus la notion d'attachement et de dépendance des employés face à l'entreprise. « J'accepte au départ que, si je forme un employé et que, par la suite, je suis incapable de le satisfaire, il ait le droit lui aussi d'aller voir ailleurs pour s'épanouir. »

Troisième partie

L'organisation qui apprend

Chapitre 1

L'organisation : un être vivant

La constitution de l'organisation

Pour gérer une entreprise, comme pour intervenir dans le cours de son développement, il est important de s'en faire une image claire afin de comprendre et d'interpréter ce qui s'y passe.

Aujourd'hui, les images que l'on se fait de l'entreprise sont très influencées par notre engouement pour la technologie. C'est ainsi que l'organisation s'est vue elle aussi réduite à un système mécanique duquel toute vie est exclue. L'homme ne s'y retrouve plus. Il a été réduit à la dimension d'une composante du système sociotechnique que l'on prétend manipuler d'ailleurs comme on manipule une machine.

Si l'entreprise était, à un autre niveau, la projection de l'être humain lui-même, la connaissance de l'homme nous donnerait alors la clef pour comprendre les organisations. Il ne s'agit nullement ici de transposer les fonctions du corps humain dans celles de l'organisation. Une démarche aussi naïve ne résisterait pas au test de la réalité. Au contraire, il s'agit plutôt de saisir les rapports qui existent entre les éléments constitutifs de l'être humain et de voir si ces mêmes rapports n'existent pas entre les éléments qui constituent l'entreprise.

Qu'est-ce qu'une entreprise ? Poser la question de façon trop abstraite risque de nous entraîner dans un tourbillon d'idées. Demandons-nous plutôt ce que ça prend pour qu'une entreprise naisse ? Si nous voulons démarrer une entreprise, de quoi avons-nous besoin en premier lieu ? Lorsque je pose cette question aux participants dans mes séminaires, certains répondent spontanément : de l'argent. À ce stade, l'argent n'est que secondaire ; ce dont nous avons besoin en tout premier lieu, c'est *un projet, une idée, un produit* qui réponde à des besoins que ressentent des clients potentiels.

On sait que, pour qu'une plante pousse, il faut au départ une graine. La graine détermine le type de plante qui poussera. Les conditions environnementales auront, bien sûr, un impact sur la croissance de la plante mais ils n'en détermineront pas la nature. Si l'on sème du blé, nous récolterons assurément du blé et non du seigle. De la même manière, le *projet* qu'entretiennent les fondateurs de l'entreprise déterminera le type d'entreprise qui naîtra. Les conditions du marché, l'environnement économique et social vont, à coup sûr, influencer l'évolution de ce projet. Elles peuvent lui être favorables ou défavorables mais elles n'en détermineront certainement pas l'essence.

Les motivations qui sont à la base de l'entreprise constituent le projet d'entreprise. Ces motivations, bonnes ou mauvaises, font généralement appel à la volonté intuitive des fondateurs. La volonté réfléchie n'entre en scène que plus tard pour évaluer la viabilité de l'idée.

La volonté intuitive, c'est elle qui est le fondement de nos choix les plus significatifs. Pour nous en convaincre, prenons l'exemple du fumeur. Comment un fumeur en arrive-t-il à mettre en pratique son projet de cesser de fumer ? Je sais, par expérience, après avoir assisté plusieurs personnes dans cette décision, que la volonté réfléchie n'est pas le facteur qui la détermine. Les gens qui disent : « Je vais y réfléchir » et qui, effectivement, y ont réfléchi, ceux-là y réfléchissent encore aujourd'hui. Par contre, ceux qui ont accepté d'écouter sincèrement la voix de leur intuition ont permis à leur propre expérience (malaise dû à la fumée) de créer une impression convaincante sur leur esprit et, du coup, d'en déclencher l'action. Dans tous ces cas, les personnes n'ont jamais trouvé difficile de cesser de fumer. Lorsque nos décisions viennent de l'intérieur, elles sont portées par l'enthousiasme que procure le contact avec soi. Ceux qui trouvent qu'il est difficile de cesser de fumer ne font appel, pour briser cette mauvaise habitude, qu'à la volonté de l'intellect. Ils ne réussissent tout au plus qu'à se torturer eux-mêmes parce que la conviction que confère l'expérience vécue, celle qui conditionne la mobilisation de l'esprit, n'est pas là.

Le *projet* qui donne naissance à l'entreprise s'alimente à la même source. Il exprime la volonté intuitive du fondateur. C'est lui qui donnera aux pionniers de l'organisation l'énergie nécessaire pour affronter tous les obstacles qu'ils ne manqueront pas de trouver sur leur chemin. Avec la seule volonté réfléchie, on ne démarrerait jamais une entreprise car les obstacles nous apparaîtraient insurmontables dès le départ. Je ne suggère pas ici de mettre de côté la réflexion mais il faut toutefois se rappeler que, pour régler les choses réellement importantes, nos intuitions sont plus mobilisatrices que les analyses les mieux faites.

Lorsqu'on a un projet, il est naturel de vouloir en parler à certaines personnes que l'on juge compétentes ou susceptibles de nous aider à le réaliser. Un *projet* commande nécessairement, de par sa nature, l'établissement d'un réseau de *relations.* Ces relations vont permettre de tester la viabilité du projet et de sonder la motivation interne des personnes qui éventuellement pourraient s'associer au projet.

Si le promoteur d'une idée en parle souvent et avec conviction à un petit groupe de personnes qu'il pressent comme des aides possibles, un jour viendra où l'un d'eux proposera de s'organiser pour concrétiser le projet. Ils se donneront alors une *structure* de travail. Ils se distribueront des rôles pour mieux collaborer à la réalisation du projet.

En résumé, on peut donc définir l'organisation comme étant un *projet,* des *relations* et une *structure* EN DÉVE-LOPPEMENT.

UNE ORGANISATION, C'EST

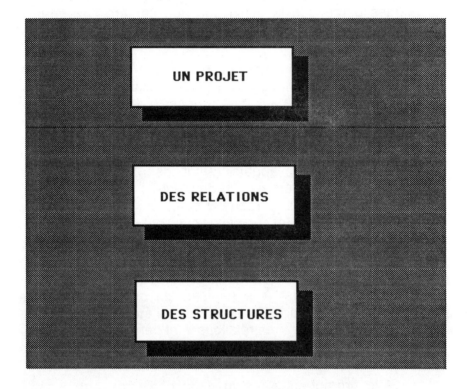

EN DÉVELOPPEMENT

Fig. 3.1.1. L'organisation

Un peu comme la graine qui laisse d'abord apparaître un germe, une tige, une feuille, une fleur et finalement un fruit, l'entreprise se transforme en se développant. À chaque stade de son développement, le *projet* se révèle sous de nouveaux aspects, les *relations* internes et externes se modifient et la *structure* change aussi.

Qu'est-ce qui pousse l'entreprise à se développer ? Quels sont les moteurs de ce développement ? D'abord, affirmons tranquillement que le développement est un phénomène naturel. Il est généré par la grande force qui met toute chose en mouvement. Notre aptitude à percevoir cette force et à coopérer avec elle est capitale pour la gestion de nos organisations aussi bien que pour celle de notre bien-être personnel.

Le projet d'une entreprise naît de la perception d'un écart entre une situation à laquelle on aspire intuitivement (situation recherchée) et une réalité que l'on vit intensément (situation actuelle). La perception de cet écart crée une tension qui ne peut se résorber que dans une action, un projet. Cette tension créatrice — ou plutôt formatrice car l'homme ne crée rien — se manifeste de deux façons : par la joie lorsque nos aspirations obéissent à la loi fondamentale du mouvement, par la souffrance lorsque nous résistons à cette loi. La joie comme la souffrance sont donc les deux moteurs du développement.

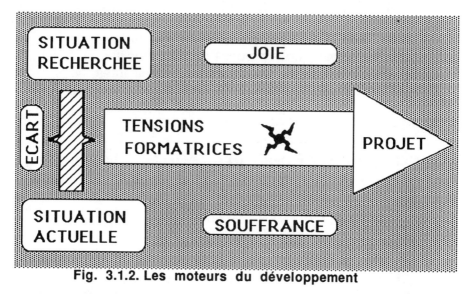

Fig. 3.1.2. Les moteurs du développement

Est-il besoin de préciser que beaucoup d'êtres humains, comme beaucoup d'organisations, attendent de souffrir avant de se mettre en mouvement pour changer ? Peu nombreux sont ceux et celles qui sont assez sensibles aux valeurs qui font appel au dépassement et qui se laissent suffisamment guider par leur petite voix intérieure pour s'activer joyeusement à leur propre développement et à celui de leur environnement. La plupart attendent de souffrir pour se remettre en mouvement. C'est pourquoi les différentes stratégies pour accompagner les individus, comme les organisations, dans leurs efforts de développement proposent d'abord d'associer au diagnostic de la situation ceux qui auront à vivre ces changements. Nous y reviendrons au moment où nous parlerons de l'écogestion, c'est-à-dire un processus de gestion qui tient compte à la fois de la volonté intuitive et réfléchie de ses membres.

L'analogie des rapports entre les différents éléments de la personnalité et ceux de l'organisation est facile à établir. Pourquoi un projet ? Pour se donner une pensée commune. Pourquoi des relations ? Pour sentir ce qui se passe à l'intérieur comme à l'extérieur de l'entreprise. Pourquoi des structures ? Pour agir. Une perturbation de l'une de ces fonctions essentielles apporte, il va de soi, des problèmes énormes. Sans projet commun, nos actions n'ont plus de sens. Nous nous sentons aliénés. Pas de relations, nous sommes isolés et nous perdons contact avec la réalité globale de l'entreprise. Si les structures sont défaillantes, nous nous sentons incapables d'agir, nous nous sentons impuissants.

ORGANISATION	PERSONNE	PROBLEMES
PROJET	PENSER	ALIENATION
RELATIONS	SENTIR	ISOLEMENT
STRUCTURES	AGIR	IMPUISSANCE

Fig. 3.1.3. Comparaison personne / entreprise

La personne ne se limite pas à son corps physique, ses émotions et ses pensées. Nous avons vu au chapitre précédent qu'au-delà de ces facettes transitoires et changeantes de notre être, il y a un aspect permanent : l'esprit. De même, l'organisation ne se réduit pas non plus à un projet, à des relations et à des structures.

L'entreprise étant au départ le résultat d'une association d'individus, on ne saurait ici parler d'esprit organisationnel pour nommer l'aspect le plus permanent de l'entreprise. Ce que nous appelons l'esprit de groupe ou l'esprit d'une entreprise est en fait une forme-pensée, une forme de matière subtile née des aspirations de ses membres. Nous regroupons souvent sous l'étiquette de culture organisationnelle les valeurs, les aspirations qui lient les gens à l'entreprise.

Ces aspirations, ces valeurs, ces règles du jeu implicites forment la *vision* du monde qui préside aux décisions que les membres d'un groupe prennent quotidiennement. Il est possible que cette vision soit inconsciente. Cela ne l'empêche aucunement d'exercer une influence déterminante sur l'évolution de l'entreprise.

La culture d'une entreprise et, partant, la vision du monde qu'elle véhicule évoluent avec le temps et l'expérience. C'est ainsi qu'au-delà des différences qui caractérisent le type d'entreprise que l'on choisit d'observer, toute organisation considérera constamment UNE PLUS GRANDE FLEXIBILITÉ, UN MEILLEUR SERVICE AU CLIENT, UNE PLUS GRANDE MOBILISATION DU PERSONNEL comme autant d'aspects fondamentaux pour sa survie et son développement. On mesurera les résultats concrets de ses efforts dans ses INNOVATIONS, sa PRODUCTIVITÉ et la QUALITÉ de ses produits et de ses services.

L'écart perçu entre la *vision* qu'elle poursuit et les *résultats* qu'elle obtient génère la tension qui va permettre à l'organisation d'évoluer. Cependant, le risque est grand de résorber cette tension en se coupant de la vision qui appelle au dépassement constant. Si on se focalise sur le développement des sous-systèmes qui constituent l'organisation, sans se soucier de la vision qui cimente ces sous-systèmes, l'entreprise risque alors de perdre le sens de son orientation, de se débrancher des besoins de ses clients et de son personnel pour se concentrer sur son propre fonctionnement. On appelle ce phénomène la bureaucratisation des entreprises.

Lorsque l'organisation se coupe des valeurs qui l'animent, le *projet* qu'elle véhicule devient purement matérialiste et technique. L'orientation de l'entreprise se fait alors dans une perspective économique à courte vue, ce qui n'est pas sans affecter le système social de l'entreprise. L'aspect relationnel est alors négligé au profit des aspects structurel et systématique. On cherche à tout normaliser et à tout uniformiser sous prétexte d'éliminer l'erreur humaine. C'est ainsi que l'entrepreneurship et l'esprit d'innovation seront graduellement chassés de l'entreprise en même temps que la rentabilité et la qualité des produits et des services. Seule une crise peut réveiller de telles organisations et donner à ses dirigeants le courage de rebâtir cette tension salutaire entre une *vision* du futur, basée sur des valeurs qui appellent au dépassement, et les *résultats* actuels de l'entreprise.

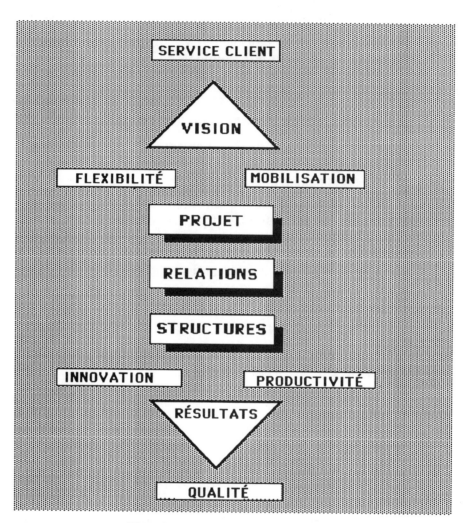

Fig. 3.1.4. L'entreprise

De ce qui précède, on peut conclure que l'entreprise, en tant qu'association d'individus, se développe de la même manière qu'un être humain. Ce n'est qu'en demeurant conscient des valeurs qui l'animent et de la réalité qu'elle vit que l'entreprise peut évoluer en harmonie avec son mileu.

Son échec à s'engager dans cette direction entraînera une réaction de l'environnement et de son personnel, réaction qui est à la base de toutes les difficultés que rencontrent nos organisations aujourd'hui. Comme l'ont démontré les auteurs du livre *Le Prix de l'excellence,* ces difficultés ne peuvent être surmontées que par un retour aux sources, aux valeurs de base de l'entreprise et à une meilleure prise de contact avec la réalité concrète.

Les étapes de développement de l'organisation

Comment se développe une organisation ? Y a-t-il des étapes à reconnaître dans le développement d'une entreprise comme dans celui d'une personne ?

Si l'on regarde l'histoire du développement de plusieurs organisations depuis un siècle, on observe des phases caractéristiques dans la vie des entreprises. On y reconnaît la phase du pionnier (les chevaliers d'industrie), celle du management scientifique, la phase d'intégration que l'on vit actuellement, et une autre phase, celle de la synthèse, que l'on pressent comme un idéal à atteindre.

Voici les caractéristiques de chacune de ces grandes étapes.

LA PHASE DU PIONNIER

1. L'organisation est fondée et dirigée par un entrepreneur ou un groupe d'entrepreneurs qui ont décelé un besoin dans l'environnement et qui y répondent d'une façon innovatrice. On ne retrouve pas seulement le pionnier dans l'entreprise privée, mais également au sein des entreprises publiques lorsqu'on lui fait la place dont il a besoin.

2. Le leadership du pionnier est clair : son autorité est acceptée à cause de sa compétence.

3. La dimension économique domine. « Bon produit, bon profit. »

4. La structure est légère. Généralement, il n'y a pas plus de 2 ou 3 niveaux hiérarchiques.

5. Les objectifs de l'organisation sont clairs et facilement contrôlables.

6. La motivation est élevée parce que l'organisation poursuit des objectifs clairs et qu'elle fonctionne de façon informelle, ce qui permet à chaque individu de mettre en valeur ses habiletés et ses préférences.

7. Les communications sont directes et sans ambiguïté. Le sens de l'appartenance est très élevé. L'organisation est comme une deuxième famille.

8. La force de cette organisation s'appuie sur sa cohésion et sa flexibilité.

La fragilité de ce type d'organisation se manifeste lorsque l'environnement change rapidement, que l'entreprise doit faire des investissements considérables pour s'adapter à un nouveau marché ou à une nouvelle technologie de production. Les symptômes de l'imminence de la crise dans ce type d'organisation sont :

- diminution des profits ;
- accroissement des plaintes des clients ;
- problèmes de communication ;
- perte de flexibilité ;
- perte de motivation ;
- conflit de leadership (syndicalisation).

Pour résoudre ces difficultés, l'organisation adopte plus ou moins les caractéristiques de la deuxième phase du développement des organisations : la phase de la gestion scientifique.

LA GESTION SCIENTIFIQUE

1. Normalisation des méthodes de travail pour introduire l'uniformité et l'interchangeabilité de ces méthodes, ce qui facilite le contrôle de la production.

2. Mécanisation du travail et du processus d'information.

3. Spécialisation des fonctions comme corollaire de 1 et de 2.

4. Coordination en vue d'éviter le cloisonnement et pour protéger l'organisation contre l'éclatement.

Cette phase de développement met l'accent sur le sous-système technique : les règles et les procédures pour gérer le personnel, les ressources matérielles et les processus de fonctionnement. Les problèmes que génère ce type d'organisation sont bien connus :

- *Rigidité* due à la formalisation des rapports et à la bureaucratisation.
- *Cloisonnement départemental.* Les clans se développent au détriment de l'ensemble de l'entreprise.
- *Hiérarchisation.* Le leadership devient hiérarchique et autoritaire. Les communications entre le sommet et la base de la pyramide s'appauvrissent.
- *La motivation.* Le travail perd son sens dès que le travailleur en perd le contrôle.

Lorsque ces difficultés sont devenues insupportables, l'organisation est prête à passer à la phase suivante de son développement. Cependant, si le passage de la phase 1 à la phase 2 semble se faire naturellement, le passage à la phase 3, par contre, exige une démarche qui engage le personnel dans la redécouverte de la vie sociale de l'entreprise. C'est l'étape où se renégocie l'association des personnes à l'entreprise.

L'INTÉGRATION

Voici les principales caractéristiques de la phase d'intégration.

1. *Décentralisation*

   Démantèlement des chasses gardées des spécialistes.

2. *Responsabilisation*

   Création d'unités plus autonomes où les gens exercent plus de contrôle sur la production et sont, de ce fait, plus responsables.

3. *Travail d'équipe*

   Le travail en équipes polyvalentes est encouragé.

4. *Concertation*

   Le personnel est consulté et participe aux changements.

5. *Centration sur la mission de l'organisation*

Recherche plus active de la raison d'être de l'entreprise et planification stratégique en fonction de la place qu'elle veut occuper sur le marché.

6. *Émergence d'un nouveau leadership*

Leadership qui repose davantage sur les qualités personnelles des « leaders » : maturité psychologique et sagesse.

Les difficultés inhérentes à cette phase de développement sont dues principalement aux résistances naturelles des personnes à se responsabiliser et à accepter de s'engager concrètement dans l'entreprise. Cette étape suppose que chacun négocie ouvertement ses besoins avec les autres membres de l'organisation en tenant compte des besoins de l'ensemble. Cela exige une maturité qu'il faut prendre le temps de cultiver. Le développement organisationnel, comme le développement social, a ceci de particulier qu'il n'est pas automatique mais nécessite une action humaine consciente.

LA PHASE DE SYNTHÈSE

Cette phase est l'aboutissement naturel de la phase précédente. À ce stade, les caractéristiques de la phase précédente et les modalités de fonctionnement sont devenues des réflexes.

1. Le leadership est assumé par les plus sages, ceux qui ont une vision capable d'inspirer les troupes.

2. Les travailleurs sont regroupés selon leurs affinités autour de tâches dans lesquelles ils excellent.

3. Les valeurs de l'organisation sont claires de même que les buts poursuivis.

4. La motivation est élevée parce que le travail est devenu une source de croissance personnelle.

5. Le principe de l'auto-organisation et de l'autocontrôle est accepté.

6. La structure de l'organisation est flexible et ressemble à un réseau d'unités semi-autonomes qui négocient entre elles les services et les biens qu'elles produisent ou qu'elles achètent.

7. La sécurité d'emploi repose moins dans le poste qu'on occupe que dans l'appartenance à l'organisation, l'accent étant mis sur la formation et la mobilité des personnes en fonction des besoins de l'entreprise.

8. Le sens de la beauté est cultivé en tout.

9. L'organisation est un système ouvert. Le principe de l'interdépendance et de la coopération est reconnu et mis de l'avant.

Dans notre monde d'aujourd'hui, la phase de la synthèse peut facilement être perçue comme une utopie, parce qu'elle exige des changements fondamentaux d'attitude de la part des êtres humains, attitudes que nous avons pris l'habitude de considérer comme inchangeables. Il faut lutter contre l'égoïsme et tous les maux qui en découlent.

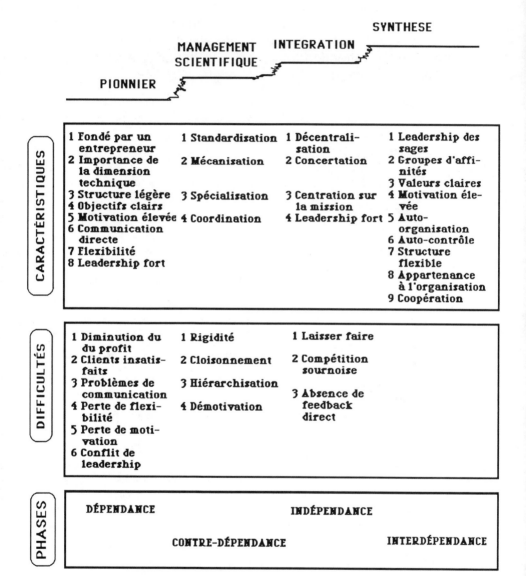

Fig. 3.1.5. Étapes de développement de l'organisation

Le modèle que l'on reconnaît en étudiant l'histoire de l'évolution des organisations nous révèle la courbe générale de développement de tous les organismes vivants : *naissance, croissance, maturité* et *déclin.* On découvre ainsi

que les entreprises obéissent également aux lois naturelles :
*elles naissent, se développent, arrivent à maturité et
finalement meurent.* C'est une vérité à laquelle on doit prêter
constamment attention lorsqu'on veut travailler au développement d'une entreprise.

Évolution

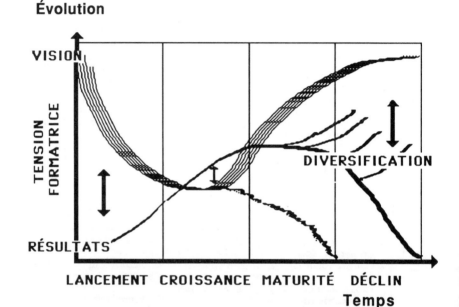

Fig. 3.1.6 Courbe du développement des entreprises

Au début, une entreprise n'a pas beaucoup de
ressources, ses résultats ne sont pas impressionnants ; tout
est dans la vision du fondateur comme le montre le graphique
précédent à la phase lancement. L'écart est donc grand entre
la vision du fondateur et les résultats de l'entreprise. Petit à
petit, les résultats apparaissent et l'écart diminue. Si elle n'est
pas constamment restaurée par une vision renouvelée, la
tension nécessaire au développement s'atténuera et
l'entreprise mourra intérieurement avant même de
disparaître physiquement. Si, par contre, la vision est
constamment nourrie par la conscience de ses membres,
l'entreprise qui plafonne et périclite — les organisations ne
sont pas éternelles — donnera tout de même naissance à

d'autres organisations qui poursuivront sous d'autres formes l'idéal de l'entreprise mère.

Lorsque l'on étudie les différents passages que l'entreprise devra franchir dans le cours de son développement, on est forcé de constater que ces crises sont toujours des occasions d'adapter ses services et ses produits aux besoins de ses clients. La force de l'évolution à tous les niveaux ne nous enseigne qu'une chose : le service.

Le rôle des gestionnaires et de leurs conseillers est justement d'accompagner l'entreprise dans ces différents passages et de l'aider à les franchir sans heurts inutiles. Plus une organisation est consciente de son évolution, plus elle est en mesure de coopérer à son propre développement.

Voir l'entreprise comme un être vivant avec ses joies et ses souffrances nous aidera grandement à imaginer quelles interventions seront les plus utiles pour faciliter son évolution. Notre modèle d'intervention s'inspirera donc des valeurs suivantes :

1. *La croissance est une chose naturelle*

   La vie pousse sans arrêt les individus, comme les entreprises, à se développer, à mûrir, à devenir davantage ce qu'ils sont potentiellement. Nos problèmes prennent justement leur source dans notre résistance à cette force d'évolution et provoquent ce qu'on appelle des crises de croissance. Chaque crise résolue entraîne un changement dans la qualité des structures, des relations et du projet qui unit les membres à l'organisation.

2. *L'être humain est libre, donc responsable de ce qui lui arrive*

   Les personnes, comme les organisations, ne se développent que si elles choisissent de le faire.

3. *L'expérience personnelle est la meilleure école*

   Les personnes, comme les organisations, n'apprennent véritablement qu'à partir de leurs expériences. L'expérience amène la conviction et seule la conviction mobilise toutes les ressources de l'être.

4. *Le développement a un sens*

Le développement va naturellement dans le sens d'un élargissement de la conscience, d'une capacité accrue d'agir en fonction de ce que l'on sait être juste et d'un sens plus aigu du service. Cela est vrai à la fois pour la personne et pour l'organisation.

Le développement d'une organisation, comme celui d'une personne, c'est l'actualisation d'un potentiel intérieur que l'on découvre au fur et à mesure que l'on agit pour l'actualiser.

Marcelle Léger :
le cadre réconcilié

Marcelle Léger
Vice-présidente adjointe
au premier vice-président et directeur général
Fédération Richelieu-Yamaska
des caisses populaires Desjardins
Saint-Hyacinthe

- considère le développement du réseau des caisses comme étant sa principale responsabilité ;
- se situe maintenant au niveau stratégique du grand plan Desjardins ;
- veut mettre en interrelation toutes les composantes à l'interne afin que les membres profitent des services de tout l'ensemble ;
- se préoccupe de travailler avec tous les éléments dynamiques pour que les plans théoriques se concrétisent.

Marcelle Léger entre dans la vie comme les effets d'un caillou dans l'eau : en profondeur et en vagues successives. Chaque vague appelle la suivante. Parfois un peu délinquante, l'une d'elles regimbe, mais la suivante l'assagit.

Un certain ressac la frappe par surprise ; elle est secouée... puis refait surface. Ses cercles s'élargissent. Authentique, entière, chaleureuse, j'entends encore son rire et devine ses pleurs. Elle travaille sérieusement sa « voie » et prépare sa plus belle chanson. Son flot d'énergie s'équilibre de jour en jour.

* * *

Son enfance est belle. Elle s'écoule dans la nature. Elle est entourée de montagnes, de pommiers, d'arbres fruitiers, d'érables à sucre. De beaux souvenirs restent en mémoire. Elle se souvient de l'engagement social de sa mère et de son père.

Elle enseigne durant quatre années. Mais la craie de tableau lui cause des allergies persistantes. Elle doit se réorienter. Un jour, à Granby, lorsqu'elle se promène sous la pluie, elle passe devant l'immeuble de la caisse populaire qu'elle trouve très beau. Elle y entre et dit au directeur : « J'aimerais travailler ici. »

Le sujet de leur entretien porte uniquement sur ses engagements sociaux. Rien sur la nature du travail. En sortant, elle se dit que le directeur n'est pas intéressé. Erreur. Une semaine plus tard, elle reçoit un appel : « Tu commences lundi prochain. »

Les premiers ronds dans l'eau

Rapidement, elle grimpe les échelons de l'institution. Elle s'occupe de la formation des autres employés. Elle assume la direction locale des communications avec les membres tout en étant responsable de la formation du personnel et de l'éducation des membres à la consommation.

Treize années s'écoulent. Elle est promue à la Fédération à titre d'agent de zone (une zone regroupe 26 caisses). Elle continue d'élargir son cercle. Elle est nommée conseillère à la formation auprès de l'ensemble des caisses-entreprises (74) et des autres intervenants de la Fédération.

À cette époque, se rappelle-t-elle, « on voulait cerner et identifier le profil du gestionnaire d'une caisse et faire un laboratoire où ils viendraient évaluer leurs besoins de formation ». Trois firmes soumettent un programme de formation. Elle participe à l'élaboration du programme avec la firme choisie, et rencontre alors Gilles Charest.

Constante, elle poursuit sa formation

De façon continue, elle suit des stages, des cours, des séminaires de formation. Mais elle découvre dans le programme de formation présenté un nouveau type d'animation davantage centré sur la personne. Apprendre à se connaître, à se prendre en charge est un sujet qui l'attire beaucoup. « Emballée, j'ai foncé un peu vite, puis j'ai pris conscience de la profondeur de la démarche. Ça m'a fait un peu peur et j'ai eu un mouvement de recul. » Malgré tout, elle sera la seule à fermer la boucle des trois années de formation parmi les 30 conseillers invités au programme.

En 1978, elle offre une session d'orientation aux dirigeants et un programme de formation en management aux cadres des caisses de la Fédération. « Dix ans plus tard, ses cours sont toujours très vivants et ce sont d'autres qui les donnent maintenant. Je suis particulièrement fière de cela. » Ses activités de formation, elle les protège. Elle ne les étale pas bruyamment, mais elle y va discrètement, sans trop en parler. « C'est aussi probablement la grande naïveté que je dégage qui a permis au programme d'être encore vivant. »

En plus d'établir ce programme, elle transforme le service des ressources humaines en service de développement des organisations (ressources humaines et matérielles), toujours avec le souci de favoriser le développement des individus. Cette continuité dans le développement, elle veut l'étendre à toute l'organisation. De toute façon, elle travaille avec les leaders qui réfléchissent sur le développement du réseau. De là sortiront les stratégies qui permettront d'affronter la concurrence et le nouveau contexte des institutions financières.

Sur un ton mi-sérieux, elle précise son orientation. Elle vise la Confédération. « Parfois, ça me fait peur, mais en même temps, ça m'attire beaucoup. » Puis, retour en arrière. Elle calcule : « Treize ans au service des caisses locales, treize ans au régional, pourquoi pas treize ans aussi à la Confédération ? À long terme, ça m'intéresserait de teinter tout le mouvement avec douceur. J'ai toujours été impressionnée par la force de l'eau, pourtant si douce et si limpide. »

Secouée par ses propres vagues

Dans sa vie personnelle, elle découvre, durant sa formation de trois ans, qu'elle n'était pas vraiment mariée. C'est devenu une évidence pour elle. « Quand on ne dit pas oui de l'intérieur, quelque part il n'y a pas de contrat. Je tolérais une situation que je compensais par mon travail où j'investissais énormément d'énergie et de temps. »

L'événement de son divorce transforme sa croyance dans « le mariage pour la vie ». Elle s'aperçoit qu'elle n'a pas à tolérer une situation de non-engagement. Sa petite voix lui dicte de se séparer. « Je n'ai pas changé fondamentalement, mes valeurs demeurent les mêmes, mais je me respecte davantage dans ce que je suis et cela donne des résultats excellents. À la maison, par exemple, on éteignait la vie par le silence. Maintenant, il y a une autre vie qui n'était pas là avant. »

Avec de l'aide, elle réussit malgré tout à assumer cette période de sa vie. « Mais je n'étais pas belle à voir à ce moment-là. Je me renfermais. Même mon engagement dans l'organisation n'avait pas la même profondeur. J'ai eu l'impression de vivre, là aussi, un genre de divorce. Je me sentais très utilisée et peu reconnue. » Elle travaille donc à équilibrer ces deux aspects à la fois. C'est alors que les changements apparaissent. Sur le plan de l'organisation, elle est maintenant plus présente, plus authentique, plus naturelle. « Avant, je donnais les enseignements que j'avais reçus. Aujourd'hui, si j'utilise un mot, c'est parce qu'il correspond vraiment à ce que je veux dire de l'intérieur. Je me sens maintenant l'auteur de mes paroles. »

Cette démarche est exigeante, pour elle qui ne sait rien faire à moitié. Elle travaillera longtemps ces deux pôles avant de trouver en elle un peu d'équilibre. Elle succombe de temps en temps et retourne à ses nombreuses activités. Lorsqu'elle en prend conscience, elle lâche, s'arrête et repart. Enfin, « je réussis à couper des choses dans le travail et à trouver un certain équilibre ».

Un nouveau sens au mot servir

Elle est maintenant cadre supérieur dans le mouvement Desjardins, « cette grande famille dans laquelle j'ai grandi depuis 25 ans », dit-elle. Son titre ne l'impressionne pas. Elle continue de travailler sa forme de leadership. « J'avais tendance à tout contrôler et à être directive pour m'assurer que j'avais ma place. Je suis plus à l'écoute et j'impose moins mon point de vue. » Son entourage remarque le grand changement qui s'est effectué en elle.

Puis, un jour, elle donne un nouveau sens au mot service qu'elle ne relie plus à l'esclavage. « Ce mot plein de sens est devenu important et riche pour moi. J'ai compris que, plus on grandit, plus on doit être un grand serviteur. Être utile aux gens donne un beau sens à la vie. »

Une autre difficulté qu'elle surmonte : « Accepter d'être dirigée pour bien diriger. J'ai travaillé très fort cet aspect de ma vie parce que me faire dire quoi faire m'agaçait beaucoup. J'ai eu des moments de délinquance. Je remettais beaucoup l'organisation en question. Je le fais encore, mais pas de la même façon. Je réagis en direct et j'ai appris qu'il m'appartient de diriger ma vie. »

Puis, elle se souvient d'une grande chaise ronde où elle vivait ses malheurs. « Si cette chaise pouvait parler ! soupire-t-elle. Je ne posais aucun geste pour changer ce qui me rendait malheureuse. Je me serais détruite à l'intérieur si j'avais continué à tolérer les situations inconfortables. Maintenant je passe à l'action. »

Elle demeure cependant consciente de la fragilité de ces points chez elle, quoique maintenant elle utilise des moyens pour essayer de les régler.

En prime : la réconciliation

Elle résiste très fort et assez longtemps avant de commencer à explorer sa vie personnelle. Elle a très peur : « Si j'améliore ma vie personnelle, ce sera au détriment de ma vie professionnelle. Je ne veux pas toucher à cela. »

« Aujourd'hui, ce qui me rejoint beaucoup, c'est que je crois que je peux être très femme et très mère. Je travaille aussi l'aspect couple, mais doucement. Un jour, j'aimerais avoir un compagnon, mais pas à n'importe quel prix. »

Il est aisé de conclure que son travail représente une source réelle d'épanouissement pour elle d'autant plus qu'elle peut maintenant prendre un certain recul. De plus, elle redécouvre des activités qu'elle aimait faire avant son mariage : la cuisine, le golf, le ski. Mais pouvoir se réaliser dans son travail revient constamment dans ses propos, comme une saine obsession. Elle explique la formule Desjardins qui est un plus pour elle. Car sous son chapeau d'institution financière, ce mouvement demeure très proche de la personne. « On aborde les gens par le biais de services financiers et, en même temps, on est à l'écoute de leurs besoins pour les aider à réaliser leur vie familiale ou leurs loisirs. »

Le mouvement coopératif touche l'autonomie, la prise en charge des gens et des groupes. Son approche aide la collectivité et rejaillit ensuite sur l'ensemble de la société. « Derrière l'image Desjardins, il y a tout ce rouage, qui n'est pas nécessairement connu du public. »

Marcelle Léger considère qu'il y a beaucoup de place et de latitude dans le secteur développement du mouvement Desjardins. Elle aimerait bien avoir gravi tous les « échelons » avant de se retirer. « Je serais bien contente de cela », avoue-t-elle.

Dans l'immédiat, elle poursuit sa démarche. « Je lâche davantage mon contrôle et je prends un peu plus de risques sans toujours savoir où cela me mène. Mais j'y vais doucement. Pour moi, c'est un peu la dernière envolée. » Elle réfléchit davantage, mesure mieux ses gestes, prend le temps de s'arrêter avant d'intervenir. « J'écoute les gens et ce qu'ils veulent. Puis je propose des routes. Mais, pour aider les autres à trouver leurs solutions, je dois d'abord trouver mes propres réponses. »

Claire Noël

Chapitre 2

La stratégie du quotidien

Je suis convaincu qu'une organisation apprend. Je ne prétends pas qu'elle possède une intelligence de même nature que celle de l'être humain, mais je sais qu'elle fait preuve d'intelligence chaque fois que les valeurs qui la guident deviennent des normes de fonctionnement, des règles qui encadrent le comportement de ses membres.

J'ai assisté à la naissance puis à l'évolution de notre propre entreprise sur une période de 17 ans et j'ai pu observer avec beaucoup de fascination comment s'incarnent dans un groupe les valeurs que l'on véhicule. Chaque niveau de maturité commande de nouveaux rapports entre les gens, une nouvelle clarification, des objectifs que l'on poursuit et une révision des structures en place. Nous y reviendrons lorsque nous aborderons le thème de la participation.

J'ai vu un projet devenir une entreprise structurée avec ses normes et ses règles de fonctionnement. Je me souviens qu'à nos débuts nous nous devions d'être au cœur de tous les débats pour que les choses se déroulent comme nous le désirions. Plus tard, parce que nos normes de fonctionnement avaient été acceptées dans le milieu, toute nouvelle personne qui entrait dans le système était automatiquement éduquée par ses pairs. Nous n'avions plus à tout expliquer. L'organisation était devenue autocontrôlante. Notre vision, en passant dans les normes de fonctionnement, avait façonné une culture d'entreprise. L'entreprise avait acquis graduellement une certaine indépendance par rapport à ses membres.

À partir de ce moment-là, si nous voulions l'aider à évoluer, nous devions nous attacher à en modifier les normes de fonctionnement car changer les individus ne suffisait plus. Il nous avait fallu du courage et de la détermination pour bâtir l'entreprise ; il nous fallait exercer maintenant une vigilance de tous les instants pour l'assister dans sa croissance.

La vision que l'on se fait d'une entreprise, au point de départ, est une image vivante, donc quelque chose qui évolue dans le temps. Les expériences organisationnelles amènent un mûrissement qui modifie petit à petit notre perception des choses. Pensez, par exemple, combien votre façon de voir les choses et de vivre a évolué depuis 10 ans. Bien sûr, ces modifications de votre vision du monde ne sont jamais radicales mais vont plutôt dans le sens d'un approfondissement, d'un élargissement.

De la même manière, si nous voulons que l'organisation évolue, nous devons donc consciemment gérer l'évolution de notre vision du monde dans les modes de fonctionnement de l'entreprise. Un écart trop grand entre notre vision du monde et le fonctionnement de l'entreprise crée une tension que ne peuvent tolérer les membres et qui conduit tôt ou tard à l'éclatement de l'entreprise. Il faut là aussi que nos valeurs et que notre discours s'accordent avec les gestes que l'on pose.

Faire évoluer une organisation, c'est maintenir optimale cette tension formatrice qui doit exister entre la vision qu'on se fait du futur et les résultats actuels de l'organisation. Pour ce faire, il existe deux grandes stratégies complémentaires. La première, qui fera l'objet du présent chapitre, consiste à maintenir vivantes, dans nos gestes quotidiens, les valeurs auxquelles nous aspirons. Il s'agit d'utiliser tous les événements que la vie de l'organisation nous offre pour faire avancer les choses dans le sens de notre vision.

La seconde, dont nous traiterons au chapitre suivant, suppose que l'on s'accorde des moments pour clarifier notre vision et la partager avec les autres. Les grandes manœuvres administratives qui jalonnent le cycle annuel de gestion nous offrent l'occasion de réfléchir, en tant que communauté humaine, sur nos valeurs et nos orientations de façon structurée.

À cela, il faut ajouter des périodes de méditation solitaire, de contact avec ce qu'il y a de plus élevé en nous. Que ce soit au moyen des arts comme la musique, la peinture par exemple, ou encore par le contact avec la nature, il est important de garder vivantes en soi les valeurs qui donnent un sens à la vie en nous accordant des périodes d'intériorité pour communier avec la vie elle-même.

Bâtir demain dans le quotidien

Chaque situation, chaque moment de la vie de nos organisations, de nos groupes de travail est un prétexte, une occasion de développement. Cependant, pour saisir l'occasion qui s'offre à nous, il faut maintenir vivant en nous l'idéal que nous poursuivons.

Garder présent à l'esprit que la vie est une école nous permettra de maintenir le recul nécessaire pour gérer efficacement les événements de la vie quotidienne à partir de nos valeurs de fond. Le grief qu'on vient de déposer sur mon bureau, la promotion que j'attendais et qui ne vient pas, le programme que je proposais et qui n'est pas accepté par la direction ou par le syndicat, l'occasion qui m'est offerte de travailler à un nouveau dossier, un nouveau contact prometteur, tous ces incidents ont un sens dans ma vie. Il en est de même pour la vie des groupes et des organisations. Les conflits interpersonnels, les alliances, la compétition entre les groupes, la manière de prendre les décisions, la capacité du groupe à faire confiance à ses membres, le départ d'un membre important, l'arrivée d'un nouveau, rien n'est le fruit du hasard, tout peut servir de prétexte pour nous aider à nous développer et à faire avancer l'entreprise par le fait même.

Un jour que je travaillais avec le directeur du personnel d'une entreprise à l'implantation d'un programme de gestion participative, j'en vins à lui proposer de former un sous-comité qui prendrait en charge, au nom de la direction, tout le travail de réflexion nécessaire à l'implantation graduelle des changements qu'un tel programme allait générer dans son entreprise. Il m'écoutait sans trop d'enthousiasme et hésitait beaucoup à proposer la formation d'un tel comité à la direction. Au cours de la discussion, il en vint à décrire l'atmosphère de travail du comité de direction. Apparemment, les membres étaient en compétition les uns avec les autres et les discussions du comité étaient davantage des occasions de se faire valoir que de réfléchir sérieusement ensemble. Je compris alors pourquoi le comité de direction n'était pas prêt à déléguer à certains membres un mandat qui risquerait de leur donner une occasion d'exercer un leadership évident auprès du comité de direction.

Le pas à faire dans le sens du développement du comité de direction s'imposait de lui-même. Nous devions, pour la bonne marche même du programme, amener chacun des membres de l'équipe à reconnaître l'influence d'un autre sans se sentir inférieur. Participer, c'est justement accepter d'influencer et d'être influencé afin d'enrichir la décision que le responsable du groupe doit prendre à un moment donné. Nous devions enseigner cela aux membres du comité de direction avant de songer à l'enseigner aux autres. Mais comment ? Devions-nous leur proposer une séance de formation ? Devions-nous en parler au président pour organiser avec lui une session de consolidation d'équipe ? Le client ne nous avait rien demandé de semblable.

L'expérience me disait de ne rien entreprendre qui pouvait laisser sous-entendre que le comité avait besoin d'être « soigné ». Un client qui se sent jugé ne coopère pas facilement.

Par contre, la formation de ce sous-groupe nous fournissait un prétexte en or pour amorcer notre travail auprès du comité. La question était maintenant de savoir quelle stratégie nous utiliserions pour vendre notre idée au comité de direction. Il fallait éviter à tout prix que ce dernier se sente blâmer pour ce qu'il vivait. Une dénonciation prématurée de la situation aurait tout simplement amené le comité à se braquer davantage et nous aurions ainsi raté l'occasion de faire un pas significatif dans la bonne direction.

Nous avons donc eu l'idée de demander au comité de direction d'avoir recours à des volontaires qui participeraient à un comité de réflexion stratégique sur le développement de l'organisation et qui aideraient le conseiller dans l'articulation des volontés de la direction. En d'autres mots, nous proposions de former un comité qui contrôlerait le conseiller externe et s'assurerait que ses interventions répondent bien aux besoins exprimés par le comité de direction lors d'une séance antérieure à laquelle tout le monde aurait participé.

Nous avons obtenu l'accord du comité pour la formation de ce sous-groupe parce que nous avions été sensibles à sa phobie du contrôle. En leur permettant de se donner un moyen de contrôler le conseiller externe, nous leur donnions une cible commune et surtout nous nous donnions un moyen direct de travailler la dynamique d'influence que vivait le comité de direction.

« Nous acceptons votre influence » : tel était le message non verbal que nous voulions leur communiquer. Ils l'ont saisi et cela les a rassurés sur nos intentions. Notre travail consistait, par la suite, à sensibiliser le sous-comité à l'impact de ses transactions avec le reste de l'équipe. Les membres du sous-comité ont eu tôt fait de convenir avec nous que, pour faire avancer le dossier, ils se devaient de changer leur façon de transiger avec les autres membres du comité et briser ainsi la dynamique de compétition qui y régnait. C'est lorsqu'ils réalisèrent tout le pouvoir de transformation qu'ils avaient s'ils servaient l'évolution du groupe que les principaux changements commencèrent à se faire sentir. En favorisant le changement de quelques personnes dans le groupe, c'est la dynamique du groupe tout entier qui s'est graduellement modifiée.

La formation du comité s'est donc avérée utile non seulement pour faire avancer la réflexion stratégique sur le programme mais surtout pour modifier les rapports qui existaient entre les membres du comité de direction et pour

permettre concrètement à ce dernier de s'engager véritablement dans le programme de gestion participative. En vivant
une expérience positive d'inter-influence avec le sous-comité,
ils acceptèrent finalement de parler de la difficulté et de se
donner de nouvelles règles pour en faciliter la résolution.

La formation d'un sous-comité, voilà une intervention qui
en soi peut paraître banale. En y regardant de plus près,
chaque geste que l'on pose peut être chargé de sens et
amener graduellement une organisation à se transformer.
« Un voyage de mille milles commence toujours par le
premier pas », dit le proverbe. Il n'y a pas de développement
véritable qui ne soit pas le résultat des efforts conscients de
quelques-uns pour faire évoluer les choses. Cela se passe
généralement dans des gestes plutôt humbles qui risquent de
passer inaperçus aux yeux des non-initiés. Peu importe
puisque l'on sait qu'à la longue on récolte toujours ce que l'on
a semé.

Tout incident dans la vie d'une organisation peut devenir
un prétexte pour en apprendre sur le thème fondamental que
cette organisation vit à un moment donné. Encore faut-il, pour
être efficace dans le quotidien, se préoccuper de ce que vit
l'organisation dans son ensemble. Seul le souci du bien
commun nous permettra, à cet égard, des interventions
rentables.

C'est ainsi que l'on peut transformer un incident banal en
événement significatif pour un ensemble de personnes. Une
réunion bien préparée, une rencontre d'évaluation de rendement bien faite, la présentation d'un rapport fait avec art,
l'arrivée d'un nouveau chef, tout peut devenir une occasion
de se développer, de grandir.

Pour un gestionnaire qui a à cœur le développement du
personnel, la position qu'il occupe dans l'organisation n'a pas
vraiment d'importance. Chaque poste de travail fournit des
prétextes exploitables, et ce à tous les niveaux de la structure.
Il faut cependant respecter les règles organisationnelles si
l'on veut avoir réellement de l'impact.

Lorsque l'on comprend que chaque niveau hiérarchique
contribue à sa façon à maintenir la dynamique actuelle de

l'entreprise, notre rôle ne consistera jamais à nous substituer à ces derniers pour agir. Une telle maladresse est souvent dictée, sous des apparences d'abnégation, par une soif de pouvoir personnel qui se retourne toujours tôt ou tard contre ses auteurs.

Mieux vaut alimenter la discussion des autres niveaux hiérarchiques en influençant soit son propre patron, soit les différents comités dont on fait inévitablement partie dans l'organisation. Tout est dans la manière de procéder.

Pour bien faire ce travail, une condition s'impose. Il faut demeurer conscient de nos besoins personnels par rapport au système qu'on veut aider. Si nos besoins d'être appréciés, d'être reconnus, de plaire ne sont pas gérés consciemment, ils terniront la pureté de nos intentions et réduiront d'autant notre efficacité. Il est donc important de rester indépendants de ceux que l'on choisit d'aider ; sans cette indépendance, le système client ne se sentira pas respecté, sans compter que notre aveuglement nous empêchera de voir les occasions d'agir qu'offre la situation.

Je me souviens de ce conseiller interne à qui on avait demandé de structurer un programme de formation des cadres intermédiaires. Il m'avait consulté en me disant que la haute direction n'était pas du tout impliquée dans ce projet et qu'elle le faisait parce que le siège social l'exigeait. Ce conseiller trouvait inadmissible que la direction régionale soit aussi irresponsable et voulait trouver le moyen de les faire évoluer. Cependant, il ne voyait pas comment un petit agent de personnel comme lui pouvait influencer un système aussi lourd et complexe. Et pourtant, secrètement, il caressait la fantaisie de transformer à lui seul l'organisation. Dans ses rêves secrets, il se voyait déjà recevant un « oscar » pour ses prouesses de conseiller en développement organisationnel.

Après analyse de ses motivations personnelles, nous en sommes venus à la conclusion qu'il lui fallait réviser sa façon de voir pour accepter l'organisation comme elle était et nous mettre réellement à son service. C'était à nous d'utiliser le prétexte du programme qu'elle nous proposait de réaliser pour l'aider à aller plus loin.

Nous avons donc conçu une stratégie qui obligeait les cadres supérieurs de l'organisation à s'impliquer dans le programme d'une façon tout à fait acceptable. Le programme est devenu un moyen de rétablir la communication entre la haute direction et les cadres de deuxième niveau. Notre stratégie consistait à demander à chaque cadre supérieur de parrainer au moins un cadre intermédiaire durant le programme en plus de contribuer comme formateur sur des thèmes de leur choix. Les grandes difficultés auxquelles nous avons dû faire face dans ce programme furent toujours causées par notre avidité d'obtenir des résultats qui mettraient notre contribution en valeur. Chaque fois que nous nous sommes effacés pour permettre aux vrais acteurs d'entrer en scène, nous avons fait avancer les choses.

À la réflexion, aider, c'est servir et servir, c'est régner ! Mettre en pratique cette simple vérité, c'est évidemment l'histoire d'une vie. Comprenons ici que, pour être utile à quelqu'un, il faut avoir soi-même franchi les étapes de développement que l'on se propose de faire franchir à l'autre ou, du moins, être en mouvement par rapport aux thèmes que l'on travaille avec lui. Sans cela, notre intervention risque d'être une pure manipulation pour satisfaire nos propres désirs personnels. En définitive, aider les autres, c'est d'abord s'aider soi-même puisque, dans ce domaine, on ne peut amener personne là où l'on n'est pas allé soi-même.

Pour gérer efficacement le quotidien, il faut savoir qu'il n'est en définitive que le résultat de nos décisions passées. En conséquence, pour assurer notre avenir, il faut tout simplement prendre aujourd'hui même les décisions dont nous vivrons les conséquences demain. Ainsi, chaque événement de la vie d'un groupe est-il une occasion de faire mûrir le milieu et de se bâtir un avenir heureux.

Démarche pour gérer plus efficacement le quotidien

Existe-t-il une démarche pour apprendre à être plus efficace dans le feu de l'action? Existe-t-il des moyens pour se faire un défi du terrible quotidien? Oui, bien sûr, et tous ces moyens consistent à apprendre une nouvelle façon de voir la réalité. Cette façon de voir commence généralement par l'acceptation totale de la responsabilité de ce que l'on vit. Il faut accepter au départ qu'il n'y a pas de hasard. Déjà, ne plus croire qu'on est la victime des événements mais plutôt le metteur en scène et l'acteur principal de sa propre vie va nous mettre sur la piste de la transformation personnelle nécessaire pour bâtir l'avenir et nous permettre de gérer efficacement le quotidien. Nous pourrons, par la suite, commencer à regarder les systèmes humains avec des yeux neufs et y découvrir de nouvelles façons d'agir pour les aider à se développer. Puisque nous sommes entièrement responsables de ce qui nous arrive, les groupes sont eux aussi les artisans de leur bonheur comme de leur malheur. Apprendre à gérer le quotidien consiste tout simplement à prendre la responsabilité de ce que l'on vit et à agir en conséquence. Voilà le processus général d'intervention à suivre pour aider un système humain à se prendre en charge. Selon votre situation, vous pourrez adapter la démarche en quatre temps que je propose ici.

Démarche en quatre temps pour influencer les systèmes humains

1. *Voir le système humain que vous voulez influencer comme un être vivant en recherche constante d'équilibre*

    1.1. Valider auprès du système concerné votre « prétexte » pour intervenir dans sa vie.

    1.2. Identifier le rôle des acteurs dans la situation actuelle.

    1.3. Identifier les acteurs qui ont un intérêt à ce que la situation change.

2. *Découvrir les règles de fonctionnement du système*

    2.1. Observer le fonctionnement des personnes pour y déceler des modèles répétitifs de comportement.

    2.2. Identifier les règles de conduite acceptées dans le milieu.

    2.3. Identifier la règle à changer.

3. *Mobiliser le système à changer*

    3.1. Prendre appui sur les forces du système.

    3.2. Évaluer les conséquences positives et négatives du fonctionnement actuel.

    3.3. Identifier les peurs et les besoins que les règles actuelles protègent.

    3.4. Responsabiliser les principaux acteurs.

4. *Planifier et gérer le changement*

    4.1. Visualiser la situation recherchée.

    4.2. Proposer une nouvelle règle.

    4.3. Supporter la volonté de changement.

Bien que cette démarche apparaisse très systématique, il ne faut pas croire qu'elle soit nécessairement lourde. Les étapes peuvent en être franchies très rapidement puisqu'elles font largement appel à l'intuition. C'est en définitive la démarche spontanée que suivent les leaders qui ont du succès dans leur organisation. Voici quelques réflexions qui vont nous aider à comprendre chacune des étapes de la démarche à quatre temps pour gérer le quotidien.

1. Voir le système humain que vous voulez influencer comme un être vivant en recherche constante d'équilibre

- Il faut se rappeler que, même si tous les prétextes pour intervenir dans la vie d'un groupe sont bons, encore faut-il que votre aide auprès des personnes concernées soit requise.

- Il ne sert à rien d'essayer de trouver un coupable à une situation donnée. Elle est toujours le résultat du jeu des interactions entre les acteurs du système à un moment donné. Donc tous les acteurs qui participent au jeu ont une part de responsabilité parce qu'ils ont de l'influence sur la dynamique qui s'y déroule. C'est *la loi des affinités* qui nous éclaire ici : « Qui se ressemble s'assemble. » Essayons donc plutôt d'identifier clairement qui sont les acteurs de la scène que nous voulons étudier et quel scénario ils jouent.

- Parmi les acteurs d'un système humain, tous ne sont pas intéressés à ce que les choses changent. Dans un système, il faut distinguer ceux qui sont en faveur du changement d'avec les autres, à savoir les curieux ou encore ceux qui croient qu'ils n'ont pas le choix. Il faut donc éviter d'investir des énergies avec ceux dont on sait au départ qu'ils ne veulent rien changer ou qui sont satisfaits de la situation. Mieux vaut investir avec ceux qui veulent modifier quelque chose. Appliquons ici les principes du judo : servons-nous des forces du système plutôt que de nous attaquer à ses résistances.

- Puisque tous les acteurs ont de l'influence sur la dynamique du système, il n'est pas nécessaire de mobiliser tout le monde pour que le système change. Travaillez avec ceux qui veulent s'impliquer. Laissez tomber les autres car ils vont nécessairement changer si ceux que vous identifiez comme les moteurs conscients de la situation changent.

- Face à tout projet de changement, il y aura toujours des pour et des contre. Le fait de bien identifier les porteurs de changement et leurs alliés naturels s'avérera d'une aide précieuse.

- Lorsqu'un système est en changement, il y a toujours une remise en question de la légitimité du pouvoir. Le pouvoir, ce n'est pas quelque chose que l'on possède une fois pour toutes. C'est le résultat d'un contrat implicite entre les membres d'un groupe. Ce contrat demeurera valable dans la mesure où le contact entre les leaders et les membres demeurera vivant. D'où l'importance d'associer les leaders du système à l'intervention que vous menez auprès de ce dernier.

2. Découvrir les règles de fonctionnement du système

Pour découvrir les règles de fonctionnement du système que l'on veut influencer, il faut se souvenir que :

• Les valeurs d'un milieu imposent à celui-ci des règles interactionnelles que l'on peut appeler ici les règles du jeu.

• Ces règles économisent l'énergie des membres, elles sont donc utiles. Elles constituent le pilote automatique qui conduit le système et permet de satisfaire les besoins de ses membres sans que ceux-ci aient à y réfléchir constamment.

• Ces règles ou normes peuvent être détectées en observant, lors d'un incident dans la vie du système, les comportements stéréotypés et répétitifs qu'elles commandent.

• Il y a un problème dans un système quand les règles interactionnelles ne permettent plus à certains membres de satisfaire leurs besoins et qu'ils ne savent pas comment changer ces règles.

• Les règles comportementales d'un système humain sont le résultat d'un contrat implicite entre ses membres. Pour changer ces règles du jeu, il faut les renégocier ouvertement avec les membres qui réclament le changement car ce sont eux qui vont introduire le changement.

3. Mobiliser le système à changer

• Tout système cherche à se maintenir en équilibre. Même si cet équilibre est dynamique, les forces qui poussent le système à changer se butent à des résistances qu'il doit vaincre s'il veut évoluer.

• Les blocages qui surgissent au cours de l'évolution normale d'un système sont causés par des besoins non satisfaits et des peurs inconscientes. Lorsque les règles implicites sont dysfonctionnelles, elles protègent donc certains membres contre le risque de satisfaire leurs besoins de façon consciente et ouverte. Il faut être capable de voir, au-delà des peurs inconscientes, les vrais besoins des gens pour les aider, sans les juger, à imaginer des façons plus efficaces de faire les choses.

- Pour changer, les membres du système doivent avoir une perception suffisamment positive d'eux-mêmes pour croire en leur capacité de réussir. Il est donc de première importance de s'appuyer sur les forces que le système se reconnaît pour envisager les changements qui s'imposent.

- Le moteur du changement, ce sont nos souffrances et nos aspirations. Pour mobiliser le système, il est donc important que celui-ci puisse entrevoir les conséquences positives et négatives du statu quo comme du changement. Évaluer le risque, c'est important.

- Connaître, c'est agir. Donc, si je veux que le système change, je dois le pousser à agir et non seulement à réfléchir.

- La solution à un problème réside très souvent à l'autre bout de toutes les solutions tentées jusqu'ici. Les règles de fonctionnement d'un système lui interdisent souvent de chercher des solutions à ses difficultés en dehors des sentiers battus. C'est la modification des règles du jeu qui permettra des solutions originales et efficaces.

4. Planifier et gérer le changement

- Les prescriptions de changement doivent être faites dans le langage du client.

- La connaissance ne modifie pas le comportement. Il ne faut donc pas mettre d'effort exagéré pour que tout le monde comprenne ce qui se passe. La plupart des gens ne comprennent que dans l'action.

- Tout changement, dans un système humain, est précédé d'une période de confusion. Cette période est nécessaire pour permettre au système de se détacher de ses anciennes façons de faire et d'adhérer ainsi graduellement aux nouvelles visions. Il faut donc manifester de la tolérance pendant la période qui précède l'intégration des changements et prévoir des mécanismes qui supporteront ceux qui veulent changer dans l'action quotidienne : formation, rencontres de suivi, etc.

- Le programme que l'on propose doit être positif. Il faut éviter les interdictions, les négations. Par exemple, dans un groupe qui rejette ses nouveaux membres, on proposera comme règle, non pas de cesser toute manifestation de rejet à l'endroit des nouveaux, mais plutôt de célébrer chaque fois l'arrivée du nouveau membre.

- Le programme doit établir clairement les actions nouvelles à poser. Ces actions doivent proposer un nouvel équilibre et clarifier hors de tout doute les nouvelles règles du jeu, les nouvelles normes.

- Il faut proposer des changements mineurs, mais qui auront beaucoup d'impact, parce qu'ils changent une règle du système. Ce qui compte, c'est d'effectuer un petit changement de trajectoire qui, à la longue, produira un changement majeur de course.

- Évitez également que le système ne se mobilise contre vous en défendant un acteur du système en particulier.

La démarche à quatre temps que je vous présente ici n'est pas une programmation d'ordinateur qu'il faut suivre à la lettre pour en obtenir des résultats. C'est plutôt un guide qui peut vous aider à réfléchir sur votre vie quotidienne dans l'organisation afin de saisir les occasions de développement qui s'offrent à vous.

Gérer le quotidien, c'est loin d'être banal lorsqu'on a comme but d'aider les autres à poser des gestes qui les élèvent, qui leur permettent d'améliorer la qualité de leur

contribution, de vivre une vie plus consciente, plus responsable et plus utile. L'organisation devient alors, pour celui qui
a fait ce choix, un lieu de développement et d'épanouissement personnel autant que professionnel.

Le quotidien propose à chacun les défis qui lui
conviennent. Il faut cependant faire l'effort de s'arrêter pour
en saisir le sens et en extraire toutes les leçons. Sans cette
méditation quotidienne sur le sens des événements, il est
difficile d'en saisir le fil conducteur et d'influencer le présent
pour créer le futur de son choix.

Une bonne façon de garder contact avec le fil conducteur
du cheminement de l'entreprise, c'est de tenir un journal où
l'on note périodiquement les événements marquants de la vie
organisationnelle et les impressions qu'ils nous laissent.

Richard Boulanger :
le maître à bord mais serviteur
de son institution

Richard Boulanger
Directeur général
Centre de services sociaux du Bas du Fleuve
Rimouski

- considère que diriger des services publics, c'est se mettre au service des siens ;
- essaie de concilier le soulagement de la misère sociale grandissante de son milieu et la restriction des effectifs humains et des moyens financiers consentis à cette fin ;
- croit à l'importance d'un projet d'entreprise et travaille actuellement à l'établir dans son institution avec la collaboration des personnes concernées ;
- se soucie de ce que l'institution qu'il dirige remplisse adéquatement son rôle dans sa région.

La mer s'agite. Surviennent des ressacs qui menacent l'équilibre du navire. Coûte que coûte, il s'accroche au gouvernail... et connaît la solitude.

Éviter la dérive lui occasionne une dose certaine de souffrances. Ce bateau-école deviendra un lieu d'apprentissage sur lui-même et sur les autres. Sa nouvelle perception des choses l'amène à scruter l'horizon sous un autre éclairage.

Il hisse le pavillon aux couleurs chaudes et harmonieuses, gage d'une volonté de servir.

* * *

Revient à Rimouski, diplômé en sciences sociales de l'Université Laval. Il a 24 ans. Dès son arrivée, il est nommé cadre intermédiaire dans le réseau des affaires sociales. À l'époque, occuper ce poste suppose presque une vocation. Mais la motivation personnelle et l'esprit charitable seront peu à peu pris en charge par le système.

En attendant, il a le goût d'investir et de soutenir ce dévouement fantastique que manifestent les intervenants. Il y introduit cependant un peu plus de rigueur et de méthode. Deux ans et demi plus tard, il occupe un poste de cadre supérieur. Il n'a que 27 ans et devient « un peu plus administrateur de services sociaux que responsable d'activités de livraison de services ». Période fort intéressante, car « il y a toute la place voulue pour expérimenter les bonnes idées ».

Des initiatives possibles

Puis au sein de l'entreprise surgit une crise qui le propulse directeur général à 29 ans. « Ça prenait assurément de la naïveté pour se lancer dans cette aventure. Par contre, c'était fantastique, il y avait une place énorme pour la créativité et l'initiative. » Dans cet espace libre, il a le goût de faire des choses, d'expérimenter, d'entreprendre, d'organiser, de pousser. Bref, ça bouge.

Survient alors la découverte des kits de gestion : PPBS, budget base 0, etc. Grand enthousiasme pour ces nouvelles méthodes qui seront introduites dans l'organisation d'une façon assez mécanique. Mais, petite surprise, ces véhicules sophistiqués ne donnent pas nécessairement les résultats escomptés.

« Ces techniques savantes, complexes et mystérieuses, qu'on expérimente et qu'on introduit dans notre fonctionnement, font perdre l'intérêt, diminuent l'enthousiasme et le sentiment de compétence de nos gens. » Ce mouvement s'accélère avec la série de mesures d'austérité qui s'accentuent au début des années 80.

Nouveaux rôles à assumer

En même temps qu'il réduit ses budgets, le gouvernement demande d'absorber de nouvelles problématiques et d'assumer de nouveaux rôles. Un exemple : l'implantation de la loi de la protection de la jeunesse. « Ce fut une révolution dans le domaine des services sociaux. Auparavant, on intervenait avec le bon gré des clients ; avec cette nouvelle loi, on a un mandat d'État et on intervient d'autorité. »

Les intervenants qui ne sont pas formés à cette approche sont déroutés au départ mais, après une dizaine d'années d'expérience, « ils travaillent avec beaucoup de compétence. » Par cette mutation des rôles, s'amène une clientèle qui présente des problèmes plus graves.

Mandats modifiés, réduction des budgets et percée d'un syndicalisme ayant « une mentalité d'abondance ». « Très dure école, avouera Richard Boulanger, car, d'une convention à l'autre, il s'agit de dépasser le plus possible les bénéfices acquis à la convention précédente. »

Aussi prévoit-il que, dans la ligne d'évolution des prochaines années, « l'État attribuera des budgets globaux aux établissements en leur disant : « Voici ce qu'on peut vous consentir et voici les résultats attendus ; trouvez les moyens ! »

Cette situation, qui lui paraît extrêmement exigeante mais saine, est à son avis « une invitation à l'ensemble des gens du réseau à devenir plus entreprenants, à faire preuve d'imagination, de créativité, et à s'ouvrir davantage pour transiger avec les organismes bénévoles qui se multiplient dans la collectivité ».

L'autorité qui se transforme

Ces changements que subissent les CSS correspondent à l'évolution personnelle du directeur général du CSS du Bas du Fleuve. Les crises et les défis à répétition avec lesquels il doit vivre brisent « cette espèce de présomption de directeur général en autorité ».

Il voit aussi les limites de ce qu'il appelle « la volonté forte : utiliser sa force et sa détermination personnelles pour obtenir des résultats envers et contre tous, réussir et gagner des choses dans une dynamique où il y a des perdants. Tout ça a éclaté avec la série de revers que j'ai connus. » Il fait face à une suite de désillusions qui lui font réaliser qu'il n'est qu'un élément de la continuité, « qu'il se trouve dans cette entreprise à un moment précis et sera remplacé par d'autres gens ».

Pour traverser ces difficultés, il fait appel à une firme de conseillers pour l'aider, lui et l'entreprise, à franchir les obstacles. Il fait de nombreuses lectures sur la gestion « dans une perspective de compréhension de soi à travers cette activité de gestionnaire ». Il apprend, en outre, à utiliser ses ressources physiques, intellectuelles, émotives et spirituelles.

« Je considère mon travail de gestionnaire comme une école et une occasion de servir et de respecter la clientèle et le personnel dans leur évolution. »

Accompagner le mouvement

Collectivement, un projet d'entreprise est mis en chantier : énoncés, partages, échanges, consensus détermineront petit à petit les valeurs véritables qui doivent colorer leur intervention. Est-elle complaisante ? Reflète-t-elle une relation de grands frères un peu condescendants ?

L'idéal visé est d'aider les gens à vivre leurs épreuves, à développer leurs compétences, à assumer leurs responsabilités et à apprendre à travers leur démarche. Quant aux intervenants, ils pourront profiter d'un tel objectif pour évoluer sur les plans personnel et professionnel.

« Mais cette façon de voir, enchaîne Richard Boulanger, suppose beaucoup de maturité de la part de nos cadres et de nos employés. » Et lorsque cette vision prendra forme dans la réalité, « nos institutions sociales seront arrivées à un point fort intéressant dans leur évolution pour aider la population en difficulté ». Le but du gestionnaire est d'arriver progressivement à cela.

Retour en arrière : l'homme dans la tâche

Retour en arrière. Il constate qu'il a toujours travaillé fort, mais les événements s'enchaînaient facilement. Or, à partir de 1980, la situation change ; il vit plusieurs années d'adversité. Heureusement, il possède une oasis où il peut se ressourcer ; sa vie avec son épouse, ses enfants, ses amis lui permet de passer à travers les tensions qu'il rencontre au travail.

Cependant, par-dessus tout, il a besoin d'être en harmonie avec ses convictions et de respecter sa « commande intérieure ». « Si je n'agis pas selon mes convictions, je suis comme un arbre coupé de ses racines. » Le prix à payer, il le connaît bien.

D'autres illusions disparaissent. Il se croyait infatigable, mais il réalise qu'il ne l'est plus et qu'il ne l'a jamais été d'ailleurs. « Je ne veux plus jouer à l'autorité qui peut tout porter seule, sinon je vais finir par m'écrouler. » Aussi décide-t-il de se diriger plutôt vers un rôle de service : reconnaître les énergies en place, les faire bouger, faire la jonction entre elles, etc. Il veut donc accompagner le mouvement, le soutenir, le canaliser ; c'est une attitude qui diffère de celle qui veut « statuer de façon ultime ».

Puis sa vision comme directeur général continue de se transformer ; il constate jour après jour la puissance de l'intuition et lui donne dorénavant beaucoup de place. « Voir venir la vague, pressentir l'évolution des choses, l'aggravation des problèmes de la collectivité, les mouvements de l'État, et surtout pressentir les pas qu'il faut maintenant poser pour être véritablement utile. »

Il rêve, entre autres, de devenir assez vigilant pour être capable d'apprendre et de cheminer en dehors de la souffrance. « Dans ce sens, confie-t-il, le travail est pour moi un véritable laboratoire d'apprentissage du sens de la vie, de la souffrance, de la justice, de la liberté des autres. »

Il poursuit en disant que son travail de gestionnaire est aussi une occasion de faire son devoir de citoyen.

« Ainsi conçu, le travail mobilise les facultés intellectuelles, physiques et émotionnelles du gestionnaire, mais aussi, et de plus en plus, ses facultés spirituelles, plus subtiles et plus pénétrantes, par le biais de l'intuition qui se révèle progressivement comme une aide étonnamment efficace. »

Enfin, il réitère l'objectif de sa démarche : « développer mon intuition et ma capacité d'aller chercher la volonté et la créativité des gens afin de les canaliser pour servir dans la ligne de continuité de l'organisation ».

« C'est là probablement, conclut Richard Boulanger, l'élément le plus déterminant de mon apprentissage de la gestion au cours de toutes ces années. »

Claire Noël

Chapitre 3

La gestion stratégique

Diriger une entreprise dans le feu du quotidien, c'est plus que résoudre des problèmes et prendre des décisions que d'autres vont mettre en pratique. Une telle vision ne tient pas compte du processus formateur et profondément humain qu'implique le leadership. Diriger, c'est d'abord une activité pédagogique car, pour être efficace et en santé, toute communauté humaine, quelle qu'elle soit, doit, comme tout individu, continuer d'apprendre. Dès qu'une communauté humaine cesse d'apprendre, de se développer, c'est, à brève échéance, le démantèlement de cette communauté, la démotivation de ses troupes, sa mort sociale.

L'apprentissage ne saurait être uniquement l'accumulation de connaissances techniques. L'apprentissage véritable suppose également le développement moral, c'est-à-dire l'acquisition d'un savoir-être qui intensifie le lien entre l'homme et son environnement. Les communautés en santé véhiculent des valeurs qui donnent un sens profond à la vie. La Pureté, l'Amour et la Justice y représentent des idéaux auxquels chaque membre aspire. La quête du vrai, du beau, du bon et du juste y règle la vie de chacun. Peut-on imaginer ces organisations sans leaders véritables, sans sages qui, par leur exemple et leur savoir, montrent le chemin ? Évidemment non ! Il ne s'agit pas ici d'inscrire simplement dans la mission de l'entreprise les valeurs auxquelles on aspire. Encore faut-il qu'elles vivent dans le cœur de chacun. C'est là un apprentissage qui demande du courage et du temps.

Comment une communauté apprend-elle ? De la même manière qu'un individu, en vivant des expériences qui vont marquer son histoire et tremper sa conviction. Les expériences dont on n'apprend rien sont des sources de stress qui conduisent à la démobilisation générale, voire au « burn-out » des ressources les plus productives de l'organisation.

Une communauté humaine, tout comme un individu, se développe si elle peut avoir confiance dans ses possibilités et croire à un avenir. Le rôle du leader, dans ce contexte, consiste surtout à aider son organisation à tirer les leçons des expériences passées, à donner un sens au présent et à élaborer une vision stimulante du futur. Dans ce sens, être manager, c'est plus qu'une tâche à accomplir, c'est une vocation que l'on cultive parce qu'elle donne un sens à sa vie et qu'elle est utile aux autres.

Diriger un groupe, une organisation, implique donc qu'il faut animer la vie sociale de l'entreprise. Qu'est-ce à dire ? Le leader qui veut permettre à son milieu d'apprendre va permettre à son groupe de vivre un rythme où alternent des périodes d'activité intense et des périodes d'intériorité et de réflexion soutenue. Être attentif à ce rythme et le respecter est de première importance. Cela dépasse l'exercice du rôle que l'on confère traditionnellement au gestionnaire et met en évidence le talent d'éducateur qu'une telle fonction exige.

Les événements pédagogiques utiles à l'organisation sont généralement programmés autour du cycle de gestion. C'est lui qui bat le rythme de la vie organisationnelle. Le calendrier organisationnel est un outil aujourd'hui peu compris de beaucoup de gestionnaires parce qu'ils ont perdu le contact avec les rythmes de la nature. On ne comprend plus facilement qu'il y a un temps pour chaque chose. Le monde instantané dans lequel nous vivons s'accommode mal de la notion de développement qui implique nécessairement l'idée de cycle et nécessairement aussi celle de temps, de durée. On veut tout, tout de suite. Cette façon d'agir ne respecte pas les lois naturelles et nuit grandement au développement harmonieux des milieux de travail. C'est ainsi que, dans certaines organisations, on passe son temps à planifier des choses qu'on oublie de contrôler en bout de ligne parce qu'entre-temps on a été pris à réaliser autre chose.

On se précipite d'un exercice budgétaire à un autre sans se demander pourquoi il y a un temps pour planifier, un temps pour réaliser, un temps pour évaluer. On est projeté dans le temps organisationnel sans en saisir toute la valeur. Pourtant, chaque saison amène dans l'organisation une activité particulière et ponctue des événements qui ont une importance capitale pour l'entreprise.

Le cycle de gestion annuel

Toute organisation vit selon un cycle de gestion. Ce cycle suit à peu de choses près celui des saisons.

Le printemps, c'est la période des grands espoirs, la prise de contact avec les racines de la vie organisationnelle. Dans les organisations, c'est le temps des grandes concertations. On brasse la terre organisationnelle, on sème des idées nouvelles pour l'avenir. C'est le temps d'annoncer les grands changements d'orientation, de proposer de nouveaux horizons, de présenter nos visions du futur, de revoir le plan de développement à long terme de l'entreprise.

Puis vient l'été. On laisse pénétrer en soi les idées nouvelles qu'on vient de semer. L'été organisationnel est fait d'activités sereines comme celles d'une femme enceinte occupée à ses travaux. C'est une période de silence intérieur où on doit laisser agir les forces de la nature. De toute façon, l'année à ce moment-là est trop avancée pour qu'on puisse modifier significativement la récolte en cours.

L'automne apporte la récolte et, avec elle, l'évaluation des résultats de l'année écoulée et la concrétisation des objectifs de l'année qui s'en vient. C'est le temps de concrétiser, dans les objectifs de chacun, les orientations stratégiques de l'entreprise. C'est aussi le temps des récompenses et des félicitations pour les réalisations de l'année.

L'hiver, c'est le moment des études à plus long terme : marché, concurrence, organisation interne ; c'est le temps de revoir la mission de l'organisation, d'analyser les valeurs qui nous unissent et de réfléchir sur les règles qui régissent le comportement des membres de l'entreprise.

Ces grands moments de la vie organisationnelle auraient avantage à être soulignés de façon plus vivante. Dans une communauté en santé, la vie se rythme autour des fêtes. Dans nos organisations comme dans la société, on a beaucoup dépouillé la fête de son sens sacré. Lors de ces occasions, on n'arrive pas à imaginer autre chose qu'un « party » où on laisse aller trop souvent nos instincts les plus bas. La fête marque un passage, c'est-à-dire la séparation d'avec le passé et l'ouverture sur le futur. Les humains ont besoin de ces temps d'arrêt pour souligner le chemin parcouru et envisager l'avenir avec courage. Le rythme des fêtes, c'est le cœur de la société qui bat. Ces moments se préparent, se vivent et restent dans notre mémoire comme un rappel de l'idéal que l'on a choisi de vivre.

Diriger une organisation, un service, une section, un groupe de travail exige qu'on respecte non seulement les individus mais également la société qu'ils forment. Cette ouverture sur le groupe, ce souci du bien commun n'est pas très développé dans notre société où fleurissent, de façon encore trop anarchique, les droits et libertés individuels. Pourtant, il est difficile d'imaginer comment on peut développer une organisation saine sans cette vision écologique des choses et des êtres.

Un modèle de gestion stratégique

Animer le cycle de gestion de l'entreprise, c'est gérer de façon stratégique, c'est-à-dire gérer non seulement avec un objectif clair, mais selon une pédagogie qui permette aux clients et à l'ensemble du personnel de s'associer à la vie de l'organisation.

Gérer d'une façon stratégique suppose donc que l'on maintienne vivante dans l'organisation la tension formatrice qui existe entre la vision qu'on se fait du futur et les résultats actuels de l'organisation.

Si chaque situation, chaque moment significatif de la vie de nos organisations peut servir de prétexte à une démarche de développement de l'entreprise, le cycle de gestion en lui-même offre des occasions naturelles de restaurer et d'entretenir cette tension créatrice. Chaque année, il faut planifier, réaliser le plan et en évaluer les résultats. C'est autour de ce processus que l'on peut animer toute l'organisation le plus naturellement.

Gérer de façon stratégique, c'est être en mesure de répondre à tout moment à trois questions existentielles pour l'entreprise. Qui sommes-nous ? Où allons-nous ? Comment allons-nous nous y rendre ?

Pour ce faire, le présent modèle propose une démarche en trois temps :

Temps n°1 Élaborer un diagnostic de la situation actuelle de l'organisation.

Temps n°2 Proposer un projet à long terme pour l'entreprise (de 10 à 15 ans).

Temps n°3 Élaborer un plan de développement (de 3 à 5 ans).

Chaque temps du modèle se subdivise à son tour en trois sous-étapes pour former le modèle que voici :

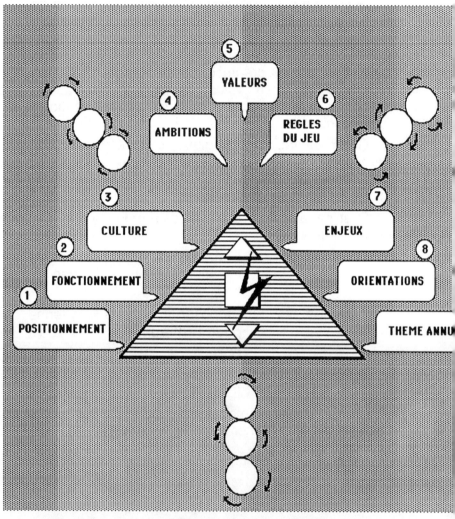

Fig. 3.3.1. Le modèle de gestion stratégique

Étape n° 1 *Élaborer un diagnostic de la situation actuelle*

La plupart des modèles de diagnostic de la situation d'une organisation décrivent l'état comparatif de l'entreprise dans son secteur d'activité. On y étudie l'environnement, la concurrence, le marché pour y établir le positionnement de l'entreprise. Très peu de modèles mettent en évidence les forces internes de l'organisation comme moteur de développement. Ce sont, ici comme dans bien d'autres domaines des sciences dites humaines, les facteurs externes qui sont à l'honneur. On nie l'intériorité des être humains et des communautés qu'ils forment. Pourtant, le développement d'un système humain ne saurait être influencé que par les forces de l'environnement. C'est plutôt la dynamique entre les forces internes et externes du système qui crée le développement.

Le modèle qui décrit la constitution de l'organisation et que nous avons présenté au chapitre 1 de la troisième partie de ce livre laisse pressentir qu'on ne se limitera pas uniquement à positionner l'entreprise dans son environnement. Chacun des éléments constitutifs du modèle décrit, dans une certaine mesure, un niveau de cause à la situation actuelle. On ne se limitera donc pas à l'analyse des *résultats* mais on étudiera également la *structure,* les *relations,* le *projet* existant et la *vision* qu'ont les membres du devenir de l'entreprise.

Se limiter à analyser des résultats et à les comparer avec ceux des concurrents dans le même secteur d'activité signifie que l'on va mener l'entreprise avec la seule perspective d'être meilleure (en termes de rentabilité financière) que les autres ; à toutes fins pratiques, on va plus réagir qu'agir.

L'étude des résultats nous donne le diagnostic de *positionnement*. L'étude des structures et des relations nous révèle le diagnostic de *fonctionnement* et l'analyse du projet et de la vision du futur des membres de l'entreprise nous permet d'établir le diagnostic de la *culture* de l'organisation.

Ce diagnostic à trois niveaux fait l'originalité de notre modèle. Il permet de comprendre et d'intervenir plus efficacement sur les causes réelles des résultats de l'entreprise. Comprendre réellement le fonctionnement de son entreprise, c'est se sortir du modèle purement compétitif et se donner par le fait même une liberté à partir de laquelle on peut susciter l'engagement du personnel.

Je me souviens de ce président d'entreprise qui, après avoir expérimenté un tel diagnostic avec son comité de direction, me disait : « Avant, je faisais comme tout le monde ; je planifiais mon année, je me fixais des objectifs en termes de vente et de profit et j'essayais de les atteindre. Maintenant, je sais pourquoi il faut que je planifie et ce que je dois ajouter à mes objectifs de vente et de profit pour que ça marche. J'ai redécouvert les valeurs de l'entreprise et, en acceptant d'en faire consciemment mon crédo, j'ai redonné un sens à ma vie de gestionnaire et j'ai permis à mes collaborateurs et au personnel de comprendre leur utilité dans l'organisation. Nous avons retrouvé la joie de travailler ensemble. »

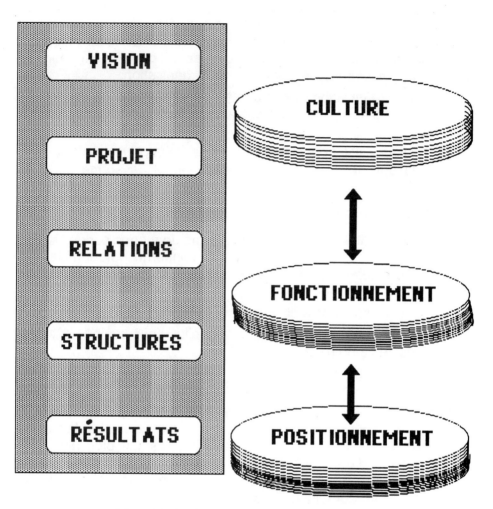

Fig. 3.3.2. Les niveaux de diagnostic

Ce modèle de gestion stratégique s'appuie sur un certain nombre d'hypothèses de travail qu'il est maintenant utile de présenter afin de permettre une meilleure compréhension de son fonctionnement.

1. L'efficacité d'une organisation dépend de la qualité de son intégration interne et externe.

2. On peut expliquer les résultats d'une organisation à partir de n'importe quel niveau de sa constitution.

3. La cause ultime des phénomènes et des événements est une forme-pensée (les idées créent le monde !). La vision consciente ou inconsciente qu'on se fait du futur est donc déterminante pour l'évolution de l'organisation.

4. Une organisation évolue à partir de sa capacité de donner un sens aux feedbacks constants de l'environnement.

5. Plus la vision sera claire, plus les décisions et les règles du jeu seront claires et partagées, plus le système sera efficace.

Étape n° 2 *Proposer un projet à long terme*

De quoi s'agit-il ? Le projet à long terme dont nous parlons ici est une démarche permanente qui concerne personnellement tous les membres de l'organisation et qui précise trois questions fondamentales :

1. Quelles sont nos ambitions pour l'avenir ?

2. Quelles sont les valeurs sur lesquelles nous voulons bâtir ensemble notre futur ?

3. Quelles sont les règles du jeu que nous entendons respecter pour réaliser nos ambitions ?

C'est nécessairement un projet à long terme puisqu'il doit servir à guider l'entreprise et à donner un sens à toute la vie de l'organisation. Tout bien considéré, il s'agit plus d'une démarche, d'un processus que d'un projet défini avec un début et une fin. Il faut que ce projet devienne une démarche permanente, donc intégrée au cycle annuel de gestion, pour maintenir vivantes, dans l'organisation, les aspirations profondes de l'entreprise.

Ces aspirations ne décriront pas uniquement des ambitions économiques. Elles se concrétiseront autour d'idéaux qui font la fierté de ceux qui travaillent dans l'entreprise, par exemple la compétence technique des ressources humaines, la qualité du produit, l'utilité sociale du service, la qualité du milieu de travail, le souci du client, etc.

La lecture du projet d'entreprise laissera plutôt indifférente la personne extérieure à celui-ci tant qu'elle ne constatera pas l'enthousiasme des employés pour ce projet. Si elle pose les bonnes questions, elle découvrira que, dans le processus d'élaboration des ambitions, des valeurs et des règles du jeu du projet, les employés ont été consultés et que, de cette façon, ce projet est devenu le leur.

Voici les critères d'évaluation de la qualité d'un projet d'entreprise :

1. Un projet qui mobilise une proportion importante des ressources de l'entreprise ;
2. Un projet dont les conséquences sont primordiales pour l'avenir de l'entreprise ;
3. Un projet qui nécessite des changements majeurs d'attitude et de comportement ;
4. Un projet qui implique la mise en valeur de nouvelles habiletés ou de nouvelles technologies ;
5. Un projet qui change l'image que projette l'organisation dans le public ;
6. Un projet qui exclut des possibilités ;
7. Un projet dont les résultats se manifesteront surtout à long terme ;
8. Un projet qui crée de la discussion entre les décideurs ;
9. Un projet qui affecte les opérations courantes de façon majeure ;
10. Un projet qui traite d'une situation qu'on traîne depuis longtemps ;
11. Un projet qui implique un risque ;
12. Un projet innovateur qui apporte une contribution distinctive dans l'industrie.

Un tel projet représentera la vision d'un avenir auquel la majorité des employés aspire. Il s'agit d'un idéal noble qui transcende les dimensions purement matérielles de la vie en entreprise.

Pour être crédible, il devra de plus être en ligne avec l'historique de développement de l'organisation. En effet, un projet qui nierait toutes les habiletés développées dans l'entreprise depuis ses débuts n'obtiendrait pas l'assentiment du personnel et n'aurait d'autre sort que de rester lettre morte et deviendrait un autre document inutile dans les archives de la compagnie !

Le projet d'entreprise laissera entrevoir des réalisations à court et à moyen termes. Il harnachera les énergies du personnel et unifiera les efforts de tous au-delà des différences de styles et de méthodes de travail.

À partir de cela, il devient évident que, pour faire évoluer une organisation, le meilleur moyen est de clarifier l'idéal que cette organisation poursuit. Dans l'entreprise, cet idéal stimulera les gens qui y croiront en plus d'attirer d'autres personnes.

La simplicité et la puissance du projet partagé s'expliquent simplement par la loi de l'attraction des affinités. En effet, les idées exercent un certain magnétisme et, si celles-ci correspondent à celles que nous entretenons nous-mêmes consciemment ou pas, elles auront un pouvoir évocateur qui nous mobilisera dans le sens de ce que nous croyons profondément. C'est comme si le projet véhiculé dans l'entreprise apportait un supplément de force aux idées qui sommeillent dans chaque employé. Il libérera par le fait même des énergies qui, en bout de ligne, feront de ces entreprises des entreprises gagnantes.

Un indice facilement observable de l'effet d'un projet partagé bien vivant est le fait qu'il attire les meilleures ressources de l'industrie. Une entreprise avec laquelle je travaille depuis quelques années a vu plus que doubler le nombre de demandes d'emplois fondées sur l'effet du projet d'entreprise dans le milieu. Nous observons, de plus, que ce sont les meilleures ressources des entreprises concurrentes qui nous donnent ce feedback. Intéressant, n'est-ce pas ?

Il n'est pas nécessaire que tous les membres de l'organisation aient une formulation identique de la vision du futur. Il est plus important que l'organisation s'engage dans un processus permanent de recherche et d'expression des visions de chacun, car ce processus va produire naturellement le consensus nécessaire à l'élaboration de ce projet à plus long terme et unifiera l'action de chacun. Le processus d'animation autour des visions du futur va aider l'entreprise à polir d'année en année son projet pour l'ajuster à l'évolution normale des choses. C'est ce qui compte !

Étape n° 3 *Élaborer un plan de développement*

L'analyse de la situation actuelle de l'entreprise et la formulation d'un projet à long terme pour l'organisation permettront l'élaboration d'un plan de développement sur une période de 3 à 5 ans. Ce plan sera révisé à chaque année comme d'ailleurs les autres étapes du modèle.

Le plan de développement comprendra la description des enjeux de l'entreprise et, pour chacun de ceux-ci, la description des orientations stratégiques qu'on veut se donner.

Pour en arriver à une meilleure compréhension de ces orientations, il faut s'assurer qu'elles intéressent tous les membres de l'organisation. La plupart des entreprises qui s'engagent dans ce qu'elles appellent la planification stratégique se donnent des orientations uniquement en termes de développement, oubliant que dans la vie quotidienne la majorité des employés consacre tous ses efforts à des activités déjà existantes.

Pour permettre à tous les employés de se reconnaître dans le plan stratégique, je suggère donc de définir ces orientations en trois catégories : les orientations de *dépassement,* de *développement* et de *maintien.*

Les orientations de *maintien* couvrent les activités courantes de l'entreprise.

Les orientations de *développement* couvrent les activités nouvelles pour lesquelles l'entreprise possède déjà les ressources et les compétences nécessaires.

Les orientations de *dépassement* couvrent, quant à elles, les activités nouvelles pour la réalisation desquelles l'entreprise doit développer des compétences nouvelles ou acquérir des ressources nouvelles.

Compte tenu des investissements relatifs que demandent ces trois catégories d'orientations, une bonne répartition des efforts stratégiques dans des conditions normales ressemble à ceci :

- 80 %   des efforts dans les orientations de *maintien* ;
- 15 %   des efforts dans les orientations de *développement* ;
- 5 %   des efforts dans les orientations de *dépassement*.

En plus de la description des enjeux et de la formulation des orientations stratégiques, l'élaboration du plan de développement comprendra *un thème annuel de progression*. En effet, ce thème sera utile tant pour le marketing interne du projet d'entreprise que pour le marketing externe de l'image de marque.

Pour transmettre efficacement le plan stratégique aux employés, on doit faire l'effort de le traduire dans un slogan publicitaire, car le thème annuel de progression a pour but justement de communiquer en peu de mots les valeurs de base du projet d'entreprise et des efforts planifiés pour le réaliser.

Les gestionnaires qui ne font pas partie du service de marketing éprouvent une certaine réserve à utiliser les outils de communication qu'offre la publicité. Cette dernière a pour beaucoup une connotation péjorative. Mais, si nous croyons à quelque chose, si nous avons des convictions, pourquoi n'utiliserions-nous pas des outils efficaces pour les faire connaître ?

Je me souviens d'une grande entreprise dans le domaine de l'assurance où nous avions mené un exercice de planification stratégique. Il y avait dans le groupe de cadres supérieurs présents des gestionnaires du département de marketing et de publicité. Nous avons travaillé trois jours avec le groupe et exploré différentes avenues afin de redéfinir le projet de l'entreprise. J'ai compris plus tard pourquoi les gestionnaires des ventes et du marketing étaient si enthou-siastes dans cette démarche. Quelques mois plus tard, ils avaient en effet organisé une nouvelle campagne publicitaire et avaient repris tous les éléments de la recherche que nous avions menée ensemble pour les utiliser dans la publicité externe destinée aux consommateurs. Je me suis longtemps demandé pourquoi on n'avait pas fait le même effort à l'interne.

La vision que nous nous donnons du futur, le projet d'entreprise, nos orientations de développement ont besoin d'être publicisés autant que la valeur de nos produits. Le personnel constitue un marché interne qu'on ne doit pas oublier si l'on veut réussir en affaires aujourd'hui.

C'est pourquoi, après chaque étape importante du modèle de gestion stratégique que nous vous présentons, nous indiquons symboliquement par des roues d'engrenage l'implication du personnel qui est nécessaire. La participation à l'élaboration du diagnostic, du projet d'entreprise et du plan de développement peut se faire en cascade dans les unités naturelles de participation, constituées du grand patron, du patron et des employés.

Habituellement, dans la grande entreprise, il y a trois ou quatre unités de participation : la première inclut le président, les vice-présidents et les directeurs ; la deuxième comprend un vice-président avec ses directeurs et ses chefs de divisions ; la troisième se compose d'un directeur, de ses chefs de divisions et de ses contremaîtres ; enfin, la dernière est constituée d'un chef de division, de ses contremaîtres et de ses employés. Pour mieux comprendre le fonctionnement des unités de participation, reportez-vous au chapitre 1 de la quatrième partie de ce livre intitulé « La gestion participative ».

De la reconnaissance sociale

Voir l'organisation comme un être vivant, animer le cyle de gestion annuel, se donner un projet commun et un plan de développement, voilà des attitudes importantes à développer pour diriger une entreprise. Cependant, c'est dans la vie de tous les jours que les beaux idéaux et les belles intentions subissent l'épreuve de la réalité.

Il y a un monde entre les valeurs que nous prêchons et celles qui guident effectivement nos gestes. Les employés ne jugent pas les gestionnaires sur ce qu'ils disent mais sur ce qu'ils font. Et cela se traduit dans les gestes de reconnaissance que les gestionnaires posent quotidiennement.

Sous prétexte d'un paternalisme dépassé, nos entreprises sont devenues aseptisées du point de vue social. Dans beaucoup d'entreprises, le sentiment d'appartenance est en baisse à plusieurs endroits parce que les chefs n'osent plus intervenir activement dans la vie sociale de l'entreprise.

Dans bien des cas, le syndicat a servi de prétexte aux dirigeants pour abandonner leurs responsabilités sociales. Puisqu'une institution s'occupe des conditions de travail des employés, pourquoi nous en préoccuperions-nous, disent-ils ? On ne se parle plus, ce n'est plus nécessaire ; on s'écrit plutôt des conventions collectives ! Les institutions se disputent mais les humains ne se rencontrent plus !

Le syndicat n'enlève pourtant rien à la responsabilité des dirigeants envers leurs employés. Un chef d'entreprise est totalement responsable de tout ce qui se passe dans son organisation comme l'est un chef syndical dans son syndicat. Le pouvoir s'accompagne nécessairement de responsabilités. On a trop tendance à opposer l'individu et la société comme si la société n'était pas constituée d'individus. Il serait grand temps d'écrire la charte des responsabilités sociales des individus envers la société et de restaurer la fonction de chef en tant que protecteur de la communauté.

Nous sommes tous responsables de la détérioration des conditions de vie de notre milieu de travail. Il est urgent que nos leaders entreprennent des actions pour « débureaucratiser » les rapports humains et restaurer l'équilibre entre ce que les individus donnent à la communauté et ce qu'ils en reçoivent. La communauté dans laquelle nous vivons est un bien précieux qu'il nous faut sauvegarder pour notre équilibre à tous.

Pour y arriver, les chefs doivent faire leur travail et, par leur exemple, faire respecter les valeurs qui cimentent la communauté dont ils sont responsables. Les humains ont besoin de chefs crédibles, pas de gens dont la seule préoccupation est d'écrire de beaux textes et de prononcer de brillants discours ; ils ont besoin de personnes dont les convictions se traduisent dans l'action.

Être présent dans l'entreprise, vivre avec les employés, connaître leurs préoccupations, leurs ambitions, leurs rêves, c'est important si l'on veut être en mesure de les diriger. Être présent, voilà ce qui importe. L'employé voit évidemment son chef d'équipe, son contremaître, mais il a besoin également d'un contact avec la direction, avec un grand patron. La sécurité psychologique d'un individu, dans un groupe, est conférée par la reconnaissance que le patron lui accorde. Vous avez tous des exemples de cela. Prenez quelques instants pour réfléchir aux employés difficiles que vous avez ou avez eus. Ne remarquez-vous pas qu'ils font tout pour attirer votre attention ?

Reconnaître les individus qui travaillent dans l'entreprise est de première importance si l'on veut bâtir le sentiment d'appartenance et rendre vivantes les valeurs que l'on a choisies. Chaque fois qu'on reconnaît quelqu'un pour un geste qu'il a posé, pour un travail qu'il a produit, on en fait un héros à ses yeux et aux yeux de ses collègues. Pour être en santé, la communauté humaine dans laquelle nous vivons a besoin de ces héros qui sont les exemples vivants de la cause que l'on défend.

Pour réhabiliter la reconnaissance comme outil de cohésion sociale, il nous faut redécouvrir le sens de la fête. Célébrer les objectifs atteints, la réussite d'un service, l'obtention d'un contrat important, le lancement d'un nouveau produit, d'un nouveau programme, d'un nouveau service. Les humains ont besoin, pour sentir qu'ils font partie d'une communauté, non seulement de travailler ensemble mais aussi de vivre ensemble, de souffrir, de réussir, de rire, de s'amuser, de chanter, de se recueillir ensemble. Les associations qui sont vraiment vivantes sont celles où les membres peuvent partager ce qu'ils vivent. Pensez aux nombreuses associations qui sollicitent votre adhésion. Quelles sont celles auxquelles vous vous sentez liés plus que par un intérêt d'affaires ? Ce sont celles où vous pouvez vivre ce que vous êtes et avoir un feedback personnalisé sur ce que vous vivez. Pourquoi nos entreprises ne seraient-elles pas ce type d'associations ?

Un patron a de nombreuses occasions d'établir un contact personnalisé avec ses employés. Le cycle normal de gestion et la supervision quotidienne du travail en fournissent à profusion.

Jean-Yves Sarazin :
le jeune sage

Jean-Yves Sarazin
Président-directeur général
Delstar Inc.
Montréal

- dirige l'entreprise familiale spécialisée dans la réparation de moteurs électriques ;
- pratique une gestion de contrôle à distance ;
- délègue la majorité de ses tâches administratives pour se consacrer aux clients et aux employés ;
- considère le développement des employés comme une priorité ;
- s'associe avec de petites entreprises qui veulent se développer à partir des mêmes valeurs.

Jeune loup de la nouvelle génération des p.d.g., moins coriace que le reste de la meute. Se détache de celle-ci et prend ses distances quant aux règles de la réussite à tout prix.

Affamé surtout de développement personnel. « Small is beautiful » lui convient. Fier de son ancien chef dont il suit les traces, il flaire cependant des pistes à sa mesure.

* * *

C'est un mordu des moteurs. « À 16 ans, il s'y intéresse déjà. Coïncidence ? L'entreprise familiale est spécialisée dans la réparation de moteurs électriques. Avide aussi de connaissances, il s'inscrit au cégep pour devenir ingénieur. Il veut savoir de quoi il parle même si son père l'assure qu'un tel diplôme n'est pas nécessaire. Au cégep, il rate deux cours au premier trimestre, premier obstacle et première décision à prendre.

« J'accepte difficilement les échecs. Et j'avais peur de décevoir mon père en laissant la physique. Je m'oriente alors en administration et lui annonce ma décision à son retour de vacances. » Il a une bonne réaction : « Tu travailles pour toi, c'est toi qui fais ta vie. »

Il aime beaucoup sa nouvelle orientation et tout se déroule bien. Ses emplois d'été chez Delstar se modifient et l'amènent au travail de bureau.

Un grand besoin de changement

L'entreprise, très à l'étroit, doit déménager. Son père lui délègue toute l'opération : achat du terrain, construction, recherche de financement. Il n'a que 20 ans. Un an plus tard, il fait ses premiers pas comme administrateur. Mais il n'occupe pas longtemps les mêmes postes dans l'entreprise familiale : « Ça me prend beaucoup de nouveau. »

Il achète de la machinerie usagée et met sur pied un atelier, mais pas pour y rester. Son frère, qui fait des études en médecine vétérinaire, prend une année sabbatique et se retrouve... en charge de l'atelier.

Jean-Yves Sarazin a les mains libres. La route l'attire, il connaît la vente de l'intérieur mais veut ajouter une autre facette à son éventail d'expériences. Des nuages viennent assombrir l'horizon de l'entreprise : retraite de l'associé de son père, transaction pour le rachat des actions, découverte, après enquête, de quatre cadres qui sont à mettre en place une compagnie concurrente, mise à pied de ceux-ci. Dans ce climat un peu perturbé, il faut rebâtir une autre équipe. Vient ensuite la crise économique.

Il part pour l'Abitibi chercher des contrats sans avoir établi aucun contact préalable. Il travaille le soir, la nuit, les fins de semaine. « Cette période m'a permis d'acquérir beaucoup de connaissances techniques. Je ne suis pas ingénieur mais, en ce qui a trait aux moteurs, je peux faire un très bon bout. Et ça me rassure. »

Il a 33 ans, possède déjà un sérieux bagage d'expérience et de connaissances, mais il commence à ressentir la monotonie. La bougeotte le reprend. « Il fallait que je trouve où je voulais et où je devais aller. » Point tournant pour lui et pour l'entreprise. « La compagnie allait bien mais pas moi. Comme directeur, je savais qu'en étant bloqué je la bloquerais. Par contre, en me retirant, mon départ risquait aussi de freiner son développement ainsi que celui des employés. »

À un moment donné, il envisage de se diriger vers des domaines entièrement inconnus.

Il bouge... sur place

Il veut former un conseil d'administration pour l'aider à trouver une direction à la compagnie. Cette fois-ci, son père lui donne son accord. Jean-Yves Sarazin réalise alors que le seul endroit où il n'avait pas regardé, c'était chez lui, dans son domaine. Il lui revient en mémoire un principe de gestion qui dit : « Reste dans ce que tu connais. » De plus, « j'aimais ce que je faisais, les relations avec les employés étaient bonnes, mais je me sentais pris et ne savais plus où aller ».

La première réunion du conseil se tient. Il cherche en vain l'aide espérée, car les membres concluent : « C'est à toi de trouver la direction. » Il veut de l'action, il en aura. Trois mois plus tard, il s'inscrit à un cours sur la planification stratégique. L'approche le fascine. « Tout à coup, je découvre que tout le monde chez nous courait partout parce qu'on n'avait pas de direction. J'ai eu l'impression que, si je ne réagissais pas, tous craqueraient d'ici cinq ans, et moi aussi. »

Durant deux mois, il s'enferme dans son bureau. Le conseil lui recommande de s'adjoindre une personne ressource au cas où... Il connaît Gilles Charest qu'il a rencontré lors du séminaire et l'engage comme conseiller.

À l'interne, il choisit sept personnes pour l'aider. Ce travail d'équipe est exigeant pour tous, mais il découvre en plus qu'il doit agir comme animateur. « Je m'aperçois que, lorsque je suis bloqué, l'équipe ne peut avancer. Je dois donc trouver où je veux aller. »

L'être humain d'abord

Deux volumes l'éclairent. Il prend conscience de ses valeurs intérieures, du prix à payer pour les respecter et, du même coup, il acquiert plus de confiance en lui. « Je savais alors où j'allais et je découvrais que je suis quelqu'un qui recherche l'excellence et qui veut se développer continuellement. »

Il se souvient qu'il avait 16 ans lorsque son père lui a dit : « Dans une compagnie, il y a 5 pour cent d'aspect technique et 95 pour cent d'aspect humain. » Cette proportion, il la juge intéressante mais difficile à vivre dans la réalité quotidienne. « C'est tellement facile avec la machinerie. Elle brise, tu fais venir un technicien, il la répare, tu paies la note et c'est réglé. » Ironiquement, chez Delstar, ce sont les hommes qui réparent les machines.

Mais lorsque l'être humain, l'employé vit des problèmes, la réalité devient plus complexe. Il admet que les patrons ne sont pas les seuls à avoir des difficultés personnelles. Il se remémore son divorce ; ce fut un choc. Il l'a ressenti comme un échec et a dû faire face aux remous inévitables que cet événement a entraînés dans l'entreprise. Il sait maintenant que, lorsque des employés connaîtront des expériences semblables, il pourra les comprendre.

Une recherche complémentaire

Il continue sa réflexion et découvre que le plus beau cadeau que son père lui a légué, ce n'est pas la segmentation de marchés mais l'enseignement de principes humanistes. À deux reprises, son père se retire mais, à la demande de Jean-Yves, il revient lui apporter son aide et ses conseils pour quitter définitivement l'entreprise en 1984. « Il s'est retiré pour me permettre de me développer ; s'il restait, il me bloquait. »

Il éprouve une très grande estime pour son père, « très bon professeur, exigeant, sévère même, qui n'acceptait pas les demi-mesures. Les employés l'aimaient parce qu'ils apprenaient et se développaient grâce à lui. Avec moi, il était deux fois plus exigeant. Il a toujours courtisé l'excellence. »

Considéré marginal et même un peu missionnaire parce qu'il ne recherche pas d'abord le côté monétaire, Jean-Yves rêve de se retirer à 50 ans mais en demeurant actif. « Je voudrais aider les gens en me servant de ce que j'aurai appris de la vie, assister à des conseils d'administration, remplacer les gens en vacances, être disponible lorsqu'il y aura des problèmes spéciaux, etc. »

Il tient compte aussi des rêves de ses employés et leur demande de mettre leurs ambitions par écrit. « Ils sont réalistes et conscients des étapes à franchir. Lorsqu'un poste s'ouvre, au lieu d'aller à l'extérieur, je l'offre d'abord à l'employé qui a exprimé la volonté de faire ce travail. » Il concentre maintenant ses énergies pour bien servir ses clients, s'occuper de ses employés et développer des relations encore meilleures avec eux.

La recherche de l'excellence exige un prix assez élevé. Et tout seul, « un homme peut peut-être l'atteindre mais avec plus de difficulté ». Ici intervient le principe fondamental « qu'on a toujours besoin de quelqu'un pour nous compléter ». Il reconnaît que sa mère a joué un rôle important et que sa compagne tient une place prépondérante dans sa vie.

Être p.d.g. à 35 ans n'a rien d'extraordinaire. « L'âge, dit-il, ne compte pas tellement parce que j'aurai peut-être une échéance de vie plus courte que d'autres. L'âge n'a pas d'importance. Ce qui compte, c'est de faire ce qu'on doit faire. »

Claire Noël

Quatrième partie

Réflexions

Chapitre 1

La gestion participative

La gestion participative n'est pas une technique ni un programme ; c'est plutôt une façon de vivre, la seule en définitive qui permette à l'être humain de se réaliser pleinement au travail.

La participation, facteur d'efficacité

Hier, on pouvait considérer la participation comme une mode fantaisiste ou une activité de luxe. Aujourd'hui, dans nos entreprises en rapide évolution technologique, structurelle et humaine, développer des expériences positives de participation est devenu une question de survie. Pourquoi ?

Le problème

Pour répondre à la question, il nous faut revenir à la définition même du mot participation. Le dictionnaire Larousse donne du verbe *participer* le sens suivant : *avoir part, collaborer, s'associer.* Cette définition renvoie à l'essence même de ce qu'est une entreprise : une association de personnes qui collaborent à un projet dans le but de satisfaire leurs besoins et ceux de leurs clients.

La participation est à la vie sociale ce que la respiration est à la vie physiologique. Elle répond à des besoins fondamentaux de l'être humain. Pour survivre, l'homme a besoin de la société. Il a besoin d'appartenir à une famille, de s'identifier à un groupe quelconque parce que l'être humain est essentiellement un être social. Il a non seulement besoin d'être accepté dans un groupe, mais il a également besoin d'y être reconnu comme un membre important par l'utilité de sa contribution.

Dans une organisation, lorsque la participation diminue, des besoins fondamentaux sont réprimés et c'est tout le corps social de l'entreprise qui en souffre. Les maux qui en découlent s'appellent aliénation, isolement, impuissance. Pour comprendre cela, il suffit de revenir à l'essence même de l'organisation. Au fait, qu'est-ce qu'une organisation ? Essentiellement toute entreprise naît d'une idée, d'un *projet* autour duquel les gens s'associent. Ce projet donne aux associés de l'entreprise une cause, une identité et une façon commune de penser. Outre un projet, une organisation est également un *réseau de relations* qui permet à ses membres de sentir ce qui se passe à l'intérieur et à l'extérieur de l'entreprise. Enfin, c'est aussi une *structure* qui organise les contributions de chacun et permet une action coordonnée et efficace de tous.

Si aujourd'hui nos employés ne participent plus, c'est bien souvent parce qu'on ne leur propose plus de projets susceptibles de les rallier. Il n'ont plus de cause à laquelle ils seraient prêts à se vouer corps et âme. Le travail est devenu aliénant. Sans projet et sans cause commune, les relations entre individus se relâchent, chacun s'isole dans son petit confort individuel. L'isolement engendre la sclérose des structures de participation et, conséquemment, l'impuissance collective.

ORGANISATION	POURQUOI	PROBLEMES
UNE IDÉE COMMUNE	PENSER	ALIÉNATION
DES RELATIONS	SENTIR	ISOLEMENT
UNE STRUCTURE	AGIR	IMPUISSANCE

Fig. 4.1.1. Comparaison organisation / personne

On le sait, les résultats en sont désastreux pour l'efficacité de l'entreprise. Une enquête du Public Agenda Forum (Bennis et Nanus, 1985) auprès de la population active non-cadre des États-Unis révélait récemment que :

- moins de 25 p. 100 des personnes qui ont un emploi reconnaissent qu'elles travaillent normalement à leur plein potentiel ;
- la moitié avoue ne pas faire d'effort dans son travail au-delà de ce qui est nécessaire pour le conserver ;
- 75 p. 100 des personnes affirment qu'elles pourraient être plus efficaces ;
- 60 p. 100 considèrent qu'elles travaillent moins qu'avant.

À la racine du problème

Comment en est-on arrivé là ? Pourquoi nos managers occidentaux éprouvent-ils tant de difficulté à mobiliser leurs employés autour de projets communs ? Pour expliquer cela, considérons une hypothèse, celle de l'évolution culturelle.

Nous vivons dans une culture où les rapports entre les générations continuent de se durcir. Si nous entretenons plus facilement un lien significatif avec nos parents, par contre nos grands-parents sont de moins en moins présents dans la vie de nos familles. Cette disparition des aïeuls a entraîné la disparition d'un rôle social très important, celui des aînés.

Dans la famille traditionnelle, ce sont les grands-parents qui véhiculent les valeurs, le projet collectif. Ce sont eux qui, par leur présence, offrent des témoignages vivants du sens à donner à l'action quotidienne. Leur disparition consacre, à mon avis, l'éclatement de nos familles et la désintégration sociale.

La disparition d'un rôle aussi important n'est pas sans affecter d'autres formes d'organisation sociale. La conséquence pour nos entreprises de ce phénomène, c'est l'incompréhension grandissante du rôle de grand patron.

Lorsqu'ils pensent à développer la participation dans leurs unités, la plupart des gestionnaires auront immédiatement le réflexe d'amorcer des actions auprès de leurs subordonnés immédiats. Très peu penseront à s'adresser à leur propre patron ou aux employés de leurs subordonnés. Pourquoi ? Parce que la plupart des gestionnaires n'ont pas appris le rôle de grand-parent dans leur famille. Ils ont, par conséquent, beaucoup de difficulté à le reconnaître et à le transposer dans l'entreprise. D'ailleurs, la mise à la retraite anticipée des travailleurs plus âgés est un autre phénomène qui reflète bien cette incompréhension du rôle des aînés.

Dans les entreprises où l'on se plaint de la démobilisation des travailleurs, les liens entre les niveaux hiérarchiques sont toujours relâchés et les grands patrons souffrent d'un manque de contact évident avec la base. Ils s'en plaignent parfois à leurs conseillers, en accusant leurs cadres intermédiaires d'incapacité quand ce n'est pas d'incompétence à véhiculer leurs orientations auprès des employés.

Si l'on veut faire participer davantage le personnel au devenir de l'organisation, il faut réapprendre la concertation à trois : grand patron, patron, employé. Chaque patron doit non seulement apprendre à s'allier ses employés, mais il doit également apprendre à inclure son supérieur à la vie de son équipe et à s'associer lui-même à la vie des équipes de ses subordonnés.

L'organisation, lieu de participation

Avec la disparition des grandes familles, l'organisation se voit confier un rôle d'intégration sociale de plus en plus grand. L'être humain aura toujours besoin de s'identifier à un groupe social. L'entreprise qui comprend aujourd'hui ce besoin est en mesure de canaliser l'énergie de son personnel avec beaucoup plus de succès.

L'unité de participation

Contrairement à notre réflexe naturel, il nous faut concevoir la composition d'une unité de participation en y intégrant le grand patron.

Fig. 4.1.2. Une unité de participation

Par analogie avec les grands-parents d'une famille, il est parfaitement légitime que le grand patron entretienne des contacts avec les employés de ses subordonnés. C'est même son devoir en tant que grand patron de l'entreprise. Le principe de la ligne hiérarchique (pas de *by-pass*) mal compris conduit trop souvent à l'exclusion du grand patron de la vie des équipes de ses subordonnés. C'est ce qui, d'une part, prive les équipes de la vision et des valeurs qui sous-tendent leurs actions dans la vie quotidienne et ce qui, d'autre part, coupe les cadres supérieurs de l'action.

De plus, le contact des employés avec leur grand patron permet de gérer l'informel. Pour animer efficacement un milieu social, il est très important de gérer les relations informelles. La ligne officielle de pouvoir n'est jamais suffisante pour permettre des communications saines de haut en bas de la pyramide.

Le gestionnaire participatif est celui qui encourage ses employés à parler librement avec son propre patron et qui gère l'impact de cette règle de conduite avec les deux niveaux concernés.

Les niveaux de gestion et la participation

Il y a une illusion fort répandue qui veut que participation soit synonyme d'organisation sans structure d'autorité. Au fait, c'est plutôt le contraire ; sans structure d'autorité, il ne peut y avoir de participation efficace. Pour que la participation donne des résultats, il faut que chacun, comme dans un orchestre, joue le rôle qui lui est assigné. Si le grand patron écrit l'œuvre, le patron, quant à lui, la dirige et les employés l'exécutent. Cependant, tous vibrent à la même inspiration, ce qui implique que la structure d'autorité n'est en rien une structure de domination, mais bien plutôt un arrangement des contributions. Pour que la participation donne des fruits, il faut que les niveaux supérieurs de gestion soient en fait au service les uns des autres et, ultimement, au service de la cause que tous partagent. Certains élaborent des stratégies, d'autres choisissent des tactiques et d'autres enfin exécutent les actions planifiées. C'est là un arrangement tout à fait naturel.

La participation veut que ces trois niveaux de gestion soient intégrés, c'est-à-dire que tous y collaborent avec des dominantes à un niveau de gestion donné selon les rôles qui leur sont assignés.

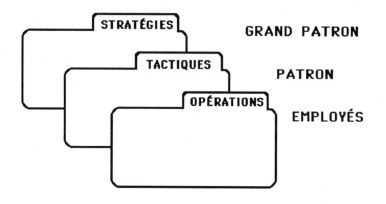

Fig. 4.1.3. Intégration des niveaux de gestion

La participation reste vivante dans une organisation lorsque chaque niveau de gestion accomplit son travail. Le niveau stratégique donne les grandes orientations, le niveau tactique élabore les projets qui vont concrétiser les orientations et enfin le niveau opérationnel réalise les mandats que les projets exigent.

Le développement de l'organisation et l'intégration des niveaux de gestion

À chaque étape importante de son développement, la structure d'une organisation change, les rapports entre les différents niveaux de gestion se modifient. Au lancement de l'entreprise, les trois niveaux de gestion sont parfaitement intégrés puisqu'ils sont incarnés souvent dans la même personne : le pionnier. Lorsque l'entreprise grandit et qu'elle s'adjoint des spécialistes, la structure de pouvoir est automatiquement ébranlée. Les trois niveaux de gestion ont alors tendance à se différencier et, plus souvent qu'autrement, à entrer en conflit. Ce n'est qu'à une étape ultérieure de son développement que l'entreprise résoudra ce conflit et que les trois niveaux de gestion pourront à nouveau être intégrés. Chaque passage occasionne une crise plus ou moins importante selon la capacité qu'ont les membres de l'organisation de la gérer. Chaque fois que l'un des niveaux de gestion est menacé, la participation des membres à la vie de l'entreprise diminue.

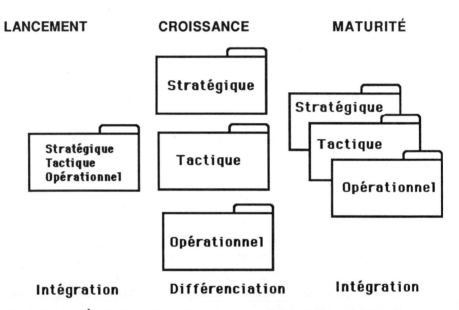

LANCEMENT　　　　**CROISSANCE**　　　　**MATURITÉ**

Intégration　　　　Différenciation　　　　Intégration

Fig. 4.1.4. Évolution des niveaux de gestion dans le temps

L'érosion des rôles et la participation

Chaque fois qu'un niveau hiérarchique veut dominer au détriment des deux autres, cela entraîne des problèmes importants au niveau de l'unité de participation. Les gens sont chaque fois victimes de tyrannie : la tyrannie des activités lorsque l'opérationnel domine, la tyrannie des règlements lorsque le tactique domine et la tyrannie des principes lorsque le stratégique domine. Chaque fois, on assiste à l'érosion de deux rôles hiérarchiques au profit du troisième.

Fig. 4.1.5. L'érosion des rôles

La participation est à son meilleur, il va sans dire, lorsqu'il existe un équilibre relatif entre les trois niveaux de gestion.

Style de management et participation

Le pouvoir stratégique s'exerce surtout par les valeurs que les orientations véhiculent. Le pouvoir tactique s'exerce par les règles du jeu que le patron négocie. Le pouvoir opérationnel s'exerce à travers la réalisation des tâches.

NIVEAU DE GESTION	ROLE	SOURCE DE POUVOIR
STRATÉGIQUE	ORIENTE	VALEURS
TACTIQUE	DIRIGE	REGLES
OPÉRATIONNEL	RÉALISE	TACHES

Fig. 4.1.6. Rôle et pouvoir des niveaux de gestion

Ces trois types de pouvoir commandent des styles de management différents. On n'impose pas des valeurs, on ne les négocie pas non plus. On anime le milieu pour que le bien-fondé des valeurs que l'on met de l'avant soit reconnu. Par ailleurs, on négocie les règles du jeu. Les règles n'ont de valeur et ne seront reconnues que si elles sont perçues comme un moyen de faciliter l'exercice de la justice entre les acteurs sociaux, donc si elles sont négociées implicitement ou explicitement. Finalement, au niveau opérationnel, comme la marge de manœuvre est habituellement plus restreinte, les tâches, une fois établies, deviennent des données qu'il faut respecter. Le style qui convient à cette situation est par conséquent plus directif, ce qui n'empêche en rien la participation des ouvriers à l'élaboration de leurs tâches et à leur amélioration constante. Cependant, une fois celles-ci arrêtées, elles deviennent, pour un certain temps, des guides d'action à respecter.

Chaque niveau de gestion fournit un élément indispensable à une saine participation. Le niveau stratégique donne la vision autour de laquelle les membres peuvent se rallier. Le niveau tactique gère les interactions entre les membres de l'organisation tout en développant les systèmes et les règles appropriés. Le niveau opérationnel concrétise la participation des membres dans ses résultats les plus visibles : les biens et les services.

NIVEAU DE GESTION	STYLE DE GESTION	RÉSULTAT
STRATÉGIQUE	ANIMÉ	UNE VISION
TACTIQUE	NÉGOCIÉ	UN SYSTEME
OPÉRATIONNEL	IMPOSÉ	DES TACHES

Fig. 4.1.7. Styles de gestion

Contrairement à ce que l'on pense habituellement, la participation des membres à la vie de l'organisation n'exige pas un style de gestion en particulier mais plutôt une intégration harmonieuse des trois styles de gestion.

L'organisation est un système social en évolution. Pour maintenir sa cohésion et se développer, la participation des membres à la vie de l'entreprise doit être gérée. L'analogie de la grande famille à laquelle nous nous référions nous fournit un modèle utile, simple et facile d'accès.

Participer, c'est s'engager

L'efficacité d'une organisation augmente avec l'intérêt et l'implication du personnel dans son travail. Les premières expériences en sciences sociales effectuées à la Western Electric, à Hawthorne, en Illinois, ont largement démontré que l'implication des travailleurs est fonction du degré d'intérêt que la direction accorde à leur travail et conséquemment du sentiment d'utilité qu'éprouvent les travailleurs face à leur travail. Toutes sortes de formules ont été tentées depuis ce temps pour convaincre les dirigeants de cette simple réalité. Les programmes qui ont été mis de l'avant se sont trop souvent résumés, hélas, à des encouragements sans grande conviction. Aujourd'hui, la menace de la concurrence internationale ravive le débat. Comment pouvons-nous intéresser davantage les travailleurs aux résultats de leur entreprise ? Comment leur donner le sentiment de participer à une œuvre qui en vaut vraiment la peine ?

La réponse reste toujours la même : seuls des gens convaincus peuvent, par leur ferveur, mobiliser d'autres personnes autour d'un projet. La conviction, ça ne se feint pas. On ne peut mobiliser d'autres personnes que si on l'est soi-même.

J'ai participé il y a quelques années, avec une poignée de personnes convaincues, à la fondation et à l'édification de l'école Rudolf Steiner de Montréal. Dans le contexte éducatif du Québec, je vous assure que c'était tout un défi. Or, durant les quatre années qu'a duré mon association à ce projet, j'ai été témoin d'un engagement et d'une implication extraordinaires de la part du personnel (souvent mal payé) et des bénévoles avec qui j'œuvrais. Je me suis souvent demandé ce qui différenciait ces personnes de celles que je rencontre quotidiennement dans mon travail de conseiller en management. À la réflexion, rien, si ce n'est qu'elles croient au projet qu'elles veulent réaliser. Ce projet est devenu soudainement dans leur vie le moyen de concrétiser un rêve, de vivre une expérience à la hauteur de leurs aspirations. Pour cela, nul sacrifice ne leur semble trop grand. C'est sans doute pareille expérience qui faisait dire à T.E. Lawrence :

> *Tous les hommes rêvent, mais pas de la même manière.*
> *Ceux qui rêvent la nuit*
> *Dans les recoins poussiéreux de leur esprit*
> *S'aperçoivent au réveil*
> *Que ce n'était que vanité ;*
> *Mais ceux qui rêvent le jour sont des hommes dangereux*
> *Parce qu'ils peuvent réaliser leurs rêves*
> *Les yeux ouverts.*

Durant mes vacances, à l'été 1986, je participe de nouveau avec plus de quatre-vingts autres travailleurs et travailleuses bénévoles à une corvée en vue de construire une route en forêt. Cette route doit nous donner accès à un endroit magnifique où nous projetons de construire un édifice communautaire dont le coût semble, une fois de plus, dépasser la capacité de payer des promoteurs du projet. Les gens sont venus des quatre coins du pays et même de l'étranger pour participer au projet. L'enthousiasme est à son comble ! Encore là, un défi à la hauteur de nos aspirations !

J'imagine que plusieurs d'entre vous ont vécu des expériences similaires. Quelles leçons devons-nous en tirer pour la gestion de nos entreprises ? Pouvons-nous obtenir la même implication de la part des employés de nos organisations ? Comment y arriver ?

La mobilisation par la vision

Sans vision commune, il ne saurait y avoir d'engagement collectif, de mobilisation générale, voire de cohésion sociale. Cela m'apparaît être la première leçon que l'on doive tirer de toutes ces actions bénévoles. Et pourtant, malgré le fait qu'elle soit aussi fondamentale pour l'action, très peu de gestionnaires savent utiliser l'énergie considérable que génère une vision partagée.

Distinguons d'abord ce que nous appelons la vision et ce que l'on entend généralement par le mot planification. On peut très bien construire une maison sans plan bien défini, mais on ne peut pas la bâtir sans porter en soi l'image de ce que l'on désire réaliser. Un plan n'est toujours que la concrétisation sur papier d'une vision. La vision, dans tous les cas, est antérieure au plan.

Il en va de même lorsqu'on veut bâtir et développer une organisation solide et en santé. Cependant, lorsque le projet que nous voulons réaliser engage un groupe, une collectivité, la vision qui le supporte se doit d'être partagée.

La vision, à la différence du plan, possède un pouvoir évocateur. C'est quelque chose de vivant que tous les membres du groupe peuvent contempler et souvent même enrichir de leurs propres perceptions.

La vision, en effet, inclut, en plus des ambitions qu'elle propose, les motivations profondes des personnes qu'elle veut mobiliser. Elle s'alimente donc à des valeurs qui ne s'adressent pas uniquement à la raison mais au cœur des gens. La vision parle à l'intuition comme le plan parle à l'intellect. La vision, c'est ce qui va donner un sens à notre action, garantir la cohérence des contributions individuelles et assurer la solidarité des troupes.

Si on veut accroître la participation des travailleurs à la vie de nos organisations, nous avons besoin de visionnaires, de chefs qui vont oser proposer à leur personnel quelque chose de plus que des augmentations de salaires et des avantages sociaux. Il faut se rappeler que les êtres humains ont aussi besoin d'un idéal élevé pour donner ce qu'ils ont de meilleur et être heureux.

La vision

Si, dans une entreprise, la vision commune émane souvent des leaders, elle n'est jamais leur propriété puisqu'elle se veut l'expression des motivations latentes des membres de l'organisation. Au fait, elle s'alimente à trois sources principales.

Premièrement, elle se veut l'expression des besoins des clients qui demeureront toujours la raison d'être fondamentale de toute organisation. Le respect de leurs besoins, on le sait, est une loi de base des affaires. En faire fi, c'est s'exposer aux pires ennuis.

Deuxièmement, elle décrit la qualité des produits ou des services qu'on veut rendre. Chaque entreprise opère dans un champ limité de produits et de services. On ne peut pas être bon dans tout. Il faut donc se limiter à une sphère d'activité où l'on excelle, ce qui va donner une identité à notre entreprise.

Troisièmement, elle tient compte des besoins des personnes qui vont produire ces biens et ces services. Les besoins des travailleurs sont tout aussi importants que ceux des clients. L'essence même des affaires le veut ainsi puisqu'elles sont basées sur la loi naturelle de l'échange qui veut que l'on reçoive pour la valeur de ce que l'on donne.

Une vision mobilisatrice renverra donc toujours à une conception de la nature humaine et de ses besoins fondamentaux, voire à une cosmologie ou du moins à une explication sommaire des lois de l'univers.

La vision est l'expression condensée de la culture d'une organisation, c'est-à-dire de l'ensemble des croyances et des valeurs qui supportent l'action de ses membres. Elle décrira généralement ses principales ambitions, les valeurs qui l'animent et les règles du jeu qui la régissent.

La vision qui supporte une entreprise peut très bien être inconsciente ; cela ne change rien à sa réalité et à son impact. Il en va des organisations comme des individus. Tous nos comportements sont régis par notre conception, notre vision consciente ou pas du monde. Qu'elle nous vienne de nos parents, de nos professeurs ou de notre propre expérience ne change rien à ce fait. D'où l'importance de clarifier notre vision si nous voulons avoir le contrôle sur les actions que nous allons poser et les résultats que nous allons atteindre.

Voici donc une matrice qui peut être utile pour réfléchir sur la vision qui anime votre organisation.

aspects / sources	AMBITIONS	VALEURS	REGLES DU JEU
CLIENTS			
PRODUITS			
PERSONNES			

Fig. 4.1.8. Description de la vision

De la vision à la réalité

L'organisation est également un théâtre politique, c'est-à-dire un lieu où se jouent des influences. Dès que certains leaders proposent une vision, il y en a toujours d'autres pour la critiquer, la contester et même la combattre. Pour qu'une vision prenne forme, il faut qu'elle soit partagée par une majorité. D'où l'importance pour les leaders de mettre au point des stratégies visant à sensibiliser les membres de l'organisation à l'importance des valeurs qu'ils veulent mettre de l'avant.

Dans l'organisation, comme dans toute société, l'opposition n'est pas nécessairement mauvaise. Elle sert à mettre en lumière les points de vue qui, en définitive, ont le plus de chance de rejoindre la majorité silencieuse, justement ceux que l'on cherche à mobiliser. Il faut donc être capable de se situer au-dessus des intérêts partisans pour accepter de l'opposition les changements qui permettront de clarifier la vision et de faire évoluer l'organisation en respectant ses étapes normales de développement.

Pour qu'une vision se concrétise dans la réalité, il faut, au dire de Marshall Sashkin, qu'elle s'incarne dans des mots, bien sûr, mais aussi et surtout dans des gestes.

D'abord, la direction doit écrire, de façon succincte, sa vision qui sera ensuite soumise à l'approbation des cadres et de tous les employés. Des ajustements et des éclaircissements seront ensuite apportés en réponse aux commentaires des membres de l'entreprise.

Deuxièmement, cette vision doit se traduire par des politiques et des programmes qui nécessitent souvent une réorganisation des ressources ainsi que des investissements importants en énergie et en dollars.

Troisièmement, il faut que les leaders agissent en accord avec ce qu'ils prêchent. Pour être crédible, le leader doit incarner les valeurs qu'il veut voir implanter dans son milieu de travail. On n'impose pas des valeurs, on les évoque par l'exemple. Warren Bennis décrit très bien dans son livre *Diriger : Les secrets des meilleurs leaders,* paru à Inter-

Éditions en 1985, les qualités qui permettent au leader de mobiliser d'autres personnes autour d'un projet. Son étude est fondée sur l'expérience de quatre-vingt-dix leaders reconnus.

Pour que la vision des leaders s'incarne dans la vie de l'entreprise, j'ajouterais un quatrième élément : la gestion dans l'entreprise d'un processus permanent d'élaboration, de révision et d'animation de la vision. Il s'agit, en d'autres mots, d'inclure dans le cycle annuel de gestion une étape de réflexion sur la vision.

Cette réflexion se veut une démarche de redécouverte de la vision à la lumière des réalisations de l'année. Elle doit être plus qu'une simple relecture commentée de la mission de l'entreprise ; elle se veut un diagnostic, une mise en perspective des réalisations tant au niveau des résultats financiers qu'à celui du fonctionnement et de l'évolution culturelle de l'entreprise. Nous ne devons pas oublier que la vision poursuivie est un idéal à atteindre qui sans cesse continuera à nous appeler au dépassement.

La gestion participative

Un gestionnaire auprès de qui je m'informais de l'évolution du programme de gestion participative dans son organisation me confia qu'il avait été fort surpris de la toute première réaction de son personnel à l'idée de la participation. « Je croyais, me dit-il, que mes employés accepteraient avec beaucoup d'enthousiasme l'idée de travailler en équipes pour réfléchir sur des moyens d'améliorer l'efficacité de notre service. Ils m'ont répondu que j'étais payé pour réfléchir et qu'ils avaient suffisamment de travail sans avoir par surcroît à faire le mien. » Cela me rappela la réaction d'un représentant syndical à qui on parlait d'enrichissement des tâches. « Si la direction pense à enrichir nos tâches, elle doit aussi enrichir notre chèque de paie », répliqua-t-il.

Comment interpréter ces apparents refus de participation ? Que penser de ces comportements que Frederic Taylor considérait en 1920 comme une donnée fondamentale de l'organisation scientifique du travail ? Ne donnent-ils pas du poids à sa théorie qui prétend d'abord que les employés ne pensent pas plus loin que la prochaine paie et puis qu'ils cherchent à faire le moins d'efforts possible ?

Pour mieux comprendre ces comportements, mettez-vous dans la peau d'un travailleur à qui on n'a jamais demandé autre chose que ce qui est écrit dans sa description de tâches et qui, somme toute, se sent considéré par son entreprise comme une machine, dispendieuse et capricieuse par surcroît. Comment réagiriez-vous à la proposition de ce gestionnaire ? Il y a fort à parier que vous réagiriez comme cet employé et que, comme lui, vous penseriez : « Voilà qu'on s'aperçoit maintenant que j'existe ! Bizarre ! Le patron a sûrement quelque chose derrière la tête. Il a sûrement suivi récemment un séminaire de formation dans le but d'augmenter la productivité et il le met en pratique avec nous. Méfions-nous, c'est un piège. »

Les mythes de la participation

La gestion participative se veut une réponse nouvelle à un vieux problème. Comment une organisation peut-elle améliorer la qualité de ses produits et de ses services et réduire leurs coûts de manière à mieux répondre aux besoins de la société ?

De plus en plus de propriétaires d'entreprises, de gestionnaires et d'employés considèrent que le problème de productivité auquel font face nos économies est largement dû à notre façon d'organiser le travail, fondée sur une profonde division entre ceux qui pensent et ceux qui agissent, entre dirigeants et dirigés, entre propriétaires et employés. Tous croient qu'il est grand temps que les droits de citoyenneté soient élargis pour y inclure le milieu de travail, ce qui signifierait que les employés seraient désormais considérés comme responsables de leur emploi de la même manière qu'on considère les parents responsables du devenir de leur famille et les citoyens de celui de la société.

Cependant, la gestion participative doit affronter encore aujourd'hui des mythes très tenaces tant de la part de ses opposants farouches que de la part de ses promoteurs acharnés. En voici une liste fragmentaire :

Les opposants	Les promoteurs
• Les gens se réunissent et, pendant ce temps, le travail ne se fait pas.	Le travail en groupe est plus efficace que le travail individuel.
• Les employés ne veulent pas d'un emploi où ils doivent penser.	Les employés n'ont pas besoin d'un patron. Ils peuvent s'organiser et se superviser seuls.
• L'efficacité et la démocratie ne vont pas de pair.	Le syndicat est la seule voie d'expression des travailleurs.
• On met trop de temps à en arriver à une décision lorsque l'on consulte tout le monde.	Il faut toujours avoir le consensus pour agir.
• Les employés ne peuvent pas faire suffisamment d'économies pour acheter des actions et devenir propriétaires de la compagnie.	La participation, c'est l'accès à la propriété sous forme coopérative.
• Les employés ne s'intéressent qu'à l'argent.	Les managers ne s'intéressent qu'à l'argent.
• Notre société est trop individualiste pour favoriser le travail d'équipe.	Il n'y a que le travail d'équipe qui peut produire des résultats efficaces.

Pour implanter une saine gestion participative, il faut prendre le temps de déraciner ces préjugés, d'abord en écoutant ceux qui les véhiculent, puis en essayant de comprendre les besoins que cachent ces attitudes souvent extrémistes. Comprendre l'enjeu de fond de la participation nous donnera une perspective plus réaliste de la gestion participative et des stratégies à utiliser pour déraciner ces préjugés.

L'enjeu de la participation

Qu'est-ce au fait que la participation ? C'est le processus par lequel les travailleurs peuvent accroître le contrôle de leur vie au travail en prenant davantage part aux décisions qui affectent leurs tâches et en accédant à la propriété de l'entreprise.

Lorsqu'on parle d'accroître le contrôle des travailleurs sur leurs tâches, on entend généralement que les gestionnaires et les délégués syndicaux vont devoir partager des pouvoirs qu'ils exerçaient jusqu'ici unilatéralement. Or, les gestionnaires et les délégués syndicaux, comme les êtres humains en général d'ailleurs, ne sont pas très enclins à partager le pouvoir en temps normal. À y regarder de près, on s'aperçoit que la gestion participative a connu ses moments de gloire surtout en périodes de crise. Les expériences les plus significatives de participation ont justement eu lieu au moment des deux grandes guerres mondiales. Maintenant, si l'on en parle tant, n'est-ce pas à cause de la crise économique et de la compétition internationale qui nous y contraignent ?

Quand ça va mal, on pense à demander la collaboration des travailleurs, comme si seule la survie pouvait nous fournir une raison valable de travailler ensemble ! Combien d'hommes d'affaires se rappellent avec nostalgie les temps mémorables où ils se battaient pour la survie de leur entreprise, et combien de syndicalistes chantent le temps des grandes solidarités lorsque leur syndicat était menacé de disparition ? Comment se fait-il que nous ne trouvions pas, en temps normal, de motifs capables de favoriser la concertation des efforts ?

C'est à mon avis parce que nous avons oublié la valeur spirituelle du travail. Nous considérons encore trop souvent aujourd'hui l'être humain comme un corps physique, une machine sophistiquée qu'il faut hélas entretenir pour qu'elle produise. On traite alors le travail humain comme les autres ressources de l'entreprise, qu'elles soient financières ou matérielles. Or, on oublie que le travail humain n'est pas une marchandise et que, par le fait même, il n'a pas de prix. Seul son produit peut faire l'objet d'une transaction financière. Le travail en lui-même constitue l'expression de toute la personne et répond non seulement à des besoins d'ordre économique mais également d'ordre spirituel et social. La compartimentation de nos vies nous a fait oublier cela. C'est pourquoi aujourd'hui le fait d'aller au travail seulement pour gagner de l'argent, à l'église pour prier et au club pour rencontrer des amis est remis en question. On exige de plus en plus du travail qu'il nous offre une occasion d'intégrer à nouveau ces différents aspects.

Les expériences menées dans le domaine de la qualité de vie au travail (QVT) ont largement démontré ce fait. Voici d'ailleurs à ce propos, présentées sous forme d'affirmations, les conclusions de Thorsrud, l'une des figures dominantes du mouvement QVT en Norvège et dans le monde.

- Les gens ont besoin de se sentir libres... de ne pas avoir leur patron constamment sur les talons. Ils ont cependant trop de liberté lorsqu'ils ne savent pas ce qu'on attend précisément d'eux.

- Les gens ont besoin d'apprendre par leur travail de façon continue. Ils ne peuvent apprendre que lorsqu'ils peuvent se fixer des objectifs réalistes et obtenir du feedback pour modifier leur comportement.

- Les gens doivent avoir l'occasion de changer d'emploi pour éviter l'ennui et la fatigue.

- Les gens ont besoin d'un contexte où ils peuvent compter sur le respect et l'aide de leurs compagnons et compagnes de travail.

- Les gens ont besoin de trouver un sens à leur travail. Ils n'aiment pas faire des choses inutiles et de mauvaise qualité.

- Les gens veulent un avenir prometteur. Des emplois qui n'offrent pas d'avenir ne favorisent pas le développement personnel.

L'enjeu de la participation renvoie donc au défi de la vie même parce qu'il propose de faire du travail une source d'épanouissement personnel. C'est pourquoi, en un sens, la participation n'a pas de limites et peut se développer toujours davantage, au fur et à mesure que mûrissent les personnes et la société qu'elles forment.

On peut facilement comprendre pourquoi la gestion participative est si exigeante. Les valeurs qui sous-tendent ce mode de gestion sont, à bien y réfléchir, les mêmes qui ont présidé aux passages importants de notre civilisation : liberté, égalité et fraternité. Cet idéal de vie en société continue aujourd'hui de conditionner la longue marche évolutive de nos sociétés et, partant, de nos organisations.

On s'interroge sur le succès de compagnies comme Hewlett-Packard. La simple lecture du document que reçoivent les nouveaux employés répond à cette question. L'idéal que cette compagnie propose à son personnel n'est rien de moins que la vie des chevaliers de la table ronde. Cette légende, riche d'enseignement, sert en effet d'introduction à la mission de HP et illustre le type de gestion de cette entreprise.

L'évolution de l'humanité est, si l'on peut dire, l'apprentissage de ces valeurs fondamentales, de cet idéal de vie en société. Rudolf Steiner, philosophe allemand du début du siècle, a brillamment expliqué cela dans ses conférences sur les fondements de l'organisme social.

La gestion participative, prolongement de cette vaste offensive évolutive, exige, par le fait même, des gestionnaires qu'ils soient de vrais chefs, c'est-à-dire qu'ils prêchent par l'exemple. Les aspirations des travailleurs se concrétiseront par la générosité de ceux qui auront compris que diriger consiste avant tout à servir. Le roi Arthur ne permettait à aucun chevalier de se présenter à la table ronde s'il n'avait pas compris cela. Pour être libres, il nous faut être responsables ; pour vivre égaux, il nous faut être épris de justice et, pour considérer les autres comme nos frères, il nous faut les aimer. Cela exige, il va sans dire, un long travail sur soi.

Les gestionnaires ne sont pas les seuls à qui s'appliquent ces exigences. Le syndicalisme doit lui aussi faire sa part. Jusqu'à un certain point, le syndicalisme nord-américain s'est fait l'allié du taylorisme lorsqu'il s'est métamorphosé en syndicat d'affaires, sous Samuel Gompers, pour éviter d'être assimilé aux syndicats communistes et mis au ban de la société capitaliste de l'époque. Pour être reconnu dans l'entreprise capitaliste, il a épousé les valeurs les plus conservatrices qui soient et il a ainsi compromis la poursuite de l'idéal. Le mot d'ordre syndical est alors devenu : « MORE ». Il est grand temps qu'il redevienne : MIEUX VIVRE.

Les lois de la participation

L'organisation sociale faisant partie de la nature, elle doit aussi lui obéir si elle veut se maintenir en santé. Les lois naturelles appliquées à la participation nous offrent la meilleure garantie contre nos illusions administratives. Ce sont les expériences fructueuses de participation qui peuvent nous révéler ces lois.

La loi des apports relatifs

Cette loi veut que l'on participe selon ses capacités et ses responsabilités. À chaque niveau de responsabilité doivent correspondre des formes et des exigences de participation différentes, organisées autour de problèmes qui concernent les participants et pour lesquels leur contribution est déterminante. Cela correspond, entre autres, au respect des niveaux hiérarchiques. Enfreindre cette loi, c'est préparer l'anarchie.

La loi des affinités

« Qui se ressemble s'assemble. » Cette loi veut que la participation réussisse mieux si l'on s'adresse à des groupes naturels de travail ou à des groupes d'intérêt qui ont déjà tissé des relations ou qui ont avantage à le faire. Nier cette loi, c'est exposer chacun à des apprivoisements parfois coûteux et démotivants.

La loi du troc

« On récolte ce que l'on sème. » Les groupes qui ne reçoivent pas de feedback sur leurs actions meurent rapidement. Il est très important que la direction porte attention aux productions de ceux qu'elle invite à participer à la gestion. Les formules de participation qui réussissent favorisent généralement l'équilibre entre ce que les participants apportent et ce qu'ils retirent. Il est donc nécessaire que les responsables des groupes de participation veillent à ce que les membres s'engagent suffisamment pour en retirer quelque chose.

La loi du mouvement

Les mécanismes de participation sont des formes qui naissent, évoluent, se transforment et meurent lorsque disparaissent les problèmes pour lesquels ils étaient devenus nécessaires. Il ne faut pas s'en offusquer. D'autres problèmes nécessiteront d'autres formes de participation. Ne vous évertuez donc pas à maintenir des formules de participation inutiles.

La loi du bon sens

La meilleure garantie de productivité est encore la motivation générée par la découverte du sens et de l'utilité du travail. De récentes recherches ont démontré qu'il existe une corrélation positive entre la productivité des travailleurs d'une entreprise et la part du marché qu'occupe cette dernière, confirmant ainsi la loi du bon sens. En effet, si l'individu voit dans sa tâche une occasion de se rendre utile, il aura tendance à mieux faire son travail et sera plus enclin à dépasser ses limites personnelles pour participer à l'utilité de son unité ou de son entreprise. Il incombe au patron d'aider ses subordonnés dans ce sens.

En matière de participation des travailleurs à la gestion, la formule qui a toutes les chances de réussir est celle qui respecte la personnalité de l'entreprise. Demeurez critique à l'endroit des propositions radicales qui ne cadrent pas avec vos habitudes normales de fonctionnement. Le développement authentique se fait de façon organique. Comme pour la plante dont le bourgeon précède la feuille, la formule de participation de demain doit germer dans la structure actuelle de votre entreprise. Observez bien votre organisation et vous trouverez ce germe. Si, par contre, vous importez des formules d'ailleurs, prenez le temps de les modifier afin de les adapter à votre contexte.

Quelques gestes clés pour accroître la participation

Pour accroître la participation dans nos organisations, voici les gestes importants à poser.

Écouter

Avant d'implanter un mode de gestion participative, il faut accepter d'écouter le ressentiment souvent justifié des employés. Ce ressentiment, ils l'ont souvent accumulé depuis fort longtemps dans des emplois qui les maintiennent dans un état infantile où ils ne peuvent prendre aucune initiative et dont ils ne perçoivent souvent pas le sens. Lorsqu'on donne le droit de parole à nos employés, il ne faut pas nous attendre qu'ils nous remercient mais plutôt qu'ils nous critiquent. Il nous faut savoir reconnaître, derrière chaque critique, une demande implicite : « Reconnais-moi. » Prendre le temps de les écouter sans chercher à se justifier, c'est commencer à les reconnaître en tant que personnes importantes pour l'entreprise. Il est important pour les gestionnaires d'apprendre cela.

Informer

Même pour ceux qui font un travail satisfaisant, le fait de leur demander de travailler différemment peut être perçu comme un jugement de valeur sur leur travail. Les gens sont prêts à changer lorsqu'ils sentent qu'on reconnaît leur valeur. Valoriser quelqu'un, le mot le dit, c'est reconnaître la valeur de ce qu'il fait. Comment ? En inscrivant sa tâche dans un projet plus global auquel l'employé peut s'identifier. C'est le premier pas qu'un gestionnaire doit faire pour bâtir la confiance qu'exige la gestion participative. Il doit montrer ses couleurs, faire connaître les valeurs qui l'animent et faire part de ses objectifs.

Une façon simple de démarrer le processus de participation consiste à associer les employés au diagnostic de la situation en leur confiant ce que vous savez de l'état actuel des choses et en les invitant à compléter votre perception : performance en termes de revenus, volume des ventes, satisfaction des clients, satisfaction des employés, etc. Plus l'information relative à la performance de vos employés sera pertinente, plus ils s'intéresseront à la démarche.

Former

Pour que les employés puissent participer, il faut qu'ils soient équipés de façon à prendre des décisions éclairées. Pour ce faire, vous devez leur donner non seulement accès à l'information mais également les moyens de la traiter. La formation à l'analyse de problèmes et à la prise de décision en groupes est tout à fait nécessaire. Les techniques de travail qui étaient jadis réservées aux cadres doivent maintenant être mises à la disposition des travailleurs. Ces outils sont en soi une source de pouvoir qu'il faut désormais partager lorsqu'on veut implanter la gestion participative.

Les gestionnaires ont eux aussi besoin de formation pour animer la démarche. Il faut qu'ils se sensibilisent à la dimension politique de leur rôle et qu'ils apprennent à considérer l'organisation comme une société en croissance.

Transformer

Il faut accepter de transformer non pas tant les structures que les modes de fonctionnement. Évidemment, il y a des structures qui ne favorisent pas la participation ; ce sont particulièrement les structures fonctionnelles qui laissent les décisions importantes aux spécialistes du siège social. Cependant, ce qui importe, c'est de créer des unités de participation où les unités naturelles de travail peuvent se rencontrer pour discuter des problèmes qui les concernent et participer aux décisions qui les touchent. Il y a, par exemple, dans l'entreprise des unités qui sont davantage préoccupées par les questions stratégiques, d'autres par les questions des modes de fonctionnement et d'autres par les questions opérationnelles. Ces trois types d'unités, soit les cadres supérieurs, les cadres intermédiaires et les cadres de premier niveau incluant les employés, doivent apprendre à interagir plus efficacement. Vouloir supprimer un niveau va contre les lois mêmes de la participation.

Ce qui précède nous fait comprendre l'importance du chef de division dans une organisation. En effet, celui-ci fait partie de l'unité supérieure de participation en même temps que de l'unité de base, l'unité supérieure étant habituellement composée du président, des directeurs et des chefs de divisions et l'unité de base se composant habituellement des chefs de divisions, des contremaîtres et des employés. Le chef de division est en quelque sorte la clef de voûte de la démocratie industrielle. S'il est un endroit où la participation risque de rencontrer un écueil important, c'est précisément à ce niveau. On mettra donc beaucoup de soin à engager les cadres intermédiaires dans la démarche en les associant à la direction générale et en leur confiant l'animation de la démarche auprès des contremaîtres et de leurs employés.

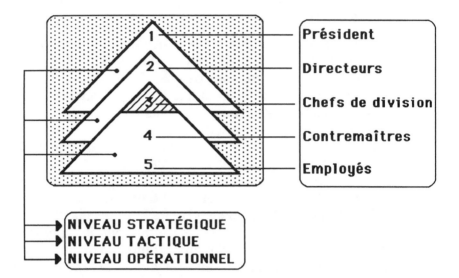

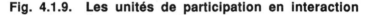

Fig. 4.1.9.   Les unités de participation en interaction

Donner l'exemple

Finalement, la participation ne s'apprend pas dans les livres car, dans ce domaine comme dans d'autres, connaître, c'est avant tout agir. De petits gestes apparemment sans importance parlent souvent plus fort que de grands discours. Je me rappelle cette réunion au cours de laquelle des contremaîtres venaient présenter à la direction les résultats de leur démarche visant à introduire dans l'entreprise les principes de la qualité totale. Le comité de direction arriva une demi-heure en retard, illustrant par là le manque d'intérêt de ses membres face à la préoccupation des autres. Les chefs doivent donner l'exemple. Le rôle des chefs, quoi qu'on en dise, est très important dans toute organisation. Les chefs véhiculent la norme du groupe. La participation propose des valeurs qui ne sauraient être enseignées que par des gens qui en sont le symbole vivant.

Rappelons-nous, en terminant, que les pays qui ont à l'heure actuelle le taux de productivité le plus élevé, à savoir la Suède, l'Allemagne et le Japon, appliquent depuis plus de 20 ans la gestion participative. Chez nous, lorsqu'on interroge les employés de nos organisations :

- 84 %　　　souhaitent participer davantage ;
- 30 %　　　affirment être surqualifiés pour leur travail ;
- 75 %　　　continueraient à travailler même s'ils devenaient indépendants financièrement ;
- 60 %　　　préféreraient travailler dans une entreprise où ils auraient la possibilité d'accéder à la propriété.

Nos gens sont prêts, à nous maintenant d'agir.

Chapitre 2

La qualité, un défi permanent

Depuis quelques années, le thème de la qualité totale est à l'honneur dans toutes les discussions de bon goût en gestion. Cette année tout particulièrement, ce thème semble avoir atteint un sommet au palmarès du folklore administratif. Dans tous les congrès, on nous étale des chiffres qui illustrent notre piètre performance économique en brandissant le spectre de la concurrence internationale qui demain doit, semble-t-il, nous rayer de la scène économique mondiale.

Apparemment, nous n'y sommes pas du tout en matière de qualité. Les autres font mieux et moins cher. C'est sans doute vrai dans bien des domaines mais, à mon avis, il faut sortir de notre traumatisme pour regarder le monde de la qualité avec un peu plus de sérénité.

Il ne faut pas croire que l'intérêt pour la qualité soit un phénomène nouveau. Cependant, dans l'économie des nantis où l'offre est ironiquement plus grande que la demande, le consommateur affirme davantage sa royauté et exige — peut-on l'en blâmer ? — la qualité à meilleur prix. « Élémentaire, mon cher Watson », affirmerait sans hésiter le célèbre détective Sherlock Holmes !

La qualité, toutefois, a toujours été un défi dans la mesure où la valeur économique des biens et des services que l'on produit se fonde sur leur utilité. Offrir des produits et des services utiles aux consommateurs, c'est la mission fondamentale de l'entreprise.

Ce sont les préférences du consommateur qui déterminent l'utilité d'un bien ou d'un service, donc sa valeur économique. Si ça se vend, diront certains, c'est utile. Est-ce vraiment le seul critère pour juger de l'utilité d'un bien ou d'un service ? Il me semble que, si ce critère a le mérite d'être simple, il a aussi le grand défaut d'être un peu simpliste.

On doit tenir compte de beaucoup d'autres éléments pour définir la qualité d'un bien ou d'un service ; qu'il nous suffise de penser que certains produits que nous consommons aujourd'hui cachent des coûts en termes de pollution que les générations futures auront bien du mal à payer.

Il est réjouissant de constater que la nouvelle façon de considérer l'aspect qualité soit pour nos entreprises un stimulant qui les pousse à faire mieux et à élargir la notion de qualité.

Vouloir rendre service au client, lui être utile, cela rejoint un besoin fondamental de l'être humain. De toute évidence, personne ne souhaite vivre une vie désœuvrée et inutile. On comprendra alors pourquoi donner aux employés les moyens d'accroître la qualité de ce qu'ils produisent peut être un motivateur puissant. Ce concept fait appel à ce qu'il y a de plus noble chez eux : le besoin d'aimer, d'être utile, de servir.

Mais voilà, comme le dit Gilles Vigneault dans sa célèbre chanson « Qu'il est difficile d'aimer, qu'il est difficile », il ne suffit pas de prononcer le mot qualité pour que la productivité augmente. La qualité, comme l'amour, a des exigences qui s'accordent mal avec l'égoïsme, autant celui des individus que celui des groupes. Vouloir offrir de la qualité, c'est accepter de se développer, de devenir une personne, une entreprise de qualité. Cela requiert des efforts constants et une bonne dose de courage. La joie de se sentir en mouvement et la satisfaction de travailler à une noble cause en sont cependant les récompenses. Examinons les trois grandes exigences de la qualité.

Exigence n° 1 : *Voir l'organisation comme un réseau de clients et de fournisseurs*

Nous sommes intégrés dans un vaste système d'interdé-pendances. La qualité de la contribution de chaque unité de travail, voire de chaque poste de travail, est tributaire des produits que fournissent d'autres unités ou d'autres postes de l'organisation. C'est faire preuve d'un sens des responsa-bilités que de reconnaître cette interdépendance et voir que tout ce que nous produisons dans ce système nous sera remis au centuple, un jour ou l'autre. Cette vision reste encore à développer dans nos organisations.

Sans cette vision écologique de la vie, on ne peut pas réellement sentir l'importance de produire de la qualité. En effet, la permanence des efforts que requiert la poursuite de l'excellence doit s'alimenter à une motivation qui transcende l'intérêt personnel immédiat. Seule peut nous y amener la conviction qu'en poursuivant un tel idéal, nous devenons ce que nous souhaitons tous devenir : des êtres de qualité.

Considérer l'organisation comme un vaste réseau de clients et de fournisseurs, c'est la première chose que l'on enseigne à ceux qui veulent entreprendre des actions pour améliorer la qualité de leur milieu de travail. Chaque unité de travail transforme les produits semi-finis qu'elle reçoit de ses fournisseurs pour les offrir sous forme de produits finis à ses propres clients. Elle est donc à la fois cliente et fournisseur. Pour mieux situer l'unité de travail dans le réseau clients/fournisseurs, on lui demandera donc de remplir une grille à cet effet. Cet exercice permet à l'unité intéressée de clarifier qui sont ses clients et ses fournisseurs, quels sont ses produits et les activités nécessaires à la réalisation de ces produits ou services, et enfin quels sont ses propres besoins par rapport à ses fournisseurs.

L'étape suivante consiste à évaluer la satisfaction des clients actuels à l'égard des produits ou des services qu'on leur fournit.

Pour apprendre à être un bon fournisseur, il faut d'abord avoir été un bon client. C'est comme dans la relation d'entraide ; pour apprendre à aider quelqu'un, il faut avoir accepté d'être aidé soi-même. Cette expérience procure l'humilité nécessaire pour se mettre à la place du client, le comprendre de son propre point de vue et être capable d'obtenir sa collaboration dans la gestion des contraintes inévitables qui surgiront.

Dès les premiers pas de la démarche, le défi nous attend. Il n'est pas facile de détruire le préjugé qui veut que l'organisation soit un réseau d'antagonistes dont il faut se méfier. Beaucoup de personnes ne vivent ou plutôt ne survivent que par la compétition qu'elles entretiennent consciemment ou inconsciemment dans le système. C'est souvent leur source de valorisation la plus importante. « Je suis meilleur que... »

La qualité exige au point de départ la collaboration de tous. On ne peut forcer les gens à collaborer pas plus qu'on ne peut obliger un cœur à aimer. Seuls la souffrance ou l'appel d'un idéal élevé peuvent permettre de bâtir une saine collaboration dans l'organisation. Les leaders ont justement comme mission de susciter cette collaboration. Ils y réussiront dans la mesure où ils seront l'exemple vivant de ce qu'ils prêchent.

FOURNISSEURS	PRODUITS	ACTIVITÉS MAJEURES DE L'UNITÉ	PRODUITS	CLIENTS

RÉSEAU CLIENTS/ FOURNISSEURS

Fig. 4.2.1.

Exigence n° 2 : *Comprendre le processus de satisfaction des besoins du client*

La conformité aux besoins du client s'obtient par la maîtrise de quatre étapes dans la relation client/fournisseur. Plus qu'une connaissance intellectuelle du sujet, il faut posséder les habiletés nécessaires pour accompagner le client tout au long du processus d'émergence et de satisfaction de ses besoins.

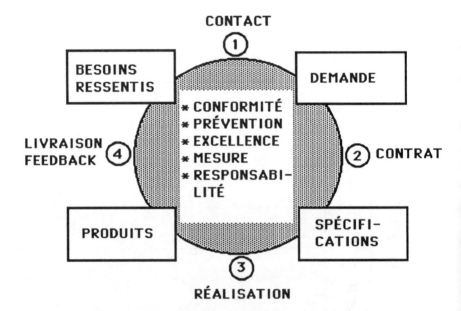

Fig. 4.2.2. Processus de satisfaction des besoins du client

Pour que le client accepte de manifester un besoin sous forme de demande, il doit éprouver un minimum de sécurité dans la relation avec son fournisseur. *La qualité du contact client/fournisseur* est donc un facteur important si l'on veut connaître vraiment ses besoins. C'est *la première étape* dans la relation entre le fournisseur et son client.

Pour qu'il y ait entente entre le client et le fournisseur, il faut négocier des spécifications claires. C'est une étape difficile dans la mesure où elle exige que l'on prenne conscience des vraies motivations qui nous animent, de part et d'autre.

Chaque fois, c'est un examen de conscience. Pour éviter cet effort, trop souvent, on se contente d'une demande floue qui nous donne peu d'information sur ce que signifie pour le client un produit de qualité. *Obtenir une demande claire avec des spécifications négociées,* voilà *une deuxième étape* dans la relation entre le fournisseur et son client.

Pour livrer un produit de qualité à un coût acceptable, il faut bien faire du premier coup. *L'excellence du processus de réalisation* permet de respecter les exigences du client. On peut ainsi respecter nos engagements. C'est *la troisième étape* dans la relation entre le fournisseur et son client.

Il est bon de se rappeler que le besoin du client n'est satisfait que lorsque celui-ci sait se servir du produit livré. S'assurer que *le produit ou le service fourni répond bien aux besoins réels du client* constitue *la quatrième étape* dans la relation entre le fournisseur et son client.

Cette deuxième exigence illustre de manière plus évidente combien il est nécessaire que l'entreprise qui veut améliorer la qualité de ses produits et de ses services s'efforce d'améliorer la qualité des relations interpersonnelles, à tous les niveaux de l'organisation.

Exigence n° 3 : *Gérer le changement de culture*

Si le concept de la qualité semble prometteur, il ne faut pas oublier qu'il est porteur de transformations importantes dans la façon de gérer l'entreprise. Ces transformations ne doivent pas être prises pour acquises. Il faudra les planifier et gérer la transition qu'elles provoqueront inévitablement. La résistance au changement est une chose naturelle. Le scepticisme et les doutes surgiront lorsque vous prendrez la décision d'aller dans le sens d'une augmentation de la qualité de vos produits ou services.

Les outils qui ont été mis de l'avant depuis plusieurs années en développement organisationnel seront d'un apport précieux dans le changement culturel qu'exige la recherche de la qualité.

Lorsqu'on planifie le changement, on oublie généralement de gérer la transition. Il est bien facile de tracer sur papier l'itinéraire d'un voyage. Quitter ses habitudes pour s'adapter à la culture d'un pays étranger est beaucoup plus difficile. Les changements mal gérés nuisent aux individus et à l'organisation. Saviez-vous qu'un employé insatisfait en parle au moins à vingt-cinq autres ? Le moral de tout un service peut ainsi en être affecté.

Lorsqu'on veut introduire dans l'entreprise le souci de la qualité, il faut bien comprendre ce qu'on veut réaliser en bout de ligne. Ce projet n'est pas un projet comme les autres dans la mesure où, en plus d'introduire de nouvelles techniques de travail dans l'organisation, il vise également à modifier la culture de l'entreprise, c'est-à-dire les valeurs et les habitudes de travail des gens. Pour y arriver, nous avons plus besoin d'un processus d'éducation que d'un programme à proprement parler. C'est donc, par nature, une démarche qui n'a pas de fin et l'on ne saurait planifier dans tous leurs détails les dix prochaines années. Il faut laisser l'espace aux ajustements qu'exigera la réalité au fil des étapes.

Pour mieux saisir le changement culturel qu'entraîne la préoccupation de la qualité, on peut s'en faire une image à partir des éléments qu'il nous faut modifier dans notre façon traditionnelle de gérer le processus de satisfaction des besoins de nos clients.

Élément n° 1 :   Conformité aux besoins des clients

Pour produire de la qualité, il faut apprendre à se *conformer* d'abord aux besoins des clients. Traditionnellement et encore aujourd'hui, la qualité est définie par le producteur, le fabricant, l'agent de services, qui prétendent savoir ce qui est bon pour leur client. Cette façon de voir amène l'entreprise à produire des biens et des services uniquement en fonction des spécifications techniques des clients.

Prenons un exemple simple : l'achat d'un stylo. Si l'on demande à un client pourquoi il achète un stylo, il répondra tout simplement : « Pour écrire. » Si l'on pousse plus loin notre question, nous obtiendrons du client des indications plus claires sur ce qu'il entend par un stylo qui écrit bien. Nous recevrons ainsi de ce client des spécifications techniques précises.

Mais les besoins des consommateurs ne sont pas uniquement d'ordre technique. Si nous observons un individu en train d'acheter un stylo, nous nous apercevons qu'en plus de l'aspect fonctionnel de l'objet, il considère aussi son apparence. Ce stylo me convient-il ? Correspond-il à l'image que je veux donner de moi? De plus, le stylo va remplir une seconde fonction, celle de satisfaire certains besoins d'ordre psychologique et esthétique. « Je choisis ce stylo en or parce qu'il est beau, pour montrer que j'ai les moyens de me le payer, pour montrer que je suis un cadre supérieur, etc. » Ce type de besoin est souvent conscient chez le client mais il est rarement exprimé.

Les objets sont, de plus, des moyens de communiquer ce que nous souhaiterions être. Le stylo, pour en revenir à notre exemple, remplira donc également une fonction symbolique. Notre client est rarement conscient des valeurs symboliques qu'il attache aux objets et aux services qu'il achète et il ne peut donc pas les exprimer directement. Il ne sait pas qu'il est influencé dans son choix par la campagne publicitaire qui associe le produit à la réussite, au dynamisme, à la virilité, au charme féminin, etc. Même si l'acheteur n'en a pas conscience, les rêves secrets qu'il entretient conditionnent ses choix. Écouter les besoins des clients, ce n'est pas uniquement entendre ce qu'ils disent mais également percevoir ce qu'ils ne disent pas. Se conformer aux besoins du client requiert donc une grande capacité d'écoute. Cette règle s'applique également aux clients internes de l'entreprise.

Alors que la vision traditionnelle définit les besoins des clients en termes purement techniques, la vision qualitative tient compte davantage de tous les besoins de l'utilisateur du produit ou du service.

Élément n° 2 : Prévention

La qualité s'acquiert également en développant plus une *attitude préventive* que corrective. Il s'agit de prévoir les causes de défectuosité de nos produits et de nos services. Plus vite on repère les erreurs dans le processus de réalisation du produit ou du service, moins cela coûte cher à l'entreprise. Cependant, pour éliminer les erreurs avant qu'elles ne causent de graves ennuis, il faut investir énergie et argent dans les activités de prévention telles que la formation du personnel, l'évaluation et l'analyse des situations problématiques et le coaching des personnes susceptibles de régler ces problèmes. La vision traditionnelle de la qualité affirme que faire de la qualité, ça coûte cher. La nouvelle vision de la qualité prétend, au contraire, que c'est la non-qualité qui coûte cher en bout de ligne.

Élément n° 3 :   Excellence

Offrir la qualité signifie aussi chercher à s'améliorer constamment. L'*excellence* n'est pas un niveau qu'on atteint une fois pour toutes. Il y a toujours quelque chose que l'on peut faire pour améliorer une situation. Viser la perfection sans tomber dans l'obsession, voilà le défi que nous propose le choix de la qualité. La vision traditionnelle affirme que nous ne devons pas être trop exigeants envers les gens, que l'erreur est humaine et que, si nous exigeons des employés qu'ils s'améliorent sans cesse, nous leur ferons perdre leur motivation. La vision moderne de la qualité, au contraire, prétend que les gens aiment les défis et que la seule façon de les mobiliser, c'est de leur proposer des défis exigeants.

Élément n° 4 :   Mesure

Pour produire de la qualité, il faut démocratiser les outils de contrôle de la qualité. Il faut que les moyens d'évaluer la qualité sortent des mains des spécialistes du contrôle de la qualité et soient mis à la portée de ceux qui réalisent le produit ou qui dispensent le service. En effet, comment peut-on s'améliorer si l'on ne peut pas mesurer les progrès que l'on fait. On sait depuis longtemps en psychologie que l'autocontrôle est beaucoup plus mobilisateur et porteur de changement que le contrôle qui vient de l'extérieur. Une culture qui valorise la qualité valorisera également la *mesure*. La vision traditionnelle affirme que le contrôle de la qualité est d'abord une question de technique et que, par définition, il n'est pas du ressort des employés. La vision moderne de la qualité prétend au contraire que le contrôle de la qualité, c'est l'affaire de tous.

Élément n° 5 : Responsabilité

Offrir de la qualité suppose qu'on encourage les gens à se prendre en charge, à être *responsables*. Dans ce sens, la vision moderne de la qualité abandonnera les contrôles dictés par la méfiance à l'endroit des employés et des fournisseurs pour encourager plutôt l'association avec les exécutants et les fournisseurs. La vision moderne de la qualité veut que la direction et le syndicat acceptent de partager leur pouvoir avec les exécutants, c'est-à-dire les employés de la base.

À partir des cinq éléments que nous venons d'analyser, nous pouvons mesurer l'ampleur des changements que commande une vision renouvelée de la qualité. Il faudra donc, si nous voulons introduire ces changements dans notre organisation, élaborer une stratégie qui facilitera la compréhension de l'objectif que nous poursuivons et l'acquisition graduelle des nouvelles valeurs qui sous-tendent les comportements souhaités. Voici quelques conseils pour réussir cette démarche.

1. Prendre le temps de se sensibiliser aux concepts de base

Le concept de qualité est stimulant en soi. En effet, il propose un idéal auquel personne ne peut rester indifférent. Le danger guette les gestionnaires qui ont tendance à aller trop vite. Rappelons-nous que les entreprises qui ont réussi le virage qualité ont consacré entre cinq et dix ans d'efforts. Cela ne signifie nullement qu'on ne peut pas obtenir des résultats à court terme mais on oublie trop souvent que c'est un processus à long terme.

Évitez de créer chez le personnel des attentes que vous ne pourrez pas gérer. Démarrez le projet sans trop y faire de publicité. Il est beaucoup moins stressant de mûrir sa décision et de tremper sa détermination dans le silence que de claironner ses intentions sur la place publique. N'oublions jamais que nous devrons vivre avec les attentes que nous aurons créées.

Il faut prendre le temps de s'assurer que les dirigeants de l'entreprise ont bien compris que le processus de recherche de la qualité ne consiste pas en une série de techniques mais plutôt en un engagement qui les concerne à cent pour cent.

2. Permettre l'expression des conflits

Il est bon de se rappeler que la qualité des produits et des services passe généralement par la qualité de vie du personnel. Toute promesse de changement crée, chez le personnel, l'espoir d'une vie meilleure. Enfin, les vieux problèmes que l'on traîne depuis longtemps vont se régler une fois pour toutes, croit-on. Cet espoir n'est pas toujours réaliste dans la mesure où les gens attendent un secours miraculeux de l'extérieur sans reconnaître leur part de responsabilité. Les promesses créent également du ressentiment en faisant resurgir les frustrations générées par les promesses antérieures qui ont fait long feu. Il faut donc s'attendre que, dans un premier temps, les gens à qui l'on propose d'améliorer leur façon de travailler expriment les insatisfactions accumulées. On voit des entreprises qui vont tout droit à la faillite et où la direction comme le syndicat défend égoïstement ses intérêts en accusant l'autre partie d'être la cause des difficultés auxquelles l'entreprise fait face. Il faut que notre stratégie permette aux gens de prendre la part de responsabilité des situations qu'ils vivent. Il faut pour cela leur permettre d'abord d'exprimer leurs frustrations et les écouter. Lorsqu'on accorde le droit de parole à des gens qui ne l'ont jamais eu, on ne doit pas s'attendre qu'ils nous disent merci.

Une bonne façon de canaliser cette critique consiste à associer le maximum de personnes au diagnostic qui amène l'entreprise à s'engager dans un programme de recherche de la qualité. Il faut que la majorité y trouve son intérêt ; non seulement le projet devra-t-il être rentable pour l'entreprise mais les employés doivent y voir leur profit.

Proposer au personnel de s'engager dans un programme sur la qualité implique donc que la direction, les cadres et le syndicat s'engagent à écouter ce que le personnel a à dire. Je suggère donc aux gestionnaires qui veulent s'engager dans cette voie de prêter l'oreille et de donner la parole au personnel.

3. Donner des orientations claires

Les interventions effectuées sur les systèmes humains ont comme particularité d'affecter autant ceux qui font l'intervention que ceux qui en sont l'objet. Si les intervenants évoluent avec leurs clients, il faut également permettre que leur vision de l'intervention évolue, elle aussi, dans le temps. C'est pourquoi ils doivent amorcer le projet par un contact aussi direct que possible avec la situation telle qu'elle est vécue à la base. La compréhension des problèmes que vivent les employés permettra à la direction de formuler ses exigences en fonction de la vision du personnel.

Le projet est crédible dans la mesure où il cherche à régler les problèmes les plus urgents : un climat de travail insoutenable dans tel service, une politique absurde que personne ne respecte, des demandes répétées du personnel qui ne portent jamais fruit, la mise en route de projets qu'on retarde inutilement, des relations conflictuelles que l'on entretient avec un autre service, etc.

Pour faire comprendre clairement ses intentions d'accroître la qualité des produits et des services, la direction de l'entreprise doit moins claironner ses orientations que s'efforcer de les incarner dans des *exigences minimales* auxquelles elle tiendra, contre vents et marées. Par exemple :

- Que chaque service complète une grille clients/fournisseurs et qu'il rencontre ses clients et ses fournisseurs afin d'échanger sur les satisfactions et les insatisfactions mutuelles.
- Que soit élaboré un diagnostic de la situation de la qualité dans chacun des services dans une période déterminée.
- Que chaque service propose un certain nombre de projets pour améliorer la situation durant une période déterminée.

4. Responsabiliser la ligne hiérarchique

Il est important que la ligne hiérarchique s'engage rapidement et totalement si l'on veut que la qualité devienne la préoccupation première de l'entreprise. Deux gestes majeurs peuvent faciliter ce processus :

- Modifier la description de tâches de chaque gestionnaire pour y introduire la qualité comme zone de résultats ;
- Demander aux gestionnaires de donner eux-mêmes la formation dont leur équipe de travail aura besoin pour entreprendre des projets d'amélioration de la qualité.

Ces gestes permettront à l'entreprise de signifier l'importance qu'elle accorde désormais à la qualité et permettra aux gestionnaires de gérer de plus près le développement de leurs équipes de travail. En dispensant eux-mêmes la formation, les gestionnaires créeront des liens avec leurs employés, ce qui, en plus de faciliter le travail en équipe, leur permettra d'adapter plus facilement les apprentissages au rythme d'assimilation des équipes.

5. Développer des outils de travail adaptés au milieu

Trois conditions sont indispensables pour que s'effectue un changement dans une entreprise. En premier lieu, l'inconfort doit être suffisamment grand pour susciter la volonté d'un changement ; ensuite, il doit y avoir une aspiration commune vers une vie meilleure ; enfin, il faut s'assurer que l'entreprise possède les outils nécessaires pour se mettre en mouvement et lui permettre le passage de la situation actuelle à la situation souhaitée. Sans ces outils, il est inutile de sensibiliser les membres de l'entreprise aux malaises qu'ils vivent ou de leur faire verbaliser la situation qu'ils souhaiteraient.

Il faut ici valoriser l'action plutôt que la théorie et encourager les groupes de travail à passer à l'action plutôt qu'à se perdre dans l'étude de concepts. C'est dans l'action qu'on apprend véritablement.

6. Former des animateurs de milieu

Pour soutenir les efforts des chefs hiérarchiques, on peut former, dans le milieu même, des animateurs qui sont habituellement les conseillers naturels de chaque unité : agents de personnel, formateurs, conseillers en organisation, etc. Ils auront pour mandat de se documenter davantage et d'aider les gestionnaires dans l'élaboration de leurs activités de formation ou de les seconder dans l'animation des groupes qu'ils mettront en marche. Ces animateurs ne seront pas libérés complètement de leurs tâches pour autant mais ils bénéficieront d'une affectation temporaire qui devra être considérée comme faisant partie de leur plan de carrière.

7. Diffuser la formation selon les besoins

La formation doit être disponible sous forme de modules que les gestionnaires peuvent facilement adapter à leur situation en fonction des besoins de leur équipe.

Des ateliers *ad hoc* pourront être donnés par des spécialistes afin d'approfondir une technique de travail particulière ou pour développer certaines habiletés nécessaires à la bonne marche du projet. Il ne faut pas oublier que la qualité des produits s'améliorera dans la mesure où les membres de l'organisation continueront de s'améliorer. Il ne faut pas hésiter à investir dans la formation. Les entreprises qui ont du succès dans ce domaine investissent plus que la moyenne des entreprises dans la formation du personnel.

8. Créer et animer les unités naturelles de participation

C'est à travers la structure hiérarchique que doit s'actualiser le projet qualité. Beaucoup d'entreprises font l'erreur de s'adresser directement au premier niveau de gestion et aux employés en les invitant à former des cercles de qualité sans tenir suffisamment compte des cadres intermédiaires. Les cadres intermédiaires autant que les cadres supérieurs jouent un rôle capital dans le succès de l'opération, qui consiste justement à gérer les normes de fonctionnement de l'entreprise. La direction aura beau donner les plus nobles orientations à l'entreprise, si celles-ci ne passent pas dans les modes de fonctionnement de l'organisation, tous les changements demeureront des feux de paille qui risquent de saper encore plus le moral des troupes. Ceux qui gèrent les modes de fonctionnement, ce sont les cadres intermédiaires. Il faut donc les inclure dans le projet dès le départ en les associant à la direction générale dans l'élaboration des stratégies de changement.

Pour réussir à mobiliser la majorité des employés autour d'un programme d'amélioration de la qualité, il faut revitaliser le théâtre organisationnel. Les rencontres devront dépasser les simples formalités d'usage pour devenir des événements sociaux. Pour donner vie à une organisation, nous avons besoin de revitaliser son réseau de communications et d'échanges. Il s'agit moins de créer de nouveaux mécanismes de communication que de rendre fonctionnels ceux qui existent déjà en aidant les personnes à mieux travailler ensemble.

9. Reconnaissance et communication

Si l'on veut maintenir vivant dans l'entreprise le défi de la qualité, il faut trouver des moyens de reconnaître publiquement ceux qui obtiennent des bons résultats et tous ceux qui s'activent dans ce sens. Rien n'est plus démotivant pour les employés que de s'apercevoir que la direction évalue sur le même pied ceux qui travaillent et ceux qui ne respectent pas les exigences. Pour cela, il n'est pas nécessaire de chercher des formules miracles en inventant de nouveaux mécanismes, il suffit tout simplement d'utiliser ceux que l'on a déjà.

De plus, il y a des petits gestes de reconnaissance qui coûtent trois fois rien et qui ont cent fois plus d'impact que les cadeaux les plus éblouissants. Les employés n'ont pas besoin de gâteries, ils veulent avoir le plaisir de contribuer à quelque chose de significatif. Le rôle de la direction est de leur permettre de travailler sans être embêtés par tous ces tracas d'ordre administratif qui démotivent tout le monde. Permettre à un employé de se développer en contribuant à améliorer les choses, c'est reconnaître sa valeur. Lui faire des cadeaux, c'est souvent vouloir acheter ses faveurs. Il faut se souvenir qu'au fond les gens ont plus besoin de donner que de recevoir car c'est à cette condition seulement qu'ils peuvent vraiment recevoir. Remercier sincèrement, ça ne coûte pas cher et, quand ça vient du patron, cela a plus d'effet. Je me rappelle ce chef de PME qui remerciait un jour ses employés de lui avoir permis de se retirer des opérations pendant un mois pour planifier le développement de l'entreprise. « En reconnaissance de vos efforts, leur dit-il, je vous présente un plan de développement de la compagnie qui permettra à chacun de s'épanouir. » Voilà un signe tangible de reconnaissance.

Pour maintenir la tension créatrice qui pousse au dépassement constant, il faut informer les gens de l'évolution de la situation. Il est important de faire connaître à l'ensemble du personnel, par des indices de mesure acceptés par le milieu, les progrès que l'entreprise et les services réalisent dans l'ensemble. La reconnaissance des efforts collectifs est aussi importante que la reconnaissance des efforts individuels. La fête fait partie de ces manifestations de reconnaissance collective. Il faut donc redécouvrir le sens de la fête dans nos entreprises.

10. Soutenir les efforts de développement des individus et des équipes de travail

Dans cet effort constant d'amélioration, les équipes de travail feront face à des difficultés qui exigent l'apport de conseillers compétents dans le développement des équipes de travail. Il ne faut pas hésiter à offrir les services nécessaires aux équipes et aux personnes qui en ont besoin pour qu'elles franchissent les obstacles importants qu'elles ne manqueront pas de rencontrer dans leur démarche de croissance. Il ne suffit pas de récompenser ceux qui réussissent, il faut également apporter de l'aide à ceux qui en ont besoin.

11. Ne pas oublier le syndicat

Le syndicat est une institution qui représente les intérêts des travailleurs. Pour qu'il coopère au mouvement, il doit y trouver son compte. Ses revendications doivent lui être créditées lorsqu'elles réussissent à améliorer une situation que l'entreprise avait négligée.

On sait maintenant que l'amélioration de la qualité des produits et des services passe nécessairement par l'amélioration de la qualité de vie des travailleurs. La non-qualité, c'est habituellement tout ce qui empêche un employé de faire ce qu'il souhaiterait faire de toute façon, c'est-à-dire de la qualité.

Il faut alors comprendre et accepter que l'institution syndicale, de son point de vue, veuille aussi améliorer les choses. Vouloir prendre tout le crédit de l'amélioration de la qualité des produits et des services, et, partant, de l'amélioration de la qualité de vie des travailleurs, c'est inconsciemment vouloir éliminer le syndicat. En tout cas, c'est de cette façon que ce dernier perçoit les choses puisque, partout où une entreprise tente une expérience de gestion participative, sa première revendication est la reconnaissance de l'institution syndicale.

Il est donc souhaitable au début de la démarche d'amélioration de convenir avec le syndicat de moyens qui permettront de travailler ensemble tout en respectant le rôle d'opposition officielle que le syndicat se doit de jouer sainement dans l'entreprise. Il n'est pas plus illusoire de vouloir associer le syndicat à la démarche que de vouloir le mettre de côté. Ce sont là des gestes de manipulation évidente. Personne ne se laisse tromper par de pareils procédés. Le syndicat, c'est l'opposition officielle, et il faut que les dirigeants acceptent de travailler avec cette réalité.

De son côté, le syndicat sait bien qu'une démarche d'amélioration de la qualité va dans le sens des intérêts à long terme de ses membres. Il devrait justement se faire le chien de garde de la politique de qualité dans l'entreprise puisqu'elle est encore la meilleure garantie contre le déclin des affaires et la détérioration du climat de travail. C'est son rôle de rappeler constamment à l'administration l'écart entre le discours officiel et les faits.

Conclusion

Améliorer la qualité, c'est un défi constant. C'est la mise en place d'un processus d'éducation permanente intégré à la vie de travail, qui vise à aider chacun à faire toujours mieux. Dans ce sens, c'est une façon de vivre qui exige qu'on se soucie consciemment d'éliminer la non-qualité. Pour ce faire, la compréhension des concepts reliés à la qualité est importante ; cependant, rien ne se produira dans l'entreprise à moins que la direction ne montre le chemin, qu'elle nomme un comité dont la tâche sera de mettre au point une approche qui permettra d'implanter ces concepts de façon méthodique. Rien ne se produit simplement parce que c'est la meilleure chose à faire. Il faut toujours quelqu'un qui soit assez

Gaétan Marois :
le manager à cœur ouvert

Gaétan Marois
Vice-président
Hydro-Québec
Région Richelieu
Saint-Hyacinthe

- est attiré de façon particulière par la gestion des ressources humaines ;
- considère que l'amour du client et du personnel constitue l'un des éléments fondamentaux de son type de gestion ;
- se préoccupe de deux aspects : répondre adéquatement à l'ensemble des besoins de la clientèle et amener les 1 750 employés à penser en fonction des clients et à coopérer entre eux ;
- est convaincu que la plus grande force d'une organisation passe par le développement de la personne.

De longs bras en forme de cœur, qui s'ouvrent par gestes larges et arrondis. Rarement paroles et attitudes s'imbriquent-elles de façon si harmonieuse.

Posséder un grand cœur n'est pas commun. En être muni et le déployer dans un mouvement ample et spontané révèle un don. Y a-t-il quelqu'un dans son entourage capable de résister à cette invitation franche et généreuse ? J'en douterais.

* * *

Technicien de formation, il ne peut poursuivre ses études universitaires, faute de moyens financiers. Il arrive sur le marché du travail et entre à Hydro-Québec.

Quelques années plus tard, il entreprend des cours en administration le soir. Après sept ans, il obtient un baccalauréat en commerce des H.É.C. Durant ce temps, son orientation à Hydro-Québec se précise vers un rôle conseil. Il y consacrera près de la moitié de sa carrière. Il chemine dans l'organisation qu'il connaît de A à Z grâce aux différents mandats qu'il y réalise.

Il peut ainsi se sensibiliser à la fonction de relation d'aide dans l'entreprise. Il essaie même « de faire faire des virages », mais constate qu'il « n'est pas facile d'amener les gens à changer leur façon de gérer ».

Un changement de cap

En 1975, il s'interroge sur son rôle. « Autant ça me plaisait au départ, autant je commençais à être un petit peu aigri de tout ça. Je me disais qu'il est certainement possible de réussir à effectuer des changements dans une organisation. Mais, quand on occupe le poste et qu'on est assis dans la vraie chaise du gars qui a le pouvoir de changer des choses, c'est plus fort que juste le rôle conseil. »

Il dresse un bilan et conclut que, « pour bien produire, il faut être satisfait de sa réussite personnelle ». Il cherche alors de l'aide sur le plan professionnel ; à l'interne, elle est loin d'être évidente. Il découvre, cependant, à l'extérieur, un programme portant sur l'authenticité en management. Il suit une session d'une semaine, en éprouve « un choc épouvantable » et revient plus perturbé qu'avant.

Au bout de six mois, la poussière s'est déposée. Il décide de changer de cap, laisse son poste et se réoriente. Il se retrouve dans un milieu opérationnel comme gérant de secteur et doit refaire ses classes. Puis, de façon continue, d'autres promotions s'enchaînent.

« Ces postes m'ont donné l'occasion de pousser plus à fond mes idées et ma vision du management. Je suis maintenant en meilleure position pour influencer ou marquer le développement de l'entreprise. Aussi, je me réalise davantage dans ce que je fais aujourd'hui. »

L'apprentissage du risque

Les contacts établis lors d'un programme de formation en management continuent à lui apporter l'aide nécessaire à son cheminement. Comment ? « On se donne des occasions de se rencontrer et d'échanger. Cette façon de procéder m'a beaucoup aidé dans mon évolution. »

Il dira qu'au Québec « il se fait beaucoup de bonnes choses en gestion, mais de façon isolée. Cependant, ça commence à pousser un peu partout. On est en train de développer quelque chose de particulier. Ce n'est pas de l'importation pure des États-Unis ou d'ailleurs ; c'est davantage une approche qui s'identifie à notre réalité. »

Son cheminement se fait toujours à partir d'expériences vécues qu'il essaie de partager avec d'autres pour amener l'organisation à se développer.

À l'époque de son virage, il sent des choses qui bougent en dedans mais qu'il refoule. « Tu ne veux pas voir nécessairement tes forces à un moment donné. Tu mets le couvercle sur la marmite jusqu'à ce que ça commence à bouillir. Il y a des peurs qui t'habitent dans la vie, par exemple celle d'être jugé par les autres. Avec cette peur-là, tu ne fais rien, tu tournes en rond, tu te fais mal. »

Il commence à se prendre en main, à mettre ses craintes de côté et à risquer. Risquer non seulement avec des mots, mais avec des gestes concrets. « Pour être bien dans ma peau, me réaliser, aider les gens autour de moi, il faut que j'ose, que je risque et que je pense à mes propres besoins. C'est la meilleure façon de rendre service aux autres. »

Il prend des risques et ça marche à tout coup. Le succès « procure de la confiance en soi et amène à s'équilibrer ». Donc, il cherche à devenir de plus en plus un gestionnaire équilibré.

Un aspect insoupçonné

Puis, mine de rien, il annonce qu'il y a aussi « tout un phénomène d'amour dans l'organisation. Quand tu parles de cet aspect, ça fait rire le monde. » Depuis qu'il prend des risques, il ne se laisse pas facilement désemparer, car le fait d'être centré sur les autres devient sa plus grande force. « Selon vous, qu'est-ce qui fait marcher une organisation ? Il faut d'abord des gens qui l'aiment, qui aiment ensuite travailler ensemble et, enfin, qui aiment les clients. Tu découvres, quand tu y réfléchis un peu, que l'amour est très très présent. »

Dans la recherche de son équilibre, il travaille aussi très fort la partie relations avec les autres. « Il y a dix ans, j'étais un bonhomme qui était bien si je sentais que tout le monde était bien autour de moi. Autrement, ça me rendait malheureux. » Il évolue et accepte aujourd'hui que tous les gens ne lui sautent pas dans les bras. Il constate alors que sa progression sur le plan personnel lui permet de devenir plus efficace dans son travail.

Puis il est question de son utilité dans la vie et dans l'organisation. « Tu n'es pas là pour rien. Il y a des choses qu'on peut faire et qu'on fait effectivement. Lorsqu'on devient conscient, on peut faire encore davantage, c'est-à-dire risquer davantage. »

Ça prend un bon chef de file

À 55 ans, soit dans 10 ans, il souhaite occuper encore un poste de gestionnaire. « Mais je ne serai pas le même gestionnaire. Aujourd'hui je fais des choses dans lesquelles je me sens de plus en plus à l'aise comme gestionnaire. À 35 ans, je forçais du nez, je forçais aussi pour les autres. »

À son avis, une façon très satisfaisante de gérer consiste « à avoir un bon noyau autour de toi, de l'animer avec les mêmes ferveurs que tu possèdes et de chercher le plus possible à demeurer centré. À leur tour, ces personnes animées par ces valeurs vont les implanter à divers niveaux. Imaginez les impacts que ça peut avoir dans l'organisation ! »

Cette année, il risque... et demande une concertation d'équipe avec tous ses subordonnés. Cette nouveauté dans l'organisation permet d'oublier les tâches quotidiennes et de mettre les vrais problèmes d'interrelation, de mode de fonctionnement ou d'orientation sur la table. « C'est dur de se regarder en tant qu'équipe parce que nous n'y sommes pas habitués. Après avoir risqué personnellement, on commence à faire prendre des risques à d'autres. Ça, c'est emballant. »

Lors de l'une de ces rencontres, le comité de gestion établit ses valeurs, son crédo et ce qu'il veut devenir ; le tout se résume en huit paragraphes. La dynamique change. On commence à se dire les vraies choses. « Douze personnes qui apprennent à devenir authentiques produisent des impacts importants autour d'elles. Car trop souvent les bonnes choses se disent uniquement dans les corridors. On ne les dit que très rarement à la personne concernée. »

La transformation interne paraît à tel point que, « de l'extérieur, les gens nous disent que nous ne sommes plus comme avant, que ce n'est plus le même comité de gestion. Pour moi, ces réactions valent de l'or. »

Il faut donc, pour aider l'organisation, commencer par s'aimer soi-même, s'accepter, accepter les autres et l'entreprise. Atteindre cet équilibre suppose, par ailleurs, qu'on ne se laisse pas exploiter en tant que personne. « Si tu les laisses t'exploiter, tu es malheureux là-dedans. » Aussi, pour animer 1 750 employés, une bonne équipe est essentielle. « Un gars tout seul ne va pas loin. Il risque d'y laisser sa peau, de se faire mourir et, à la fin, personne n'est satisfait. »

Un thème connu

Ne jamais refuser une occasion d'aider quelqu'un, gérer avec une porte ouverte, être au service des gens et leur porter attention constituent des gestes concrets et quotidiens pour Gaétan Marois. Il affirme et assume sereinement ces attitudes lorsqu'il déclare : « Je suis un bonhomme de cœur qui aime les gens avec leurs forces et leurs faiblesses. » Difficile d'en douter. Au même moment, ses bras s'ouvrent dans un mouvement très large ; ils peuvent sûrement accueillir tout ce monde qu'il aime.

« C'est là que je suis le plus à l'aise et à mon mieux, je pense. » Cependant, il reconnaît que le bouleversement quotidien l'empêche de se trouver suffisamment d'occasions pour méditer. Il me faut prendre le temps d'investir davantage à ce niveau.

Les périodes de réflexion suscitent, selon lui, « des inspirations qui animent et servent de tremplin pour faire un autre bout de chemin ». Il veut pouvoir faire les choses d'une autre façon dans cinq ans, dans dix ans. Pour y arriver, il faut que « ça vienne de l'intérieur ».

Une autre cellule importante

L'équilibre personnel et l'épanouissement de Gaétan Marois passent par l'action. Il dira : « On peut se bourrer le crâne avec de belles idées, mais ce sont les idées des autres.

N'oublions pas qu'on agit avec ce que l'on est et non avec ce que l'on sait. » Une première cellule d'apprentissage, et peut-être la plus importante pour lui, c'est la famille. « Tu y apprends à accepter les faiblesses et les forces des autres, à travailler en équipe, à utiliser le maximum de chacun. Dans une petite famille de 4 personnes, tu peux y arriver aussi bien que dans une organisation de 1 750 personnes. »

Il demeure cependant que la moitié de la vie se passe dans la cellule du travail. « C'est une occasion en or de vivre des choses formidables : relations personnelles, mouvements de pression, jeux de pouvoir, querelles, créativité, etc. Tout est là ; il s'agit de voir ces choses et de savoir les utiliser. »

Enfin, il ne peut imaginer sa retraite dans une petite vie tranquille. Il espère pouvoir apporter sa contribution à la société, mais sous une autre forme. Il voudrait continuer à être utile en répondant à ses besoins d'abord et à ceux des autres par la suite. Il est convaincu que cette formule de vie est une espèce de garantie de bonheur « si tu veux être en paix avec toi-même ».

Claire Noël

Chapitre 3

Gérer le changement

Planifier et gérer le changement

Quelles sont les organisations qui ne prévoient pas introduire des changements d'ici les deux prochaines années ? Il y en a très peu, n'est-ce pas ? Nous entrons de plain-pied dans une période où apparaîtront de plus en plus de changements.

La crise économique, la concurrence internationale et la nouvelle technologie lancent de nouveaux défis à nos organisations. Partout on planifie des changements. On ferme des usines. On en démarre d'autres. On privatise des entreprises d'État. On diversifie, on fusionne des entreprises. On s'ouvre au marché international. On déréglemente des secteurs complets de l'industrie. On réduit les sièges sociaux des grandes entreprises. On décentralise la prise de décision. On réduit les fonctions conseils. On enrichit les fonctions « line ». On congédie des employés. On offre des retraites anticipées aux personnes de 55 ans et plus. On change des équipes complètes de gestionnaires. Partout on révise les anciennes façons de faire et on planifie des changements afin de s'ajuster à la situation économique et de faire face plus adéquatement aux besoins de notre société en mutation.

S'il est plus facile de défendre ses principes que de les vivre, il est également plus facile de planifier les changements que de les mettre en application. Cela est dû à la double nature du changement. Le changement, de toute évidence, survient lorsque l'on commence ou que l'on arrête de faire quelque chose. Ses manifestations extérieures peuvent facilement être prévues et planifiées, étape par étape. Cependant, le changement entraîne également un processus de réorganisation interne au cours duquel on apprend à cesser de faire les choses d'une façon pour les faire autrement. On appelle ce processus *la transition.* La gestion de ce processus fait également partie de la gestion des changements. C'est ce qu'on oublie trop souvent, hélas ! Sans la gestion de la transition, les changements deviennent facilement des cauchemars humains et, tôt ou tard, des échecs économiques.

Si le plan de réalisation des changements est la plupart du temps clair, la période de transition que vit le personnel demeure, pour beaucoup de gestionnaires, quelque chose d'assez nébuleux et, par conséquent, reste une préoccupation secondaire. On gère alors difficilement le changement parce qu'on ne comprend pas le passage que les humains doivent traverser pour l'assumer efficacement.

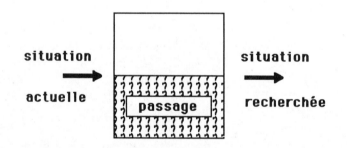

Fig. 4.3.1. Le passage

Le passage

Pour comprendre la gestion des changements, il faut comprendre la période de transition, le passage que vivent les personnes lorsqu'elles doivent changer. Si le changement commence par la naissance de quelque chose de nouveau, le passage, lui, commence par la mort de quelque chose d'ancien. L'être humain ne peut pas s'adapter à un nouveau rôle avec cœur et entrain avant d'avoir fait le deuil de son ancien rôle et dit adieu à l'image de lui-même qu'il avait accrochée à ce rôle. En général, les gens ne résistent pas au changement en soi, ils acceptent difficilement de laisser aller l'image à laquelle ils s'étaient identifiés jusque-là, et ce souvent bien inconsciemment. Pour comprendre cette résistance, il faut comprendre le processus de deuil, de transition, qui suit habituellement l'introduction de changements importants dans une entreprise. Ce passage suit à peu près les étapes suivantes :

1 - L'aveuglement

Lorsque la direction de l'entreprise annonce les changements, elle le fait généralement en présentant les arguments les plus convaincants et les garanties les plus sérieuses en affirmant que personne ne sera lésé dans l'opération. En général, cette annonce est reçue avec assez d'enthousiasme. Après tout, il était temps que les choses changent, et tous les employés l'avaient pressenti de toute façon. En fait, dans l'euphorie qui suit l'annonce des changements, on en vient même à se demander pourquoi ces changements ne sont pas survenus plus tôt. Surtout qu'on va changer pour mieux, nous dit-on. On ne peut pas être contre la vertu ! Il est vrai que le siège social est trop gros, que les contrôles sont trop lourds, que le « line » n'est pas responsable des résultats, que les besoins des consommateurs changent et qu'il faut faire face aux contraintes du marché. La décentralisation, c'est une bien bonne chose.

En fait, à cette étape les gens ne réalisent pas vraiment ce qui leur arrive. On a toujours tendance à imaginer le changement comme quelque chose de connu. Un peu plus ou un peu moins que ce qu'on connaît déjà. Sans le savoir, on nie l'impact réel du passage qui s'annonce. On rêve aux promesses d'un monde meilleur que ces changements préfigurent. On chante les vertus de nos chefs visionnaires qui ont su intervenir au bon moment. On admire le moindre de leurs gestes. Enfin ça change ! Bravo !

En moins de 18 mois, 2 000 personnes sont mises à la retraite anticipée avec, il va sans dire, pleine compensation, 4 000 personnes changent d'emplois et 2 000 personnes partent du siège social vers les régions. On fusionne des territoires, on restructure toute l'organisation et on change le rôle des fonctionnels. Désormais, ils exerceront leur contrôle *a posteriori*. Ce sont les chefs hiérarchiques qui deviennent les grands responsables des résultats de l'entreprise.

Les changements surviennent si rapidement que personne ne les conteste. Au contraire, on travaille à la réalisation de ces transformations avec fébrilité. Ça devient même grisant pour certains.

2 - La révolte

Puis la poussière finit par retomber. On s'aperçoit soudain que les choses ont bien changé. Alors commence une période de désillusion. On est déçu de la tournure des événements. On nous disait qu'on bénéficierait de plus de latitude dans la prise de décision. En fait, on nous contrôle plus qu'avant. On remet tout en question. Tout le monde semble perdu. Le syndicat s'oppose à toutes les initiatives de la direction qui veut impliquer le personnel dans de nouveaux programmes d'amélioration de la productivité.

Les cadres de premier niveau se plaignent que leurs responsabilités augmentent sans qu'on les reconnaisse davantage pour autant. Les cadres intermédiaires sont débordés et commencent à résister passivement. « Après tout, c'est la direction qui nous a mis dans ce pétrin. Eh bien, c'est à elle de nous en sortir ! » La phrase qui caractérise le plus cette période est la suivante : « Après toutes les énergies que j'ai consacrées à l'entreprise, si c'est comme ça qu'on me remercie, eh bien moi, je ne marche plus ! »

Subtilement, le processus de désengagement des troupes s'amorce. Lorsque la colère du personnel ne peut s'exprimer ouvertement, elle se manifeste de différentes façons : accidents, absences, retards, ralentissements, erreurs incompréhensibles, bris, gaspillage des ressources, etc. On voit aussi, dans certains services, des tentatives de marche arrière. On reproduit, en plus petit, l'ancien système. On décentralise les activités mais on ne décentralise pas vraiment.

3 - La déprime

Après la période de révolte au cours de laquelle il n'a pas su canaliser l'énergie de façon positive dans l'entreprise, le personnel sombre dans une période de déprime. Comme le dit l'expression populaire, il broie du noir. L'initiative est à la baisse. Les meetings se font plus rares. Le contact s'atténue à tous les niveaux de la structure. La direction, de son côté, pose des gestes désespérés mais les employés ne répondent plus. Le cercle vicieux s'installe : la direction multiplie les ordres, les résultats se détériorent, la déprime augmente, la direction réagit plus fort, les résultats ne s'améliorent pas, et ce, à l'infini.

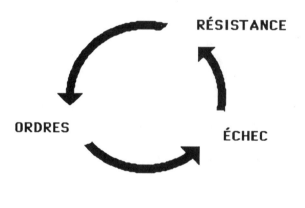

RÉSISTANCE

ORDRES

ÉCHEC

Fig. 4.3.2.

4 - L'acceptation

Pour franchir cette étape, l'organisation doit se prendre en main, sans quoi elle assistera plutôt à l'alternance des étapes 2 et 3 où révolte et déprime sont tour à tour à l'honneur. Il y a des organisations qui en meurent.

Cette étape exige un choix conscient et responsable face au passé. Pour que les employés acceptent de se détacher du passé, il faut leur donner la chance de se séparer de leurs anciennes façons de faire, d'assumer leur deuil. Alors seulement commenceront-ils à réaliser que les choses ne pourront plus jamais être comme avant et que, finalement, ce qui arrive est une bien bonne chose pour la compagnie et pour les personnes qui la constituent. On oublie doucement le passé et on commence à réinvestir dans la nouvelle organisation. Après tout, la situation offre des avantages qu'on n'avait pas vus. Dépouillé de son ancien rôle, on se sent plus libre d'inventer, d'oser, de se montrer tel que l'on est. On entre en contact avec des ressources internes qu'on ne soupçonnait même pas. On retrouve des rêves qu'on se sent soudain en mesure de réaliser. En laissant derrière soi le passé qu'on ne peut retenir, l'avenir nous apparaît moins menaçant. On retrouve son enthousiasme.

5 - L'intégration

Les changements sont bien en place. Cependant, il y a quelque chose qui a fondamentalement changé. Nous ne sommes plus les mêmes. Nous sommes non seulement plus efficaces mais plus créateurs, plus flexibles aux situations en constante évolution. Non seulement l'entreprise a changé, mais nous aussi. Moins attachés à nos statuts, les relations interpersonnelles se sont améliorées. Les relations avec la clientèle sont plus claires. Nous savons davantage ce que nous voulons ; nos objectifs sont plus clairs. La conscience générale de ce qui se passe est plus grande. Le sentiment d'appartenance se manifeste à nouveau.

Pour qu'un changement ait véritablement lieu, il faut traverser cette période de transition et assumer le deuil du passé. L'indice qu'on n'est pas encore parvenu à se détacher du passé s'observe dans les manifestations de colère et de tristesse répétées du personnel.

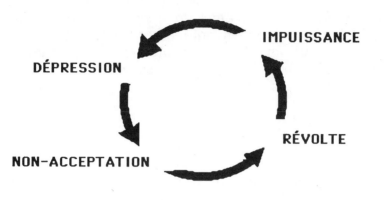

Fig. 4.3.3.

On peut savoir que la nouvelle direction à prendre est la bonne lorsqu'on accepte de vivre son deuil par rapport à ses anciennes façons de faire pour finalement sortir de ce cercle vicieux et reconnaître le bon côté des changements.

Le processus de transition n'est pas en soi quelque chose de magique. Il exige de la part de celui qui accepte de le vivre de façon responsable une réorganisation interne consciente. Le détachement qu'il nécessite, la mort à certaines images de nous-mêmes, nous permet d'entrevoir, à un autre niveau, ce que nous sommes vraiment. Cette rencontre avec soi, dépouillée de tout artifice, nous met en contact avec notre véritable nature et le but de notre existence. C'est à ces moments privilégiés que nous devons souvent la conscience intense, et parfois soudaine, de notre mission, de notre idéal de vie. Seule la vision de cet idéal permet de lâcher prise et de vivre pleinement le présent. Elle libère suffisamment d'énergie pour permettre la transformation, la mutation nécessaire au développement de la vie des individus et des organisations.

On peut comprendre, de ce qui précède, que tout changement n'est pas synonyme de progrès. En effet, il ne saurait y avoir d'évolution et de progrès sans l'élévation du niveau de conscience de l'organisation. Ceci suppose qu'elle clarifie sa mission, qu'elle acquière un plus grand sens des responsabilités et qu'elle améliore le service à la clientèle. N'est-ce pas ce que prétendent réaliser les réorganisations auxquelles nous assistons présentement ? Et pourtant, comment gérons-nous le passage qui suit inéluctablement la mise en place de ces changements ?

Gérer la transition

Comment intervenir dans la période de transition ? Dans ce domaine, il faut, bien sûr, respecter la culture du milieu en même temps que les besoins variés des différents groupes affectés par les changements. Certaines choses sont cependant évidentes.

1 - La préparation

D'abord, il faut réaliser qu'apporter des changements coûte cher et que, pour décider d'introduire des changements majeurs, il faut y penser à deux fois. Certaines recherches ont démontré qu'il en coûtait de 5 à 10 pour cent du budget annuel seulement pour atteindre la moitié des changements souhaités par le personnel.

Une fois qu'on a pris la décision de changer, il faut prévoir l'impact des changements sur les diverses catégories de personnel. Combien d'employés seront touchés par le changement ? Jusqu'à quel point celui-ci affectera-t-il les personnes ? En d'autres mots, il faut prendre conscience que les changements n'apporteront pas que de bonnes choses dans l'immédiat. Les gens auront d'abord l'impression d'y perdre plus qu'ils n'y gagnent. Il est important d'inventorier ces pertes à l'avance. On peut prévoir cinq sortes de pertes possibles.

1° La perte d'identité

Qui suis-je, maintenant que je ne fais plus le même travail ? Où est mon utilité ?

2° La perte de contrôle

Je n'ai pas voulu ce qui m'arrive. Pourquoi cela m'arrive-t-il, à moi ? Que va-t-il encore se passer ?

3° La perte de compréhension de ce qui arrive

Pourquoi me font-ils cela ? J'ai donné jusqu'ici le meilleur de moi-même à l'entreprise ! Est-ce que cela ne compte plus pour personne ?

4° La perte du sentiment d'appartenance

Je ne connais plus personne. Mes amis sont partis ou ont été transférés. Je transige avec des inconnus toute la journée. Je ne connais même pas mon nouveau patron. On dit même qu'il n'en a pas pour longtemps avec nous.

5° La perte des perspectives de sa carrière

J'avais l'espoir d'une promotion, maintenant tout est gelé, l'avenir me semble plutôt sombre.

Bien que ces pertes soient d'ordre psychologique, elles n'en sont pas moins réelles pour autant. Lorsqu'elles ne sont pas reconnues et gérées, elles affectent le bilan de santé psychologique des gens et peuvent même créer un stress qui aura des conséquences importantes au plan physiologique.

2 - Le face à face

Dans la période de transition, les contacts face à face avec les employés sont de la plus haute importance. À cause de l'atmosphère de grande émotivité qui règne à ce moment-là, beaucoup de gestionnaires refusent de rencontrer leur personnel face à face. Ils ont peur que ça tourne en séance de chipotage inutile. Au contraire, la fuite va plutôt aggraver les choses, il va sans dire. Les gens ont besoin d'établir de nouveaux contacts. Il faut donc se donner la peine de les rencontrer là où ils sont, dans leur colère comme dans leur tristesse. Il est difficile de vivre un deuil sans en parler à personne. Si l'on peut comprendre la réaction des personnes qui perdent un être cher, on peut comprendre que, pour ceux qui s'identifient à leur travail, les changements organisationnels sont aussi dramatiques que la perte du conjoint ou d'un enfant. Pour que ça passe, il faut en parler à quelqu'un. En prenant conscience de ce que l'on vit, on peut mieux voir ses besoins et lâcher prise sur ses vieilles façons de les satisfaire et finalement en trouver d'autres, souvent plus efficaces.

3 - Sortir de la relation persécuteur/victime/sauveur

Il faut que la direction accepte de montrer exactement ce qu'elle vit. Il n'y a rien de pire que de faire semblant qu'on est au-dessus de ses affaires et qu'il n'y a que les imbéciles qui n'ont pas encore compris. Dans la plupart des changements, la direction accepte trop souvent de jouer le persécuteur suffisant. Les employés se cantonnent alors dans le rôle de victime, et le syndicat a beau jeu de prendre le rôle du sauveur. Dans ce petit jeu à trois, on tourne en rond, on ne va nulle part. Il n'y a pas de rencontre véritable, pas de contact réel entre les gens. Personne n'exprime de demandes claires. La direction blâme les employés et les accuse d'inefficacité. Les employés se défendent en pleurant et en résistant passivement. Le syndicat en profite pour canaliser le mécontentement des employés.

Comment briser ce jeu improductif ? En se montrant. En disant ce que l'on vit vraiment et en faisant des demandes claires et fermes à ses subordonnés, à ses pairs et à ses supérieurs.

4 - Le « monitoring »

Lors d'introduction de changements importants, il est souhaitable de créer un comité chargé de suivre l'évolution de la période de transition dans l'organisation ou le service affecté. Ce groupe doit être composé de personnes de tous les niveaux hiérarchiques de sorte qu'on ait le pouls de tout le personnel. Ce comité mènera régulièrement des enquêtes afin de recevoir les griefs et les suggestions des employés et fera les recommandations qui s'imposent pour remédier aux situations qui risquent de prolonger inutilement la période de transition.

5 - La formation

L'organisation doit prévoir, en premier lieu, des sessions de formation afin d'aider le personnel affecté par les changements à comprendre la période de transition qu'il traverse.

En plus de rendre accessibles des programmes de réaffectation de carrière pour le personnel mis en disponibilité, il est important d'entraîner les cadres à gérer leur personnel en période de transition et à apprendre comment faire face à la colère, à la dépression et à l'anxiété.

De plus, il faut maintenir une consultation permanente avec tous les cadres de l'entreprise pour que les décisions quotidiennes facilitent le processus de transition.

Finalement, il faut travailler auprès des nouvelles équipes de travail pour les aider à se prendre en charge. Pour ce faire, on peut former quelques cadres qui serviront d'animateurs.

La réorganisation du travail exige généralement que les gens gèrent leurs besoins mieux et différemment. Par exemple, dans un système qui encourageait ou du moins tolérait la compétition individuelle, des changements qui exigeraient la collaboration et l'entraide sont voués à l'échec si l'on n'aide pas les personnes à modifier leurs attitudes. Il faut qu'elles voient ce que leur coûtait leur ancienne façon de faire et les besoins qu'elles satisfaisaient, et qu'elles sentent les avantages qu'elles pourront tirer de leur nouvelle situation. Ces échanges doivent se faire en groupes pour permettre à toutes les personnes de recevoir le maximum de feedback et de support pour effectuer la part de changement qui leur incombe. La limite aux changements organisationnels est déterminée par la capacité des personnes d'accepter l'évolution.

Pour gérer le changement

Nos organisations ont un urgent besoin de conseillers et de gestionnaires (hommes ou femmes) non seulement capables de planifier les changements nécessaires à la croissance et au développement de leur entreprise mais surtout assez forts et assez compétents pour accompagner leur personnel dans la difficile période de remise en question que ces changements occasionnent.

Le succès d'un changement organisationnel repose largement sur la qualité des interventions de la direction et de ses conseillers durant la période de transition entre l'introduction des changements et l'intégration de ces derniers dans la vie normale de l'organisation. Les changements rentables sont, en effet, ceux qui dépassent les modifications superficielles de structures et modifient aussi les mentalités et les valeurs profondes qui servent de trame au tissu social de nos entreprises.

Pour travailler à ce niveau, pour comprendre et intervenir dans la vie de d'autres individus, il faut soi-même accepter de se remettre en question et de travailler activement à son propre développement. En effet, comment peut-on comprendre les personnes qui vivent ce processus de transition si l'on n'est pas soi-même passé par là. La direction d'une entreprise n'est pas seulement une tâche mécanique qu'on exécute selon des techniques prédéterminées mais avant tout un engagement à guider d'autres personnes sur la voie de la réalisation personnelle.

Pour diriger, il faut donc reconnaître l'expression des lois naturelles dans le cycle des transformations (la vie, la mort) que vivent les individus tout comme les organisations. L'entreprise gardera une préoccupation salutaire pour les besoins de ses clients et elle se développera harmonieusement dans la mesure où les cadres et les employés d'une organisation, considérant le travail avant tout comme un moyen de réalisation personnelle et collective, accepteront les transformations nécessaires à l'expression de la vie.

VIE

MORT

Fig. 4.3.4.

Pour gérer le changement, il faut plus qu'une recette que l'on suit aveuglément. Il faut des hommes et des femmes qui comprennent le sens de la vie et qui ont décidé d'être eux-mêmes en mouvement, en transformation.

Si nos organisations sont très habiles à planifier le changement, elles doivent, par ailleurs, apprendre de toute urgence à gérer sa contrepartie, la transition.

Michelle Lettre :
la dentellière de la condition humaine

Michelle Lettre
Conseillère en management
G. Charest et associés
Montréal

- effectue un rôle conseil auprès de cadres d'entreprise ;
- intervient dans la formation offerte par les organisations par des programmes sur mesure ;
- se spécialise dans la consolidation d'équipes ;
- éclaire ses interventions par la réalité de la condition humaine tant auprès des entreprises que des personnes ;
- privilégie une approche globale.

Dans un monde d'hommes, avec les hommes, elle travaille, vit, à sa façon. Féminine.

Dentellière d'une nouvelle époque, elle invente des broderies vivantes, nuancées, transparentes, uniques, différentes.

Ses motifs inusités et délicats laissent entrevoir une œuvre originale, inachevée certes, mais dont le fond est solidement fixé.

La complexité apparente de ces entrelacs révèle un apprentissage minutieux, patient et parfois douloureux que Michelle Lettre transforme en un art. Celui de vivre.

* * *

À peine haute comme trois pommes, elle s'intéresse déjà à la relation d'aide. Elle milite dans les mouvements de jeunes, enseigne aux adolescents puis aux petits qui lui apportent une dimension affective et spontanée. Un peu étouffée par le milieu de l'enseignement, elle fait des études en animation de groupe et en consultation et se dirige du côté des adultes. Elle découvre qu'il est possible d'aider les gens dans les entreprises. Fascinée par ce travail, elle doute cependant de « pouvoir faire cela ». Elle rencontre Gilles Charest et décide d'entreprendre une formation au sein de son équipe.

Une recherche... immobile

Elle doit l'évolution de ses orientations de carrière en grande partie à la maladie. Son divorce, la nécessité de se prendre en charge affectivement et socialement et des problèmes de santé l'immobilisent durant des mois, ce qui l'amène à se poser beaucoup de questions. « Pourquoi vis-tu et veux-tu vivre ? J'avais le choix : me laisser aller, ne plus fonctionner et être complètement invalide, ou me prendre en main. Je me suis dit qu'à partir de cette expérience-là, je pouvais apprendre et trouver un sens à ce que je faisais. »

Elle comprend, entre autres, qu'en donnant sans cesse, elle se vide, mais surtout qu'elle cherche à combler un vide intérieur. Elle apprend à bâtir davantage sa confiance en elle et sa propre estime de ce qu'elle est. « Je découvre aussi ma propre valeur plutôt que d'essayer de la trouver à travers ce que je fais, dans mes interventions. »

« Cette démarche me permet de m'ouvrir à différents plans, notamment au plan spirituel, à aller plus loin dans ma recherche sur le sens de la vie. Et tout ce que j'intégrais personnellement dans mon cheminement se reflétait dans mes interventions. » Ses valeurs changent, ainsi que sa façon de voir la vie, de voir l'être humain, de comprendre le développement des personnes et leurs besoins fondamentaux.

Elle occupe un poste de cadre dans une compagnie mais constate qu'elle ne peut faire face à ce rythme de vie. Après trois ans comme directrice du personnel, elle est brûlée et rechute. Le signal se répète. « Je ne pouvais donner, à mon rythme, ce que j'avais à donner. C'est toujours la maladie qui me fait signe. »

En 1984, elle revient à la consultation mais, cette fois, à son compte. Pour respecter son rythme et sa façon de donner, elle ne veut plus être permanente dans une entreprise. « Ce choix m'a fait développer ma sécurité intérieure. » Elle constate comment elle se sent bien dans ce choix même si, d'un mois à l'autre, elle ne sait pas ce qui l'attend. Elle a confiance.

« L'union entre le sens de ma vie et le sens de ce que je fais dans mon travail est consolidée intérieurement. Si le travail déroge de mes valeurs et de mes croyances, je ne le fais pas. » C'est clair !

« Je fais de la dentelle »

Et peu à peu est apparue sa réalité de femme. « J'ai résisté beaucoup, j'avais peur d'entrer en contact avec ce que je portais profondément comme femme. » Elle découvre sa force au niveau intuitif, son rôle d'éveil, de guide, sa façon, différente de celle de l'homme, de voir, de saisir, d'orienter. « La dimension de ma féminité a chapeauté tout mon processus. »

Elle admet pouvoir donner le même contenu qu'un conseiller mais perçoit la différence précieuse qui existe dans sa façon de s'exprimer et de saisir ce que vivent les gens.

Longtemps elle niera cette différence « pour ne pas déranger, pour plaire et pour être conforme à ce qui est socialement reconnu et accepté surtout dans un monde d'hommes comme le milieu des cadres ». Alors ? « Il faut bâtir notre propre modèle de femme et retrouver le sens même de notre utilité et de notre présence. »

À son avis, le pourcentage de femmes cadres importe peu. Ce qui importe, c'est que les femmes qui occupent des postes supérieurs puissent se réaliser et s'épanouir comme femmes. Mais elle s'interroge sur le prix à payer. Oui, les femmes peuvent faire n'importe quel travail mais « souvent ça demande une énergie qui éteint quelque chose intérieurement ».

Quant à son travail, elle considère que « c'est une place extraordinaire pour les femmes. C'est un travail délicat, qui demande beaucoup de doigté, de soin, de patience, de se laisser guider par les gens et de créer chaque fois une pièce différente. J'appelle cela travailler dans la dentelle. »

La qualité totale

Sans plan de carrière, elle ajuste son orientation au fur et à mesure. Sans oublier cependant l'essentiel, faire quelque chose qu'elle aime, où elle peut se respecter et travailler dans la joie. En résumé, « être au service de la Vie dans l'harmonie et dans la joie ».

Elle ramène de façon bien concrète cet objectif, qui peut sembler utopique, à une réalité qu'elle connaît, celle des grosses entreprises où de plus en plus de cadres et d'employés vivent des problèmes de santé de toutes sortes et finissent par craquer. Le rythme effarant auquel fonctionnent ces boîtes provoque un stress grandissant pour tout le personnel.

Cette situation, qui lui rappelle la sienne encore récente, lui fait entreprendre une formation en approche globale du corps qui lui « convient très bien à cause du rythme, de la douceur et de la profondeur du processus ». Son contact avec la maladie et la souffrance lui permet de penser qu'elle a beaucoup à apporter sur ce plan. Et, pour continuer son cheminement, elle n'a pas le choix ; elle doit s'occuper de sa santé. « Notre corps, assure-t-elle, est le bien le plus précieux que nous avons sur la terre, mais nous lui faisons la vie dure. »

Il existe, selon Michelle Lettre, un lien très fort entre sa vie psychologique et sa vie physique. « Mon corps manifeste les tensions non liquidées qu'il a emmagasinées. La maladie est une manifestation de quelque chose que je vis intérieurement. » Aussi est-elle intéressée à « développer une approche qui peut aider les gens à vivre plus en harmonie avec eux-mêmes. Ils viendront chercher ce dont ils ont besoin sur ce plan et pourront l'intégrer à leur quotidien. »

« Cher ami, tu n'as rien compris ? »

De plus en plus de chefs d'entreprises comprennent que leur organisation ne pourra se développer que si leurs employés sont en bonne condition psychologique et physiologique. « Depuis un an ou deux, nous voyons un terme qui émerge dans les organisations, celui de la qualité totale qui inclut la santé des employés. » De façon embryonnaire, les entreprises commencent à penser à la qualité de vie :

éclairage, bonne aération, moments de repos, alimentation, programmes de santé, etc.

Quoi qu'il en soit, ne pas savoir s'arrêter, avoir peur d'entrer en contact avec soi, paniquer devant des heures libres, vouloir prouver continuellement des choses, tout cela ne mène nulle part. Vient un jour pour chacun où le corps physique avertit : « Cher ami, tu n'as pas compris ? Je vais t'aider, je suis là pour t'accompagner. » Et il y va d'une aide parfois assez violente : infarctus, ulcères, hypertension, problèmes respiratoires, migraines, etc.

« De plus, explique Michelle Lettre, nous n'avons pas développé l'habileté de prendre en même temps que nous donnons. » C'est alors que surviennent l'épuisement et le burn-out. Trouver et donner un sens à son travail, libérer ses tensions, se donner des temps d'arrêt et de réflexion font partie, entre autres, des approches qu'elle préconise pour aider les gens.

Des montagnes lumineuses à l'horizon

Le matin de la rencontre, Michelle Lettre décrit comment elle se voit en ce moment dans sa vie. « Je suis au sommet d'une montagne très escarpée que j'ai escaladée, toute seule durant de longues périodes mais aussi avec de l'aide en cours de route. Devant moi j'aperçois une prairie extraordinaire, j'entends les chants des oiseaux, j'admire les couleurs, la verdure. À l'horizon se dresse une chaîne de montagnes très ensoleillées et lumineuses. D'où je suis, je sais que je peux rejoindre ces montagnes et d'une façon beaucoup plus libre.

« Une chose est claire, je veux avancer, cheminer. Accompagnée de personnes qui m'entourent, je me dirige vers cet endroit que je perçois paisible. Il y a beaucoup d'espace. Je marche mais je sais que je ne l'atteindrai pas demain matin. C'est la Vie qui est là. Avant d'arriver aux montagnes, je rencontrerai des bois, des sous-bois, mais pas d'endroits marécageux. J'ai confiance. »

Sa démarche n'est pas terminée. Ses propos le confirment mais, avouera-t-elle, « ce n'est jamais par hasard que nous

nous trouvons dans un environnement donné. C'est toujours un appel à aller plus loin. »

Claire Noël

Chapitre 4

Le conseiller : un guide

Guide ou porteur ?

Si nous devions faire une excursion en montagne et que nous cherchions un guide qualifié, il ne nous viendrait jamais à l'esprit d'embaucher quelqu'un qui n'aurait qu'une connaissance livresque de la montagne et des techniques d'escalade, même s'il connaissait par cœur la vie des grands explorateurs. Nous chercherions, au contraire, un guide expérimenté, c'est-à-dire quelqu'un dont les connaissances sont issues de l'expérience vécue.

Pourquoi agirions-nous ainsi ? Parce que nous reconnaissons implicitement que la véritable connaissance est celle que l'on tire de sa propre expérience ; cela explique pourquoi plusieurs d'entre nous ont dû, pour apprendre, faire leurs propres expériences en dépit des conseils avisés de leurs éducateurs.

Il en est ainsi dans tous les domaines de l'activité humaine. Si vous aspirez à devenir des conseillers fiables, de véritables guides pour vos clients, il vous faut acquérir la connaissance que seule confère l'expérience personnelle consciente.

Sans cette connaissance, non seulement vous ne pourrez aider vos clients mais vous ne pourrez même pas distinguer un client sincère d'un passant curieux.

Dès les premiers instants de la démarche de consultation, vous devez être en mesure de reconnaître les intentions réelles de votre client. Que cherche-t-il au juste? Un guide ou un porteur de bagages ?

Au-delà des problèmes auxquels il doit faire face, que veut-il ? Simplement que vous le libériez de ses tracas quotidiens, du poids de ses difficultés ? Si c'est le cas, sachez qu'on vous offre un travail non pas de guide mais de porteur.

C'est dans de telles circonstances que vous vous devez d'affirmer vos convictions et de faire respecter votre rôle. Cela est impossible si vous n'appuyez pas vos convictions sur une expérience réelle. Vous ne pourrez reconnaître un client sincère que si vous l'avez été vous-même. Autrement dit, vous ne serez pas reconnu comme guide si vous n'avez jamais accepté d'être vous-même guidé.

Pour devenir maître dans l'art de guider, vous devez avoir été vous-même guidé dans la recherche active du sens de votre propre vie. Dans ce domaine, vous ne conduirez personne là où vous n'êtes pas allé vous-même. Cela se comprend aisément lorsqu'on réalise que « guider, c'est aider l'autre à se faire confiance ».

La recherche personnelle active

La recherche personnelle active du sens de sa propre vie nous oblige à cultiver deux qualités indispensables au métier de guide : la sincérité et l'humilité.

La sincérité dans la recherche est de toute première importance. C'est l'aspiration profonde qui attire le chercheur vers l'objet de sa recherche. Cela présuppose qu'on fasse confiance à ses intuitions de départ à la manière du scientifique qui circonscrit ses hypothèses de travail avant de les éprouver par l'expérience. Être sincère, c'est au fond accepter d'être guidé par ses intuitions.*

Celui qui cherche sincèrement, c'est-à-dire qui accepte de se laisser guider par ses intuitions, trouvera. Ce n'est pas là un simple encouragement mais l'expression d'une loi de la

---

* L'intuition ne doit pas être confondue avec le sentiment. L'intuition est la voix de l'esprit, le ressenti, tandis que le sentiment est la voix du mental, le sentimental.

vie : « Cherchez et vous trouverez. » Il se peut néanmoins que vous ayez à peiner pour cela.

En d'autres mots, la sincérité donne accès à l'expérience véritable et l'expérience véritable ouvre la porte de la connaissance.

Cependant, la sincérité ne se vit jamais toute seule. L'humilité doit nécessairement s'y joindre, sans quoi le chercheur ne serait pas à même d'accueillir la connaissance.

D'une certaine façon, nous pouvons dire que la sincérité est le prix de la connaissance tandis que l'humilité conditionne notre capacité de l'accueillir. C'est l'orgueil, la prétention à mieux savoir, qui nous empêche d'accueillir les données de l'intuition. Parce que notre intuition, la voix du cœur, a des raisons que la raison ne comprend pas, nous nous fermons souvent à ses conseils.

En effet, la sincérité nous permet d'expérimenter intensément alors que l'humilité, en nous libérant d'un vouloir ou d'une prétention égocentriques, nous offre un point de vue à partir duquel nous pouvons réellement reconnaître le sens de ce que nous vivons, donc apprendre de notre expérience.

La sincérité nous donne accès à la réalité de l'expérience ; l'humilité nous procure la lucidité et l'objectivité pour la comprendre.

La demande d'aide

Si la sincérité et l'humilité sont indispensables au conseiller qui veut acquérir la connaissance que confère l'expérience personnelle, elles sont tout aussi indispensables au client qui veut marcher sur le même sentier et, lui aussi, apprendre de sa propre expérience.

La sincérité et l'humilité doivent donc transparaître dans la demande d'aide. Ce sont les conditions premières pour que l'aide soit efficace.

Si vous ne sentez pas la présence de ces qualités chez votre client, vous êtes en présence de quelqu'un qui ne veut pas travailler, qui craint de s'engager personnellement et qui ne fera pas d'effort pour changer la situation qu'il vit.

Dans ces conditions, vous devrez faire face à cette attitude en vous retirant si vous ne percevez pas de changement.

Votre rôle de conseiller est de montrer le chemin, jamais de marcher à la place du client.

Demander de l'aide sincèrement et simplement n'est pas chose facile pour les êtres humains. Notre prétention est grande ; nous nous croyons maîtres de l'univers. Et, si nous pensons que nous ne sommes pas encore capables de contrôler ceci ou cela, voire de vaincre la mort, ce ne peut être qu'une question de temps !

Nous portons tous en nous une bonne dose de cette prétention, qui finalement nous retient de demander l'aide dont nous avons besoin et, partant, nous empêche de la recevoir.

Cette prétention camoufle nos peurs. La plupart de nos peurs, en effet, sont liées de près ou de loin à notre suffisance, sentiment de notre importance. Dès que nous acceptons de faire face à nos peurs, notre prétention s'estompe ; de là le proverbe populaire : « La peur est le commencement de la sagesse. »

Le prétentieux ne demande pas, il exige, il supplie, il se plaint, il défie, il quémande, il achète, il manipule du mieux qu'il peut pour cacher ses peurs.

Demander de l'aide, c'est faire preuve d'humilité et de sincérité ; c'est reconnaître ses peurs et accepter d'y faire face ; c'est s'engager, se mettre en mouvement. Voilà pourquoi, dans le processus de consultation, la demande d'aide est si importante.

Nous avons tous à apprendre à demander si nous voulons aider réellement nos clients à le faire, sans quoi nous allons être victimes de la prétention des autres. En d'autres mots, il faut avoir vaincu suffisamment sa propre prétention pour être en mesure d'aider les autres à le faire.

Servir la vie

Au-delà des techniques que vous utiliserez et des contenus sur lesquels vous travaillerez, votre responsabilité professionnelle consistera à insuffler à vos clients le goût du dépassement par votre exemple.

En effet, vous devez être des exemples. On enseigne au fond bien plus par ce que l'on est que par ce que l'on sait. Tout savoir qui ne vous a pas obligé à modifier vos attitudes et votre comportement, en un mot, qui ne vous a pas touché profondément, n'a pas de force, ni pour vous ni pour les autres. Souvenez-vous de vos professeurs. Remarquez que ceux qui vous ont réellement touché ne l'ont pas fait par la matière qu'ils vous enseignaient. Ce sont toujours leurs attitudes, leurs convictions qui ont fait la différence.

La connaissance que confère l'expérience personnelle, c'est-à-dire la conviction, ne s'acquiert que lorsqu'on se met résolument et entièrement au service de la vie qui coule en nous et autour de nous et que l'on abandonne toute prétention.

Fritz S. Perls, le père de la Gestalttherapie, le concevait très bien lorsqu'il disait, à peu de choses près, ceci : « Chaque fois que j'ai besoin de mon client, que j'ai des attentes personnelles envers lui, nous n'allons nulle part. Lorsque je ne désire rien, le miracle se produit. »

Dans ces moments, nous sommes complètement disponibles à l'expérience du client. Nous suivons son énergie. Elle nous conduit d'elle-même au problème et à sa solution.

Vous ne pouvez sentir cette énergie qu'au moyen de votre intuition, cette capacité de perception qui transcende la puissance de vos sens et de votre intellect.

Si vous voulez devenir de bons conseillers, travaillez donc à libérer votre intuition en développant votre sincérité et votre humilité. Vous bénéficierez alors de repères très sûrs puisque ces deux attitudes permettent, à travers vous, l'action puissante de la vie elle-même.

L'intellect, pour sa part, est utile pour organiser, structurer et diriger dans le concret les données de l'intuition. C'est un outil précieux, le plus subtil de tous les ordinateurs. Cependant, il n'est utile que si, comme l'ordinateur, l'homme en garde le contrôle.

Trop de conseillers, au lieu de travailler à libérer leur intuition et, de ce fait, leur créativité, se contentent d'imiter le style de leur maître et de copier leurs programmes d'ordinateur. Ils apprennent une foule de théories et de techniques pour éviter de travailler sur eux-mêmes et pour épater la galerie.

Pour la personne de cœur, celle qui a développé la sincérité et l'humilité, tout ce clinquant n'a aucune valeur, car elle sait que la véritable connaissance est celle que l'on a acquise en l'éprouvant intuitivement.

Je vous encourage donc à vous fier à vous-même, à votre intuition, et à imaginer par vous-même les mises en situation les plus aptes à aider vos clients. Les techniques des autres ne vous seront utiles que dans la mesure où vous aurez fait d'abord l'effort de comprendre par vous-même la situation de votre client.

Puissions-nous devenir des conseillers de plus en plus inspirants et clairs, nous souvenant toujours que nous ne sommes pas là pour diriger la vie ou la dompter mais bien pour la seconder. Il est grand temps que nous apprenions à la servir.

Bibliographie

ABD-RU-SHIN. *Dans la Lumière de la Vérité, Message du Graal,* Éditions françaises du Graal, Strasbourg, 1959.

AGOR, Weston H. *Intuitive Management,* Prentice-Hall Inc., Englewood Cliffs, New Jersey, 1984.

BECKARD, R. « The Dynamics of the Consulting Process in Large System Change », août 1975, unpublished paper.

BENNIS, Warren et NANUS, Burt. *Diriger : Les secrets des meilleurs leaders,* InterÉditions, Paris, 1985.

BERG, Eric N. « Zen and the Standford Business Student », *The New York Times,* janvier 1983.

BLANCHARD, K., JOHNSON, S. *The One Minute Manager,* William Marrow and Company Inc., New York, 1982.

BOULANGER, R. « La gestion intégrée », tiré à part, disponible chez G. Charest et associés, 1985.

BOURGEAULT, L. *L'Héritage sacré des peuples amérindiens,* Éditions de Mortagne, Montréal, 1985.

BRACHE, Alan. « Strategy and the Middle Manager », *Training and Development Journal,* avril 1986.

DEAL, T., KENNEDY, A. *Corporate Cultures : the Rites and Rituals of Corporate Life,* Reading Mass, Addison Wesley, 1982.

DESATNICK, Robert L. *Managing to Keep the Customer,* Éd. Jossey-Bass, San Francisco, 1987.

DUFRESNE, J., JACQUES, J. *Crises et leadership,* Boréal Express, Montréal, 1983.

ENDENBURG, G. « Sociocracy », tiré à part, disponible chez G. Charest et associés.

FERGUSON, Marilyn. *Les Enfants du Verseau,* Calmann-Lévy, France, 1981.

FONTAINE, J., *Médecin des trois corps,* Éd. Robert Laffont, Paris, 1980.

FONTAINE, J., *La Médecine du corps énergétique,* Éd. Robert Laffont, Paris, 1983.

GAGNÉ, J.A. *Chimie générale,* Éd. l'Action sociale Ltée, Québec, 5e édition, 1960.

GOLDSTEIN, Joseph. *The Experience of Insight,* University Press, Santa Cruz, Ca., 1976, p. 68.

HAGL, S. *Die Apokalypse als Hoffnung,* Éd. Knaur, Munich, 1984.

HERRIGEL, E. *Le Zen et l'Art chevaleresque du tir à l'arc,* Dervy-Livres, Paris, 1970.

HURST, D.K. « Of Bosses, Bubbles and Effective Management », *Harvard Business Review,* mai-juin 1984.

ISHIKAWA, Kaoru. *What is Total Quality Control ?,* Éd. Prentice Hall Inc., Englewood Cliffs, New Jersey, 1985.

LEVY, Jerry. « Right Brain, Left Brain : Facts and Fiction », *Psychology Today,* mai 1985.

LIEVEGOED, B.C.J. *The Developing Organization,* Celestial Arts, Millbrae, California, 1973.

I.D., Phases, Éd. Pharos, Londres, 1979.

McLUHAN, T.C. *Pieds nus sur la terre sacrée,* Éd. Denoël, New York, 1971.

MOSS KANTER, Rosabeth. *The Change Master,* Éd. Simon and Schuster, New York, 1983.

ORGOGOZO, Isabelle. *Les Paradoxes de la qualité,* Les Éditions d'Organisation, Paris, 1987.

OUCHI, N. *Theory Z : How American Business Can Meet the Japanese Challenge,* Reading Mass., Addison Wesley, 1981.

PASCAL, R., ATHOS, A. *The Art of Japanese Management,* Warner Books, New York, 1981.

PÉRIGORD, Michel. *Réussir la qualité totale,* Les Éditions d'Organisation, Paris, 1987.

PETERS, T., WATERMAN, R. *Le Prix de l'excellence,* Inter-édition, Paris, 1983.

RANDOM, Michel. *Japon : La stratégie de l'invisible,* Éditions du Félin, Paris, 1985.

ROWAN, Roy. *The Intuitive Manager,* Éd. Little Brown, Toronto, 1986.

SASHKIN, Marshall. « True Vision in Leadership », *Training and Development Journal,* mai 1986.

SCHUMAKER, E.F. *Small Is Beautiful, Une société à la mesure de l'homme,* Collection Contretemps, Le Seuil, 1978.

SIMMONS, John and MARES, William. *Working Together,* Éd. Knopf, New York, 1985.

VAUGHAN, Frances E. *L'Éveil de l'intuition,* La Table Ronde, Paris, 1984.

VOLLMANN, H. *Le monde tel qu'il pourrait être,* Éd. françaises du Graal, Strasbourg, 1977.

WEIL, A. *The Natural Mind,* Houghton Mifflin, Boston, 1973, p. 150.

WESCOTT, Malcolm. *Toward a Contemporary Psychology of Intuition,* Holt, Rinehart and Winston, New York, 1968, p. 119.

ZEMKE, R., ALBRECHT, K. *Service America !,* Éd. Dow Jones-Irwin, Homewood, Illinois, 1985.

Achevé d'imprimer
en mai 1988 sur les presses
des Ateliers Graphiques Marc Veilleux Inc.
Cap-Saint-Ignace, Qué.